W9-DFN-583

YOUCAT

Catéchisme de l'Église catholique
pour les jeunes

YOUCAT

FRANÇAIS

CATÉCHISME DE L'ÉGLISE CATHOLIQUE
POUR LES JEUNES

Préface
Lettre du pape Benoît XVI aux jeunes

Traduction française établie par Mme Monique Guisse
et le père Joseph Stricher

Révisée par Mme Monique Guisse
avec le concours de Mgr Dubost

BAYARD ÉDITIONS
FLEURUS-MAME
LES ÉDITIONS DU CERF

PARIS

L'approbation de l'ouvrage en langue allemande a été délivrée par la Conférence épiscopale autrichienne le 3 mars 2010. La Conférence épiscopale française a fait part de son accord et de son soutien le 24 avril 2011, en la fête de Pâques.

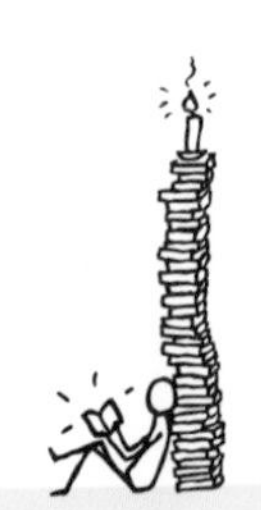

Tous les textes bibliques sont extraits de *La Bible de Jérusalem*, sous la direction de l'École biblique et archéologique française de Jérusalem © Éditions du Cerf, 2000.

Comment lire le YOUCAT ?

Dans un langage adapté aux jeunes, le YOUCAT expose l'ensemble de la foi catholique, conformément à sa présentation dans *Le Catéchisme de l'Église catholique (CEC)*, sans pour autant reprendre l'intégralité de son contenu. L'ouvrage se présente sous forme de questions et de réponses, suivies de l'indication de l'article du *CEC* auxquelles elles renvoient. Un commentaire explicatif vise à aider les jeunes à mieux comprendre les sujets abordés et la signification qu'ils auront dans leur vie. En marge, le YOUCAT propose des éléments complémentaires : une iconographie, des définitions de termes, des citations de l'Écriture sainte, de saints et de divers auteurs. À la fin de l'ouvrage, on trouvera un index permettant de se repérer.

Les signes et leurs significations :

 Citation de l'Écriture sainte

 Définition

 Citation d'un saint ou d'un auteur

 Renvoi à un autre passage du YOUCAT abordant le même sujet

Édition originale :
YOUCAT
Jugendkatechismus der Katholischen Kirche

ISBN :
978-2-227-48284-5 (Bayard Éditions)
978-2-7289-1477-7 (Fleurus-Mame)
978-2-204-09560-0 (Les Éditions du Cerf)
978-2-89646-390-9 (Novalis)

Ventes en France et francophonie (sauf Canada) : Les Éditions du Cerf
Ventes au Canada : Novalis

SOMMAIRE

PRÉFACE

YOUCAT

PRÉFACE
PAR LE PAPE BENOÎT XVI

Chers jeunes amis !

Je vous recommande, en ce jour, la lecture d'un livre peu habituel. Peu habituel par son contenu, mais aussi par le contexte dans lequel il a été créé. Je tiens à vous relater son origine car cela vous permettra de comprendre ce qui fait sa spécificité.

Ce livre a, pour ainsi dire, été créé à partir d'un autre livre, dont l'élaboration remonte aux années 1980. C'était pour l'Église, comme pour la société mondiale, une époque difficile, dans laquelle de nouvelles orientations s'imposaient pour affronter l'avenir. Après le concile Vatican II (1962–1965) et dans un climat de mutations culturelles, beaucoup ne savaient plus très bien en quoi les chrétiens croyaient vraiment, ce qu'était l'enseignement de l'Église et si elle avait encore quelque chose à enseigner ; on se demandait comment tout cela pouvait s'intégrer dans une culture profondément transformée. Le christianisme en tant que tel n'est-il pas dépassé ? Peut-on, raisonnablement, aujourd'hui encore, être croyant ? Telles étaient les questions que même des bons chrétiens se posaient.

Le pape Jean-Paul II a pris à l'époque une décision audacieuse. Il a voulu que des évêques du monde entier écrivent ensemble un livre dans lequel ils répondraient à toutes ces questions. Il me confia la tâche de coordonner le travail des évêques et de veiller à ce que, à partir de leurs contributions, un livre, un véritable livre, et non pas une compilation de textes divers, voie le jour. Ce livre allait porter le titre un peu vieillot de *Catéchisme de l'Église catholique,* mais il devait être attractif et novateur. Il devait montrer ce en quoi l'Église catholique croit aujourd'hui et en quoi la foi n'est pas en contradiction avec la raison.

J'étais effrayé à l'idée de cette mission. Je dois l'avouer, je doutais de ses chances de réussite. En effet, comment faire en sorte que des auteurs, dispersés dans le monde entier, puissent réaliser ensemble un livre accessible à tous ? Comment des personnes vivant sur des continents différents, non seulement géographiquement mais aussi intellectuellement et spirituellement, pouvaient-elles produirent ensemble un texte ayant sa cohérence interne et compréhensible sur tous les continents ? À cela, il faut ajouter que ces évêques ne devaient pas travailler en rédacteurs solitaires, mais devaient rester en contact avec leurs confrères et leurs communautés ecclésiales locales. Je dois l'avouer, pour moi, aujourd'hui encore, la réussite de ce projet tient du miracle.

Nous nous sommes réunis trois ou quatre fois dans l'année, pendant une semaine, et nous avons âprement discuté de sujets bien circonscrits, qui au fur et à mesure appelaient de plus amples développements. Il fallait à l'évidence fixer la structure du livre. Elle devait être simple, pour que les divers groupes de rédacteurs, que nous avons constitués, puissent se faire une idée claire de la tâche à accomplir, et pour que leurs travaux ne soient pas prisonniers d'un cadre complexe et contraignant. C'est la même structure que vous trouverez dans ce livre-ci. Elle est tout simplement née de l'expérience catéchétique acquise au cours des siècles : ce que nous croyons – comment nous célébrons les mystères chrétiens – comment nous avons la vie en Jésus-Christ – comment nous devons prier. Je ne veux pas ici rappeler comment nous sommes, peu à peu, venus à bout de la multitude de questions qui ont finalement donné naissance à un livre en bonne et due forme. On peut naturellement critiquer tel ou tel point dans une réalisation de ce genre : tout ce que les hommes font est imparfait et peut être amélioré. Il s'agit quand même d'un livre important : c'est un témoignage d'unité dans la diversité. À partir de voix diverses, un chœur cohérent a pu se former, parce que nous avons en commun la même partition, celle de la foi qui, depuis les apôtres, a porté l'Église tout au long des siècles.

Pourquoi raconter tout cela ? Lors de l'élaboration du *Catéchisme de l'Église catholique,* force avait été de constater qu'il y avait non seulement des différences entre les continents et les cultures, mais surtout que toute société comportait en elle-même des cloisonnements : il y a des différences de mentalité entre l'ouvrier et le paysan, le physicien et le philologue, l'entrepreneur et le journaliste, les jeunes et les personnes âgées. Nous avons donc dû opter pour un niveau de langage et de réflexion dépassant toutes ces différences, pour nous situer dans un registre commun à tous, tenant compte de toutes ces diversités. Nous avons alors eu de plus en plus la conviction qu'il fallait éditer des traductions de ce texte à l'adresse des populations du monde entier, pour les interpeller dans leur cheminement et leur questionnement personnels.

Aux JMJ, à Rome, Toronto, Cologne, Sydney, se sont rencontrés les jeunes gens du monde entier qui veulent croire, qui cherchent Dieu, qui aiment le Christ et qui veulent suivre son chemin. C'est dans ce contexte que nous nous sommes demandé s'il ne fallait pas essayer de rédiger le *Catéchisme de l'Église catholique* dans le langage des jeunes, de propager son message dans le monde des jeunes d'aujourd'hui. Naturellement, la jeunesse du monde actuel, une fois de plus, est extrêmement diverse. Ainsi sous la direction experte du cardinal-archevêque de Vienne, Christoph Schönborn, un « YOUCAT » pour les jeunes a vu le jour. J'espère que de nombreux jeunes seront enthousiasmés par ce livre.

Beaucoup me disent : cela n'intéresse pas les jeunes d'aujourd'hui. Je conteste cette idée et je suis certain d'avoir raison ; les jeunes d'aujourd'hui ne sont pas aussi superficiels qu'on le dit d'eux. Ils veulent savoir ce qui importe vraiment dans la vie. Un roman policier est passionnant parce qu'il nous entraîne dans le destin d'autres personnes, un destin qui pourrait aussi être le nôtre. Ce livre est passionnant parce qu'il nous parle de notre propre destin et qu'il concerne par conséquent profondément chacun d'entre nous.

Je vous y invite donc : étudiez le catéchisme. C'est ce que je souhaite de tout mon cœur. Ce catéchisme ne vous propose pas la facilité. En effet, il vous demande de changer de vie. Il vous livre le message de l'Évangile, celui de la « perle fine » (Mt 13, 46), pour laquelle on doit tout donner. Je vous le demande donc : étudiez le catéchisme avec passion et persévérance ! Consacrez-lui du temps ! Étudiez dans le silence de vos chambres, lisez-le à deux, si vous avez un(e) ami(e), formez des groupes de réflexion, créez des réseaux d'échanges sur Internet. En tout cas, ne cessez pas de parler de votre foi !

Vous devez savoir en quoi vous croyez. Vous devez connaître votre foi avec la même précision que celle du spécialiste en informatique qui connaît le système d'exploitation d'un ordinateur. Vous devez la comprendre comme un bon musicien comprend sa partition. Vous devez être encore plus enracinés dans votre foi que la génération de vos parents, pour affronter avec courage et détermination les défis et les tentations de notre époque. Vous avez besoin de l'aide de Dieu, si vous ne voulez pas que votre foi s'évapore comme une goutte de rosée au soleil, si vous ne voulez pas succomber aux séductions de la consommation, ni que votre amour soit entaché par la pornographie, si vous ne voulez pas trahir les faibles et rester indifférents aux victimes de la vie.

Si à présent vous voulez vous consacrer assidûment à l'étude du catéchisme, je voudrais vous donner un dernier conseil : vous savez tous à quel point la communauté des croyants a été blessée ces derniers temps par des attaques malveillantes, par l'intrusion profonde du péché dans le cœur même de l'Église. N'en tirez pas prétexte pour fuir le regard de Dieu ! Vous êtes, vous-mêmes, le Corps du Christ, vous êtes l'Église ! Faites entrer dans l'Église le feu brûlant de votre amour, chaque fois que des hommes auront défiguré son visage, soyez *D'un zèle sans nonchalance, dans la ferveur de l'esprit, au service du Seigneur !* (Rm 12, 11.)

Quand Israël fut au plus bas dans son histoire, Dieu n'a pas appelé à son secours les puissants et les grands de ce monde, mais un jeune homme du nom de Jérémie. Jérémie ne se sentait pas à la hauteur : *Ah ! Seigneur Dieu, vraiment, je ne sais pas parler, car je suis un enfant* (Jr 1, 6). Mais Dieu resta inflexible : Ne dis pas : *Je suis un enfant ! Car vers tous ceux à qui je t'enverrai, tu iras, et tout ce que je t'ordonnerai, tu le diras* (Jr 1, 7).

Je vous bénis et je prie chaque jour pour vous tous.

Benedictus PP XVI

Benedictus PP XVI

PREMIÈRE PARTIE

1 Ce que nous croyons

QUESTIONS 1 – 165

Dieu veut que tous les hommes soient sauvés et parviennent à la connaissance de la vérité.

1re épître à Timothée 2, 4

En parlant des choses humaines, on dit qu'il faut les connaître pour les aimer. En parlant des choses divines, on dit qu'il faut les aimer pour les connaître.

BLAISE PASCAL
(1623–1662, mathématicien et philosophe français)

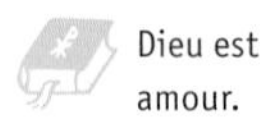

Dieu est amour.

1re épître de Jean 4, 16

La mesure de l'amour est l'amour sans mesure.

SAINT FRANÇOIS DE SALES
(1567–1622, évêque, guide spirituel, fondateur d'un ordre religieux et docteur de l'Église)

L'amour, c'est de trouver sa joie dans le bien ; le bien est la seule raison de l'amour. Aimer, c'est vouloir faire du bien à quelqu'un.

SAINT THOMAS D'AQUIN
(1225–1274, guide spirituel du Moyen Âge, docteur de l'Église et grand théologien)

PREMIÈRE SECTION
Les raisons de croire

1 *Pourquoi sommes-nous sur terre ?*

Nous sommes sur terre pour connaître et aimer Dieu, pour faire le bien selon sa volonté et pour parvenir un jour au ciel. [1–3, 358]

Être un homme signifie : venir de Dieu et aller vers Dieu. Notre origine remonte à plus haut que nos parents. Nous venons de Dieu dans lequel réside tout le bonheur du ciel et de la terre et nous sommes attendus dans sa béatitude éternelle et sans limites. Nous vivons entre-temps sur cette terre. Nous sentons quelquefois la proximité de notre Créateur, mais souvent nous ne sentons rien du tout. Pour nous mettre sur la bonne route, Dieu a envoyé son Fils qui nous a libérés du péché, qui nous a sauvés de tout mal et qui nous conduit de manière infaillible dans la vraie vie. *Il est le Chemin, la Vérité et la Vie* (Jn 14, 6).
→ 285

2 *Pourquoi Dieu nous a-t-il créés ?*

Dieu nous a créés par un amour libre et désintéressé. [1–3]

Quand quelqu'un aime, son cœur déborde. Il voudrait partager sa joie avec d'autres. Il tient cela de son Créateur. Bien que Dieu soit un mystère, il est cependant possible de l'évoquer à partir de notre expérience humaine et nous pouvons dire : il nous a créés en vertu du « trop-plein » de son amour. Il a voulu partager sa joie avec nous qui sommes les créatures de son amour.

CHAPITRE PREMIER
Nous les hommes, nous sommes ouverts à Dieu

3 *Pourquoi sommes-nous en recherche de Dieu ?*

Dieu a mis dans notre cœur le désir de le chercher et de le trouver. Saint Augustin dit : « Tu nous as créés pour toi, Seigneur, et notre cœur est sans repos tant qu'il ne repose pas en toi. » Ce désir de Dieu, nous l'appelons →RELIGION. [27–30]

RELIGION
Sous le terme « religion », on entend généralement une relation au divin. Un homme religieux reconnaît qu'il y a quelque chose de divin dans la force qui l'a créé et qui a créé le monde, force dont il est dépendant et vers laquelle il est orienté. Dans sa manière de vivre, il cherche à plaire au divin et à le vénérer.

La source de la joie chrétienne est la certitude d'être aimés de Dieu, aimés personnellement par notre Créateur... d'un amour passionné et fidèle, un amour plus grand que nos infidélités et nos péchés, un amour qui pardonne.

BENOÎT XVI, 1er juin 2006

Il est naturel qu'un être humain soit en recherche de Dieu. Toute son aspiration vers la vérité et le bonheur est finalement une recherche vers ce qui le porte *de manière absolue,* le satisfait *de manière absolue,* le prend en compte *de manière absolue.* Un être humain n'est totalement lui-même que lorsqu'il a trouvé Dieu. « Celui qui cherche la vérité cherche Dieu, qu'il en ait conscience ou non » (sainte Edith Stein). → 5, 281–285

4 *Pouvons-nous découvrir l'existence de Dieu avec notre raison ?*

Oui. La raison humaine peut connaître Dieu avec certitude. [31–36, 44–47]

Le monde ne peut avoir son origine et son but en lui-même. Dans tout ce qui existe, il y a bien plus que ce que l'on voit. L'ordre, la beauté et le développement du

Dieu a fait les hommes afin qu'ils cherchent la divinité pour l'atteindre, si possible comme à tâtons et la trouver ; aussi bien n'est-elle pas loin de chacun de nous. C'est en elle en effet que nous avons la vie, le mouvement et l'être.

Actes des apôtres 17, 27-28

monde orientent le regard vers quelque chose qui nous dépasse. Ils l'orientent vers Dieu. Chaque être humain est ouvert au vrai, au bon et au beau. Il entend la voix de la conscience au fond de lui-même, elle le pousse vers le bien et l'avertit du mal. Celui qui a la sagesse de suivre cette trace trouve Dieu.

> La principale force de l'homme est la raison. Le but suprême de la raison est la connaissance de Dieu.
>
> SAINT ALBERT LE GRAND (1200– vers 1280, dominicain, enseignant pluridisciplinaire, docteur de l'Église et grand théologien)

5 *Pourquoi certaines personnes nient-elles l'existence de Dieu alors qu'elles peuvent le connaître par la raison ?*

Pour l'esprit humain, connaître le Dieu invisible est un grand défi qui en fait reculer plus d'un. Beaucoup ne veulent pas reconnaître Dieu parce que cela les obligerait à changer de vie. Celui qui dit qu'il est absurde de se poser la question de Dieu se simplifie la vie un peu trop vite. [37–38] → 357

> Voilà comment les hommes en sont venus à se pénétrer si facilement eux-mêmes de ce principe que, dans ce domaine, tout ce qu'ils ne veulent pas être vrai est faux ou pour le moins douteux.
>
> PIE XII, *Humani Generis*

6 *Est-il vraiment possible de connaître Dieu ? Peut-on parler de lui de manière juste ?*

Bien que les hommes soient limités et que l'infinie grandeur de Dieu ne puisse jamais entrer dans les limites de leur intelligence humaine, ils peuvent cependant parler de lui d'une manière juste. [39–43, 48]

Parler de Dieu ne peut se faire qu'en ayant conscience de l'inadaptation de notre langage à la majesté divine. Il est donc nécessaire de purifier et d'améliorer sans cesse notre langage sur Dieu.

> Tout ce qui est incompréhensible n'en existe pas moins pour cela.
>
> BLAISE PASCAL

CHAPITRE II
Dieu vient à notre rencontre

> Car si grande que soit la ressemblance entre le Créateur et la créature, on doit encore noter une plus grande dissemblance entre eux.
>
> Concile du Latran IV, 1215

7 *Dieu devait-il se révéler afin que nous sachions qui il est ?*

Avec sa raison, l'homme peut savoir *que* Dieu existe mais pas *qui* il est réellement. Dieu s'est révélé parce qu'il souhaite qu'on le connaisse. [50–53, 68–69]

Dieu n'avait pas besoin de se révéler à nous. Il l'a fait par amour. De même que dans l'amour humain nous ne pouvons connaître quelque chose de l'être aimé que lorsqu'il nous ouvre son cœur, de même nous ne parvenons à connaître quelque chose des pensées les plus intimes de Dieu que parce que le Dieu éternel et mystérieux s'est ouvert à nous par amour. Depuis la création, en passant par les patriarches et les prophètes jusqu'à la → RÉVÉLATION finale en son Fils Jésus-Christ, Dieu n'a cessé de parler aux hommes. En lui, il nous a ouvert son cœur et il a permis que nous contemplions sa nature la plus intime.

8 *Comment Dieu se révèle-t-il dans l'Ancien Testament ?*

Dans l'→ ANCIEN TESTAMENT Dieu se manifeste comme celui qui a créé le monde par amour et reste fidèle aux hommes même lorsque ceux-ci s'éloignent de lui dans le péché. [54-64, 70-72]

Dieu se révèle dans l'histoire : avec Noé il a conclu une Alliance pour le salut de tous les êtres vivants. Il a appelé ensuite Abraham pour faire de lui *le père d'une multitude de nations* (Gn 17, 5) et bénir en lui *tous les peuples de la terre* (Gn 12, 3). Le peuple d'Israël, issu d'Abraham, devint son bien particulier. À Moïse, il s'est présenté sous son Nom. Son Nom mystérieux יהוה, retranscrit la plupart du temps sous la forme de → YAHVÉ, signifie « je suis celui qui est ». Il libère Israël de l'esclavage en Égypte, conclut avec lui une Alliance au Sinaï et lui donne la Loi par Moïse. Dieu ne cesse d'envoyer à son peuple des prophètes pour l'appeler à la conversion et au renouvellement de l'Alliance. Les prophètes annoncent que Dieu conclura une Alliance nouvelle et éternelle qui apportera un renouveau radical et le salut définitif. Cette Alliance sera offerte à toute l'humanité.

9 *Quand Dieu nous envoie son Fils, que révèle-t-il de lui-même ?*

En Jésus-Christ, Dieu nous montre toute la profondeur de son amour miséricordieux. [65-66, 73]

Par Jésus-Christ, le Dieu invisible devient visible. Il devient homme comme nous. Cela montre jusqu'où va l'amour de Dieu : il prend sur lui tout ce qui pèse sur nous. Il nous accompagne sur tous nos chemins. Il est dans notre solitude, nos peines, notre angoisse devant la mort.

Il a plu à Dieu dans sa sagesse et sa bonté de se révéler en personne et de faire connaître le mystère de sa volonté grâce auquel les hommes, par le Christ, le Verbe fait chair, accèdent, dans l'Esprit-Saint, auprès du Père, et sont rendus participants de la nature divine.

Vatican II, *Dei Verbum (DV)*

RÉVÉLATION Manifestation de Dieu qui s'ouvre, se montre et parle au monde de sa propre initiative.

Le bonheur que vous cherchez, le bonheur auquel vous avez le droit de goûter a un nom, un visage : celui de Jésus de Nazareth.

BENOÎT XVI, 18 août 2005

INCARNATION (du latin *caro*, « chair, devenir chair ») : action de Dieu qui prend la condition humaine en Jésus-Christ. L'incarnation est le fondement de la foi chrétienne et de l'espérance dans le salut de l'humanité.

En Jésus-Christ, Dieu a pris une apparence humaine et il est devenu notre ami et notre frère.

BENOÎT XVI,
6 septembre 2006

Après avoir, à maintes reprises et sous maintes formes, parlé jadis aux Pères par les prophètes, Dieu, en ces jours qui sont les derniers, nous a parlé par un Fils qu'il a établi héritier de toutes choses, par qui aussi il a fait les mondes.

Épître aux Hébreux 1, 1-2

Hors de Jésus-Christ, nous ne savons pas ce qu'est notre vie, ni notre mort, ni Dieu, ni nous-mêmes.

BLAISE PASCAL

MISSION (du latin *missio*, « envoi ») : la mission est la raison d'être de l'Église. C'est l'ordre donné par le Christ à tous les chrétiens d'annoncer l'Évangile en paroles et en actes afin que toute personne puisse se décider librement pour le Christ.

J'ai reçu du Seigneur ce qu'à mon tour je vous ai transmis.

1re épître aux Corinthiens 11, 23

Il est là où nous ne pouvons aller plus loin, afin de nous ouvrir la porte de la vie. → 314

10 *Avec Jésus-Christ tout est-il dit ou bien la Révélation continuera-t-elle après lui ?*

En Jésus-Christ, Dieu lui-même est venu sur terre. Il est la parole ultime de Dieu. En l'écoutant, les hommes de tous les temps peuvent savoir qui est Dieu et ce qui est nécessaire à leur salut. [66-67]

Avec l'Évangile de Jésus-Christ, la → RÉVÉLATION de Dieu est définitive et complète. Pour qu'elle nous éclaire, l'Esprit-Saint nous introduit de plus en plus profondément dans la vérité. Dans la vie de certaines personnes, la lumière de Dieu brille d'une manière si intense qu'elles voient « le ciel ouvert » (Ap 7, 56). C'est ainsi que sont nés les grands lieux de pèlerinage comme Notre-Dame-de-Guadalupe à Mexico ou bien Lourdes en France. Les « révélations particulières » des voyants ne peuvent pas améliorer l'Évangile de Jésus-Christ. Elles n'engagent pas notre foi. Mais elles peuvent aider à mieux comprendre l'Évangile. Leur vérité est jugée par l'Église.

11 *Pourquoi transmettons-nous la foi ?*

Nous transmettons la foi parce que Jésus nous le demande : *Allez donc, de toutes les nations faites des disciples* (Mt 28, 19). [91]

Aucun vrai chrétien n'abandonne la transmission de la foi aux seuls spécialistes (enseignants, prêtres, missionnaires). On est chrétien pour les autres. Cela signifie : chaque vrai chrétien voudrait que Dieu vienne également chez les autres. Il se dit : Le Seigneur a besoin de moi ! Je suis baptisé, confirmé et rendu responsable de ce que les personnes de mon entourage prennent connaissance de Dieu et *parviennent à la connaissance de la vérité* (1 Tm 2, 4). Mère Teresa a utilisé une bonne comparaison : « Souvent tu peux voir des fils qui bordent les routes. Avant que le courant les traverse, il n'y a pas de lumière. C'est vous qui êtes le fil. Dieu est le courant ! Nous avons la possibilité de permettre au courant de passer à travers nous et de nous utiliser pour allumer la lumière dans le monde – → JÉSUS – ou bien de refuser d'être employés

pour la diffuser et d'être ainsi responsables de l'obscurité. » → 123

12 *Comment savons-nous ce qui appartient à la vraie foi ?*

Nous trouvons la vraie foi dans les Saintes Écritures et dans la transmission vivante qu'en fait l'→ ÉGLISE (la Tradition). [76, 80-82, 85-87, 97, 100]

Le → NOUVEAU TESTAMENT est né de la foi de l'Église. Écriture et Tradition sont liées. La transmission de la foi ne repose pas en premier lieu sur des textes. Dans les premiers temps de l'→ ÉGLISE, on disait que l'Écriture sainte « avant d'être écrite sur du parchemin était écrite dans le cœur de l'Église ». Les disciples et les → APÔTRES ont déjà fait l'expérience d'une vie nouvelle grâce à leur communauté de vie avec Jésus. Cette communauté qui a subsisté d'une autre manière après la résurrection de Jésus, la jeune Église l'a ouverte aux hommes. Les premiers chrétiens étaient *assidus à l'enseignement des apôtres et à la communion fraternelle, à la fraction du pain et aux prières* (Ac 2, 42). Ils étaient unis mais en faisant de la place à d'autres. Jusqu'à nos jours la foi agit de la

Il est nécessaire, de manière urgente, qu'une nouvelle génération d'apôtres surgisse qui soit enracinée dans la Parole du Christ, qui soit en situation d'apporter une réponse aux questions de notre temps et qui soit prête à annoncer partout l'Évangile.

BENOÎT XVI, 22 février 2006

La Sainte Tradition et la Sainte Écriture sont donc reliées et communiquent étroitement entre elles. Car toutes deux, jaillissant d'une source divine identique, ne forment pour ainsi dire qu'un tout et tendent à une même fin.

Vatican II, *DV*

APÔTRE (du grec *apostolos*, « messager, envoyé »). Dans le Nouveau Testament, le terme est employé pour désigner les douze hommes que Jésus a choisis pour être ses proches collaborateurs et ses témoins. Paul lui aussi a pu se présenter comme un apôtre appelé par le Christ.

MAGISTÈRE Service d'enseignement confié par le Christ à ses apôtres et à leurs successeurs qui sont assistés du Saint-Esprit pour l'accomplir.

Méditez souvent la Parole de Dieu et permettez à l'Esprit-Saint d'être votre maître. Vous découvrirez alors que les pensées de Dieu ne sont pas les pensées des hommes ; vous serez alors amenés à contempler le vrai Dieu et à regarder les événements avec ses yeux ; vous goûterez en abondance la joie qui découle de la vérité.

BENOÎT XVI, 22 février 2006

même manière : les chrétiens invitent d'autres personnes à vivre en communion avec Dieu. Dans l'Église catholique, cette communion s'est maintenue sans altération depuis le temps des apôtres.

13 *En ce qui concerne la foi, l'Église peut-elle se tromper ?*

***En ce qui concerne la foi, l'ensemble des croyants ne peut pas se tromper car Jésus a promis à ses disciples qu'il leur enverrait l'Esprit de vérité pour les garder dans la vérité* (Jn 14, 17). [80-82, 85-87, 92, 100]**

De même que les disciples ont cru en Jésus de tout leur cœur, ainsi un chrétien peut avoir une confiance totale dans l'→ ÉGLISE quand il cherche le chemin de la vie. Parce que Jésus-Christ lui-même a donné l'ordre à ses → APÔTRES d'enseigner, l'Église dispose d'un → MAGISTÈRE et elle ne peut se taire. Certes, des membres individuels de l'Église peuvent se tromper et même commettre des fautes graves, mais considérée dans son ensemble l'Église ne peut jamais tomber hors de la vérité de Dieu. À travers les siècles, l'Église porte une vérité vivante qui est plus grande qu'elle-même. On parle du *depositum fidei*, du dépôt de la foi qu'il s'agit de conserver. Quand cette vérité est ouvertement contestée ou défigurée, l'Église est invitée à faire briller de nouveau « ce qui a été cru partout, toujours et par tous » (saint Vincent de Lérins, † 450).

14 *L'Écriture sainte est-elle vraie ?*

« Les livres de l'Écriture enseignent fermement, fidèlement et sans erreur la vérité parce qu'ils sont inspirés, ce qui veut dire qu'ils ont été rédigés sous l'inspiration de l'Esprit-Saint et qu'ils ont donc Dieu pour auteur » (concile Vatican II, *Dei Verbum*). [103-107]

La → BIBLE n'est pas tombée toute faite du ciel et n'a pas été dictée par Dieu à des écrivains robots. Dieu au contraire « a choisi des hommes auxquels il eut recours dans le plein usage de leurs facultés et de leurs moyens, pour que, lui-même agissant en eux et par eux, ils missent par écrit, en vrais auteurs, tout ce qui était conforme à son désir, et cela seulement » (Vatican II, DV 11). Pour reconnaître comme *Écriture sainte* tel ou tel texte, il fallait tenir compte également de l'acceptation générale de ces textes dans l'Église. Il fallait qu'il y ait un consensus dans les communautés chrétiennes : « Oui, Dieu nous parle lui-même par ce texte – il est inspiré par l'Esprit-Saint. » Parmi les nombreux textes de l'Église primitive, ceux qui sont réellement inspirés par l'Esprit-Saint sont définis depuis le IVe siècle dans ce qu'on appelle le → CANON DES SAINTES ÉCRITURES.

15 *Comment l'Écriture sainte peut-elle être « vérité » alors que tout ce qu'elle contient n'est pas exact ?*

La → BIBLE ne veut pas nous donner des précisions d'ordre historique ou des informations concernant les sciences de la nature. Les auteurs étaient des hommes de leur temps. Ils partageaient les représentations culturelles de leur époque et commettaient quelquefois les mêmes erreurs. Cependant, tout ce que l'homme a besoin de savoir sur Dieu et sur le chemin de sa délivrance se trouve dans l'Écriture sainte sans aucun risque d'erreur. [106–107, 109]

16 *Comment peut-on lire correctement la Bible ?*

On lit la → BIBLE correctement quand on la lit dans la prière, c'est-à-dire avec l'aide de l'Esprit-Saint sous l'influence duquel elle est née. Elle est Parole de Dieu et contient la révélation décisive de Dieu. [109–119, 137]

La → BIBLE est comme une longue lettre que Dieu adresse à chacun d'entre nous. Il est donc nécessaire d'accueillir l'Écriture sainte avec grand amour et grand respect : il importe d'abord de lire réellement la lettre de Dieu, ce qui signifie qu'il ne faut pas picorer des détails en négligeant l'ensemble du texte. Il me faut alors en interpréter le message à partir de ce qui en constitue le cœur et le mystère : Jésus-Christ, lui dont parle toute la Bible, y compris l'→ ANCIEN TESTAMENT. La foi avec laquelle je dois lire l'Écriture sainte est foi vivante de l'→ ÉGLISE dont elle est issue. → 491

INSPIRATION (du latin *inspiratio*, « action de souffler sur ou dans ») : influence de Dieu sur les écrivains de la Bible, ce qui permet de considérer Dieu lui-même comme l'auteur de l'Écriture sainte.

CANON (du latin *canon*, « règle ») : pour la Bible, catalogue officiel des Saintes Écritures de l'Ancien et du Nouveau Testament.

BIBLE (du grec *biblos*, « livre ») : sous le mot de « Bible », les juifs et les chrétiens désignent une collection de Saintes Écritures, élaborées pendant plus de mille ans, qui constitue pour eux le document central de leur foi. La Bible chrétienne est beaucoup plus volumineuse que la Bible juive car elle contient également les quatre évangiles, les lettres de saint Paul, l'Apocalypse et d'autres écrits de l'Église primitive.

La Bible est la lettre d'amour que Dieu nous adresse.

SØREN KIERKEGAARD (1813–1855, philosophe danois)

ANCIEN TESTAMENT
(du latin *testamentum*, « legs ») : première partie de la Bible et Écriture sainte des juifs. L'Ancien Testament de l'Église catholique comprend 46 livres : les écrits historiques, les écrits prophétiques et la littérature de sagesse avec les psaumes.

NOUVEAU TESTAMENT
Seconde partie de la Bible. Il comprend les textes propres au christianisme, c'est-à-dire les quatre évangiles, les Actes des Apôtres, quatorze lettres de Paul, sept épîtres catholiques et le livre de l'Apocalypse.

Les livres de la Bible (→ Canon)

ANCIEN TESTAMENT (46 livres)

Les livres historiques
Genèse (Gn), Exode (Ex), Lévitique (Lv), Nombres (Nb), Deutéronome (Dt), Josué (Jos), Juges (Jg), Ruth (Rt), 1 Samuel (1 S), 2 Samuel (2 S), 1 Rois (1 R), 2 Rois (2 R), 1 Chroniques (1 Ch), 2 Chroniques (2 Ch), Esdras (Esd), Néhémie (Ne), Tobie (Tb), Judith (Jdt), Esther (Est), 1 Maccabées (1 M), 2 Maccabées (2 M).

Les livres de Sagesse
Job (Jb), Psaumes (Ps), Proverbes (Pr), l'Ecclesiaste – ou Qohélet – (Qo), Cantiques des Cantiques (Ct), Sagesse (Sg), l'Ecclesiastique – ou Siracide – (Si).

Les prophètes
Isaïe (Is), Jérémie (Jr), Lamentations (Lm), Baruch (Ba), Ézéchiel (Ez), Daniel (Dn), Osée (Os), Joël (Jl), Amos (Am), Abdias (Ab), Jonas (Jon), Michée (Mi), Nahum (Na), Habaquq (Ha), Sophonie (So), Aggée (Ag), Zacharie (Za), Malachie (Ml).

NOUVEAU TESTAMENT (27 livres)

Les évangiles
Matthieu (Mt), Marc (Mc), Luc (Lc), Jean (Jn).

Les Actes des Apôtres (Ac).

Les épîtres de Paul
Épître aux Romains (Rm), 1re épître aux Corinthiens (1 Co), 2e épître aux Corinthiens (2 Co), épître aux Galates (Ga), épître aux Éphésiens (Ep), épître aux Philippiens (Ph), épître aux Colossiens (Col), 1re épître aux Thessaloniciens (1 Th), 2e épître aux Thessaloniciens (2 Th), 1re épître à Timothée (1 Tm), 2e épître à Timothée (2 Tm), épître à Tite (Tt), épître à Philémon (Phm), épître aux Hébreux (He).

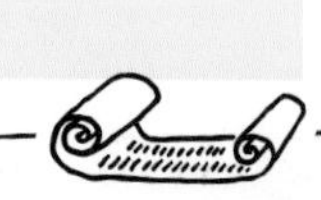

Les épîtres catholiques

Épître de Jacques (Jc), 1re épître de Pierre (1 P), 2e épître de Pierre (2 P), 1re épître de Jean (1 Jn), 2e épître de Jean (2 Jn), 3e épître de Jean (3 Jn), épître de Jude (Jude).

L'Apocalypse de Jean (Ap)

> La Bible n'est pas faite pour que nous la critiquions mais pour qu'elle nous critique.
>
> SØREN KIERKEGAARD

17 *Quelle est la signification de l'Ancien Testament pour les chrétiens ?*

Dans l'→ ANCIEN TESTAMENT, Dieu se révèle comme le créateur du monde et comme celui qui le maintient en existence mais aussi comme guide et éducateur des hommes. Les livres de l'Ancien Testament eux aussi sont Parole de Dieu et Écriture sainte. Sans l'Ancien Testament, on ne peut pas comprendre Jésus. [121–123, 128–130, 140]

Pour nous apprendre la foi, une grande histoire commence avec l'→ ANCIEN TESTAMENT, elle prend une tournure décisive dans le → NOUVEAU TESTAMENT et elle arrive à son terme avec la fin du monde et le retour du Christ. L'Ancien Testament est donc bien plus qu'un simple prologue au Nouveau Testament. Les commandements et les prophéties pour le peuple de l'ancienne Alliance et les promesses pour tous les humains qu'il comporte n'ont jamais été révoqués. Dans les livres de l'ancienne Alliance se trouve un trésor irremplaçable de prières et de textes de sagesse : les Psaumes en particulier sont au cœur de la prière quotidienne de l'Église.

> Dieu d'Abraham, Dieu d'Isaac, Dieu de Jacob, non des philosophes et des savants… Il ne se trouve que par les voies enseignées dans l'Évangile.
>
> BLAISE PASCAL, après une révélation divine

> Seulement lorsque nous rencontrons dans le Christ le Dieu vivant, nous connaissons ce qu'est la vie. Il n'y a rien de plus beau que d'être rejoints, surpris par l'Évangile, par le Christ.
>
> BENOÎT XVI, 24 avril 2005

18 *Quelle est la signification du Nouveau Testament pour les chrétiens ?*

Dans le → NOUVEAU TESTAMENT, la → RÉVÉLATION de Dieu s'achève. Les quatre évangiles – selon Matthieu, Marc, Luc et Jean – sont la partie centrale de l'Écriture sainte et le plus précieux trésor de l'Église. En eux, le Fils de Dieu se montre tel qu'il est et vient à notre rencontre. Dans les Actes des Apôtres, nous découvrons les débuts de l'Église par l'action de l'Esprit-Saint. Dans les lettres apostoliques, la vie humaine sous toutes ses facettes est éclairée par la lumière du Christ. Dans l'Apocalypse, nous voyons à l'avance la fin des temps. [124–127, 128–130, 140]

> Ignorer les Écritures, c'est ignorer le Christ.
>
> SAINT JÉRÔME (347–419, père de l'Église, docteur de l'Église, exégète et traducteur de la Bible)

> L'Écriture sainte n'appartient pas au passé. Le Seigneur ne parle pas dans le passé, mais il parle au présent, il parle aujourd'hui avec nous, il nous offre la lumière, il nous montre le chemin de la vie, il nous offre une communauté, il nous prépare ainsi et nous ouvre à la paix.
>
> BENOÎT XVI, 29 mars 2006

> Lire l'Écriture sainte, c'est prendre conseil du Christ.
>
> SAINT FRANÇOIS D'ASSISE (1182–1226, fondateur d'un ordre religieux, mystique)

Jésus est la totalité de ce que Dieu veut nous dire. Tout l'→ ANCIEN TESTAMENT prépare l'incarnation du Fils de Dieu. Toutes les promesses de Dieu trouvent leur accomplissement en Jésus. Être chrétien consiste à s'unir de plus en plus étroitement à la vie du Christ. Pour cela, il faut lire les évangiles et en vivre. Madeleine Delbrêl dit : « Par sa Parole, Dieu nous dit ce qu'il est et ce qu'il veut ; il le dit une fois pour toutes, il le dit pour chaque jour... Quand nous tenons notre évangile dans nos mains, nous devrions penser qu'en lui habite le Verbe qui veut se faire chair en nous, s'emparer de nous pour que, son cœur, greffé sur le nôtre et son esprit branché sur notre esprit, nous recommencions sa vie dans un autre lieu, un autre temps, une autre société humaine. »

19 *Quel rôle l'Écriture sainte joue-t-elle dans l'Église ?*

L'Église puise sa vie et sa force dans l'Écriture sainte. [103–104, 131–133, 141]

En dehors de la présence du Christ dans la sainte → EUCHARISTIE, l'→ ÉGLISE n'a pas d'objet de vénération plus important que la présence de Dieu dans les Saintes Écritures. À la messe, la lecture de l'Évangile est accueillie debout parce que dans les paroles humaines que nous entendons, c'est Dieu lui-même qui s'adresse à nous. → 128

CHAPITRE III
Les hommes répondent à Dieu

20 *Quand Dieu nous parle, comment pouvons-nous lui répondre ?*

Répondre à Dieu, c'est croire en lui. [142-149]

Celui qui veut croire a besoin d'un *cœur qui ait de l'entendement* (1 R 3, 9). Dieu cherche un contact avec nous de différentes manières. Chaque rencontre avec quelqu'un, chaque émerveillement devant le spectacle de la nature, chaque hasard apparent, chaque défi, chaque douleur cache un message secret que Dieu nous adresse. De manière encore plus évidente, Dieu s'adresse à nous par sa Parole ou par la voix de notre conscience. Il s'adresse à nous comme à des amis. Il faut donc que nous lui répondions de la même manière, en amis. Il faut croire en lui, lui faire totalement confiance, apprendre à toujours mieux le connaître et accepter sa volonté sans restriction.

21 *Qu'est-ce que la foi ?*

La foi, c'est savoir et avoir confiance. Elle a sept caractéristiques :

- **La foi est *un pur don* de Dieu que nous obtenons quand nous le demandons avec ferveur ;**
- **La foi est la force surnaturelle dont nous avons *absolument* besoin pour atteindre le salut ;**
- **La foi exige la *volonté libre et le clair discernement de l'homme* quand il répond à l'invitation divine ;**
- **La foi est une *certitude absolue* parce que Jésus s'en porte garant ;**
- **La foi est incomplète aussi longtemps qu'elle n'est pas agissante dans la charité ;**
- **La foi *grandit,* quand nous écoutons toujours mieux la Parole de Dieu et quand, par la prière, nous engageons un dialogue vivant avec elle ;**
- **La foi nous donne déjà maintenant un *avant-goût de la joie du ciel.***

[153-165, 179-180, 183-184]

Beaucoup disent que croire ne leur suffit pas, ils veulent savoir. Mais le mot « croire » a deux sens tout à fait différents. Quand un parachutiste demande à l'employé du

> Dans sa nature, la foi est l'accueil d'une vérité que notre intelligence ne peut atteindre ; elle repose de manière simple et indispensable sur le témoignage.
>
> BIENHEUREUX JOHN HENRY NEWMAN (1801-1890, converti, devenu plus tard cardinal de l'Église catholique, philosophe anglais et théologien)

> Si vous avez de la foi gros comme un grain de sénevé, vous direz à cette montagne : « Déplace-toi d'ici à là », et elle se déplacera, et rien ne vous sera impossible.
>
> Matthieu 17, 20

> Croire signifie supporter toute une vie l'incompréhensibilité de Dieu.
>
> KARL RAHNER (1904-1984, théologien allemand)

> Je ne croirais pas si je ne percevais pas qu'il est raisonnable de croire.
>
> SAINT THOMAS D'AQUIN

terrain d'aviation : « Le parachute a-t-il été plié correctement ? » et que celui-ci grommelle : « Euh ! Je crois bien que oui », cette réponse ne lui convient pas, il voudrait savoir. Si, en revanche, il a demandé à un ami de plier le parachute, et que celui-ci réponde à la même question : « Oui, je l'ai fait personnellement. Tu peux me croire », le parachutiste répondra : « Oui, je te crois. » Cette foi est beaucoup plus qu'un savoir, elle est une certitude. Telle est la foi qui a fait émigrer Abraham vers la Terre promise, qui a permis aux → MARTYRS de tenir bon jusque dans la mort, qui soutient, aujourd'hui encore, des chrétiens persécutés. Une foi qui saisit l'être humain tout entier.

> Croire en un Dieu signifie : voir que dans les réalités du monde tout n'est pas encore dit. Croire en un Dieu signifie voir que la vie a un sens.
>
> LUDWIG WITTGENSTEIN (1889–1951, philosophe autrichien)

> Ce que nous croyons est important, mais plus important encore est en qui nous croyons.
>
> BENOÎT XVI, 28 mai 2006

22 *Croire – qu'est-ce que cela veut dire ?*

Celui qui croit cherche une relation personnelle à Dieu et il est prêt à croire tout ce que Dieu lui montre (lui révèle) de lui-même. [150–152]

Au début de la foi, il y a souvent un ébranlement ou une inquiétude. L'homme sent que le monde visible et le cours normal des choses ne constituent pas le tout de l'existence. Il se sent touché par un mystère. Il suit les traces qui le renvoient à l'existence de Dieu et trouve peu à peu la confiance pour s'adresser à lui et pour finalement entrer librement en relation avec lui. Dans l'évangile de Jean, on peut lire : *Dieu, personne ne l'a jamais vu ; le Fils unique, qui est dans le sein du Père, c'est lui qui a conduit à le connaître* (Jn 1, 18). Voilà pourquoi nous devons croire en Jésus, le Fils de Dieu, si nous voulons savoir ce que Dieu veut nous communiquer. Croire signifie donc donner son accord à Jésus et miser toute sa vie sur lui.

> *Credo, ut intelligam* – « Je crois, pour comprendre. »
>
> SAINT ANSELME DE CANTERBURY (1033/34–1109, docteur de l'Église, théologien du Moyen Âge)

> Je n'ai nulle imagination. Je ne peux pas me représenter Dieu le Père. Tout ce que je peux voir, c'est Jésus.
>
> BIENHEUREUSE MÈRE TERESA (1910–1997, l'« ange de Calcutta », fondatrice d'un ordre religieux, Prix Nobel de la paix en 1979)

23 *Y a-t-il une contradiction entre la foi et la science ?*

Il n'y a pas de contradiction insurmontable entre la foi et la science car il ne peut y avoir de double vérité. [159]

Il n'y a pas une vérité de la foi qui serait en concurrence avec une vérité de la science. Il n'y a qu'une vérité qui concerne aussi bien la foi que le raisonnement scientifique. Dieu a voulu l'intelligence par laquelle nous connaissons les structures intelligibles de l'univers et il a voulu la foi. Voilà pourquoi la foi chrétienne provoque et encourage les sciences, y compris celles de la nature. Par la foi, nous connaissions des réalités qui dépassent les capacités de notre intelligence, mais qui sont pourtant réelles bien qu'inaccessibles au seul raisonnement. La foi rappelle aux sciences qu'elles n'ont pas à se mettre à la place de Dieu et qu'elles doivent servir la création et respecter la dignité de la personne humaine.

24 *En quoi ma foi concerne-t-elle l'Église ?*

Personne ne peut croire tout seul comme personne ne peut vivre tout seul. Nous recevons la foi de l'→ ÉGLISE et nous la vivons en communion avec ceux qui partagent notre foi. [166-169, 181]

La foi est ce qu'il y a de plus personnel chez un être humain, elle n'est pas pour autant une affaire privée. Celui qui veut croire doit pouvoir dire « je » aussi bien que « nous », car une foi que l'on ne peut ni partager ni communiquer serait irrationnelle. Le croyant individuel donne sa libre adhésion au « Nous croyons » de l'→ ÉGLISE. C'est de l'Église qu'il a reçu la foi. Par-delà les siècles, elle lui a transmis la foi, elle l'a protégée des falsifications et elle a permis que sa lumière ne cesse de briller. Il en résulte que la foi est la participation à une conviction collective. La foi des autres me porte, de même que le feu de ma foi allume le feu ou fortifie le feu chez d'autres. Le « je » et le « nous » de la foi sont soulignés par le fait que l'Église utilise deux professions de foi au cours des offices divins : *le Symbole des Apôtres* qui commence par « Je crois » (→ CREDO) et *la grande profession de foi de Nicée-Constantinople* qui, dans sa forme primitive du moins, commençait par « Nous croyons » *(Credimus)*.

» Personne ne peut atteindre à la connaissance des réalités divines et humaines s'il n'a pas sérieusement étudié auparavant les mathématiques.

SAINT AUGUSTIN (354-430, docteur de l'Église, écrivain et théologien des premiers temps de l'Église)

» Nous ne trouvons nulle part de contradiction entre Dieu et la science. Ils ne s'excluent pas comme aujourd'hui certains le croient ou bien le redoutent, ils se complètent et se présupposent mutuellement.

MAX PLANCK (1858-1947, physicien, Prix Nobel en 1918, fondateur de la théorie des quanta)

CREDO
(du latin *credo,* « je crois ») : le premier mot du *Symbole des Apôtres* est devenu la désignation de différentes professions de foi de l'Église, dans lesquelles les principaux éléments de la foi sont rassemblés de manière ordonnée.

Que deux ou trois, en effet, soient réunis en mon nom, je suis là au milieu d'eux.

Matthieu 18, 20

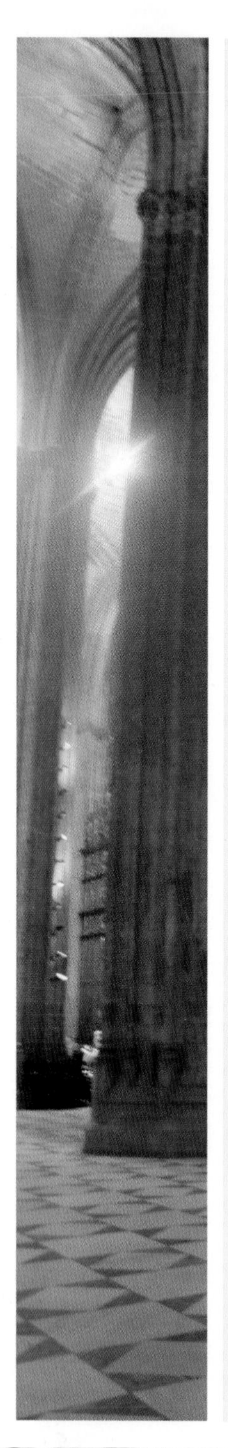

DEUXIÈME SECTION

La profession de foi chrétienne

25 *Pourquoi la foi a-t-elle besoin de définitions et de formules ?*

Quand on exprime la foi, il ne s'agit pas de paroles vides de sens mais de réalité. Au cours des siècles, des formulations de foi différentes ont été composées dans l'→ ÉGLISE. En nous appuyant sur elles, nous pouvons contempler cette réalité, l'exprimer, l'apprendre, la partager, la célébrer et en vivre. [170–174]

Sans formule fixe, le contenu de la foi se dissout. L'→ ÉGLISE accorde donc une grande importance à certaines phrases, dont le texte exact n'a été formulé la plupart du temps que difficilement, afin de protéger le message du Christ d'incompréhensions ou de falsifications. Les formules de foi sont particulièrement importantes quand la foi de l'Église doit être traduite dans différentes cultures tout en restant immuable dans sa nature. Car la foi commune est le fondement de l'unité de l'Église.

26 *Que sont les professions de foi ?*

Les professions de foi sont de brèves formulations de la foi qui permettent à tous les croyants de faire une profession de foi commune. [185–188, 192–197]

Les lettres de Paul contiennent déjà de semblables formules brèves. Le Symbole des Apôtres de l'Église primitive a une valeur particulière car il est considéré comme un résumé de la foi des → APÔTRES. *Le Symbole de Nicée-Constantinople* est digne d'un grand respect car il est l'émanation des grands conciles de l'Église, alors encore indivise (Nicée 325, Constantinople 381). Jusqu'à nos jours, il est le socle commun aux chrétiens de l'Est et de l'Ouest.

27 *Comment sont nées les professions de foi ?*

Les professions de foi remontent à Jésus, qui a demandé à ses disciples de baptiser. À cette occasion,

ils devaient demander une confession de foi explicite, c'est-à-dire foi au Père, au Fils et en l'Esprit-Saint (→TRINITÉ).

La base de toutes les professions de foi ultérieures est la « confession » que Jésus est le Seigneur et qu'il a confié une mission aux croyants : *Allez donc : de toutes les nations faites des disciples, baptisez-les au nom du Père et du Fils et du Saint-Esprit* (Mt 28, 19). Toutes les professions de foi de l'→ ÉGLISE sont un développement de la foi en la Trinité. Elles commencent toujours par confesser le *Père,* qui a créé le monde et qui le maintient en vie. Elles continuent ensuite avec le *Fils* qui a apporté la délivrance au monde et à chacun d'entre nous. Elles débouchent sur l'*Esprit-Saint*, qui est la présence de Dieu dans l'Église et dans le monde.

28 *Que dit le Symbole des Apôtres ?*

**Je crois en Dieu, le Père tout-puissant,
Créateur du ciel et de la terre.
Et en Jésus-Christ, son Fils unique, notre Seigneur ;
qui a été conçu du Saint-Esprit,
est né de la Vierge Marie,
a souffert sous Ponce Pilate,
a été crucifié, est mort
et a été enseveli,
est descendu aux enfers ;
le troisième jour est ressuscité des morts,
est monté aux cieux,
est assis à la droite de Dieu le Père tout-puissant,
d'où il viendra juger les vivants et les morts.
Je crois en l'Esprit-Saint,
à la sainte Église catholique,
à la communion des saints,
à la rémission des péchés,
à la résurrection de la chair,
à la vie éternelle. Amen.**

» L'Église... garde soigneusement [la foi et le message des Apôtres], comme si elle n'habitait qu'une seule maison ; de même, elle croit dans ces vérités comme si elle n'avait qu'une âme et un seul cœur ; à l'unisson, elle proclame ces vérités, elle les enseigne et les transmet comme si elle avait une seule bouche.

SAINT IRÉNÉE DE LYON
(vers 135– vers 202, père de l'Église)

» Que ton Credo soit pour toi comme un miroir ! Regarde-toi en lui : pour voir si tu crois tout ce que tu déclares croire. Et réjouis-toi chaque jour de ta Foi.

SAINT AUGUSTIN

» Aucun homme ne vit seul, aucun homme ne croit seul. Dieu nous adresse sa parole. Ce faisant, il nous rassemble, il crée une communauté, son peuple, son Église. Après le départ de Jésus, l'Église est le signe de sa présence dans le monde.

BASILE DE CÉSARÉE
(Ve siècle, évêque)

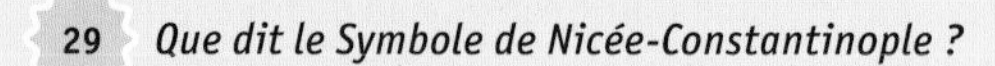

29 *Que dit le Symbole de Nicée-Constantinople ?*

**Je crois en un seul Dieu,
le Père tout-puissant,
créateur du ciel et de la terre,
de l'univers visible et invisible.
Je crois en un seul Seigneur, Jésus-Christ,
le Fils unique de Dieu,
né du Père avant tous les siècles :
il est Dieu, né de Dieu, lumière, né de la lumière,
vrai Dieu, né du vrai Dieu.
Engendré non pas créé, de même nature que le Père ;
et par lui tout a été fait.
Pour nous les hommes, et pour notre salut,
il descendit du ciel ;
par l'Esprit-Saint, il a pris chair de la Vierge Marie,
et s'est fait homme.
Crucifié pour nous sous Ponce Pilate,
il souffrit sa passion et fut mis au tombeau.
Il ressuscita le troisième jour,
conformément aux Écritures,
et il monta au ciel ;
il est assis à la droite du Père.
Il reviendra dans la gloire,
pour juger les vivants et les morts
et son règne n'aura pas de fin.
Je crois en l'Esprit-Saint,
qui est Seigneur et qui donne la vie ;
il procède du Père et du Fils.
Avec le Père et le Fils,
il reçoit même adoration et même gloire ;
il a parlé par les prophètes.
Je crois en l'Église, une, sainte, catholique
et apostolique.
Je reconnais un seul baptême
pour le pardon des péchés.
J'attends la résurrection des morts,
et la vie du monde à venir.
Amen.**

CHAPITRE PREMIER
Je crois en Dieu le Père

30 *Pourquoi ne croyons-nous qu'en un seul Dieu ?*

Nous croyons en un seul Dieu parce que, selon le témoignage de l'Écriture sainte, il n'y a qu'un seul Dieu et parce que, d'après les lois de la logique, il ne peut y en avoir qu'un. [200-202, 228]

S'il y avait deux dieux, un des deux serait la frontière de l'autre ; aucun ne serait sans limite, aucun ne serait parfait ; par conséquent aucun des deux ne serait Dieu (→ YAHVÉ). Israël exprime ainsi son expérience fondamentale : *Écoute, Israël : le Seigneur notre Dieu est l'Unique* (Dt 6, 4). Sans cesse les prophètes ont appelé le peuple à abandonner les faux dieux et à se tourner vers le seul Dieu : *C'est moi qui suis Dieu, il n'y en a pas d'autre* (Is 45, 22).

31 *Pourquoi Dieu se donne-t-il un nom ?*

Dieu se donne un nom parce qu'il veut se rendre accessible. [203-213, 230-231]

Dieu ne veut pas rester incognito. Il ne veut pas être honoré comme une simple « entité supérieure » qu'on ressent et qu'on devine. Dieu veut être connu et être invoqué comme quelqu'un qui existe et qui agit. Dans le Buisson ardent, Dieu livre son saint Nom à Moïse : YHWH (Ex 3, 14). Dieu se rend accessible à son peuple, mais il reste cependant le Dieu caché, le mystère présent. En Israël, par vénération pour Dieu, on ne prononçait pas (et l'on ne prononce toujours pas) le Nom divin. On lui substitue l'expression *Adonai* (« Seigneur »). Le → NOUVEAU TESTAMENT utilise ce même mot quand il vénère Jésus comme vrai Dieu : *Jésus est le Seigneur* (Rm 10, 9).

32 *Que veut dire : Dieu est la vérité ?*

***Dieu est lumière, il n'y a pas de ténèbres en lui* (1 Jn 1, 5). *Sa parole est vérité* (Pr 8, 7 ; 2 S 7, 28) et *sa Loi est vérité* (Ps 119, 142). Jésus lui-même se porte garant de la vérité de Dieu quand il confesse devant Pilate : *Je suis venu dans le monde pour ceci : rendre témoignage à la vérité* (Jn 18, 37). [214-217]**

Le Seigneur notre Dieu est l'unique Seigneur et tu aimeras le Seigneur ton Dieu de tout ton cœur, de toute ton âme, de tout ton esprit et de toute ta force.

Marc 12, 29-30

MONOTHÉISME (du grec *monos*, « unique », et *theos*, « dieu ») : doctrine sur Dieu considéré comme un être unique, absolu et personnel, le fondement ultime de toutes choses. Les religions monothéistes sont le judaïsme, le christianisme et l'islam.

YHWH/YAHVÉ est le nom le plus important donné à Dieu dans l'Ancien Testament (Ex 3, 14). On peut le traduire par « je suis là ». Pour les juifs comme pour les chrétiens, il désigne le Dieu unique de toute la terre, son créateur, celui qui maintient dans l'existence, le partenaire de l'Alliance, le libérateur de l'esclavage d'Égypte, le juge et le sauveur.

Moïse dit à Dieu : « Voici, je vais trouver les Israélites et je leur dis : " Le Dieu de vos pères m'a envoyé vers vous." Mais s' ils me disent : " Quel est son nom ? ", que leur dirai-je ? » Dieu dit à Moïse : « Je suis celui qui est. » Et il dit : « Voici ce que tu diras aux Israélites : " Je suis " m'a envoyé vers vous. » Dieu dit encore à Moïse : « Tu parleras ainsi aux Israélites : " YAHVÉ, le Dieu de vos pères, le Dieu d'Abraham, le Dieu d'Isaac et le Dieu de Jacob m'a envoyé vers vous. C'est mon nom pour toujours, c'est ainsi que l'on m'invoquera de génération en génération. " »

Exode 3, 13-15

Jésus-Christ est la Vérité faite Personne, qui attire le monde à Lui. La lumière qui rayonne de Jésus est splendeur de la vérité. Toute autre vérité est un fragment de la Vérité qu'Il est et renvoie à Lui.

BENOÎT XVI, 10 février 2006

Dieu ne peut pas être soumis à un processus de vérification puisque la science ne peut pas en faire un objet à examiner. Et pourtant Dieu lui-même se soumet à un processus de vérification particulier. Nous savons que Dieu est vérité, parce que Jésus est absolument crédible. *Il est le chemin, la vérité et la vie* (Jn 14, 6). Toute personne qui met sa confiance en lui peut le découvrir et l'expérimenter. Si Dieu n'était pas « vrai », la foi et la raison ne pourraient entrer en dialogue. Un accord entre les deux est pourtant possible parce que Dieu est la vérité et que la vérité est divine.

33 *Que veut dire : Dieu est amour ?*

Si Dieu est amour, il n'y a alors aucune créature qui ne soit portée et enveloppée d'une bienveillance infinie. Dieu ne déclare pas seulement qu'il est amour mais il le prouve : *Il n'y a pas de plus grand amour que de donner sa vie pour ses amis* (Jn 15, 13). [218-221]

Aucune autre → RELIGION ne dit ce que dit le christianisme : *Dieu est amour* (Jn 4, 8. 16). La foi affirme cela fortement bien que l'expérience de la souffrance et du mal dans le monde permette aux hommes de douter que Dieu soit véritablement amour. Déjà, dans l'→ ANCIEN TESTAMENT, par la bouche du prophète Isaïe, Dieu a dit à son peuple : *Parce que tu as du prix à mes yeux, que tu as de la valeur et que je t'aime, je donne des humains à ta place, des peuples en échange de toi. Ne crains pas, car je suis avec toi* (Is 43, 4-5). Il lui transmet également ceci : *La femme oublie-t-elle son nourrisson, oublie-t-elle de montrer sa tendresse à l'enfant de sa chair ? Même si celles-là oubliaient, moi, je ne t'oublierai pas ! Voici que sur mes paumes, je t'ai gravé* (Is 49, 14-15) Quand Jésus livre sa vie pour ses amis sur la croix, il montre que ses paroles sur l'amour de Dieu ne sont pas vides de sens.

34 *Que doit-on faire quand on a reconnu Dieu ?*

Lorsque vous avez reconnu Dieu, il convient de lui donner la première place dans votre vie. Une vie nouvelle commence alors. On devrait reconnaître les chrétiens au fait qu'ils aiment même leurs ennemis. [222-227, 229]

Reconnaître Dieu, c'est reconnaître la présence de celui qui m'a créé et qui m'a voulu, qui me regarde avec amour à chaque seconde, qui bénit ma vie et la conserve, qui tient dans sa main la terre et tous ceux que j'aime, qui m'attend avec impatience, qui voudrait me combler, m'amener à la perfection et qui souhaiterait que je demeure toujours près de lui. Lui faire un petit signe de tête ne suffit pas. Il faut que les chrétiens adoptent le style de vie de Jésus.

35 *Croyons-nous en un seul Dieu ou en trois dieux ?*

Nous croyons en un seul Dieu en trois personnes (→TRINITÉ). « Dieu n'est pas solitude mais communauté parfaite » (Benoît XVI, 22 mai 2005). [232-236, 249-256, 261, 265-266]

Les chrétiens ne prient pas trois dieux différents, mais un seul être unique, qui se manifeste comme trinitaire tout en restant unique. Que Dieu soit trinité, nous le savons par Jésus-Christ. Lui, le *Fils,* parle de son *Père dans le ciel*

Dieu est vraiment notre mère comme il est notre père.

BIENHEUREUSE JULIANA DE NORWICH (vers 1342 – vers 1413, mystique anglaise)

Le véritable amour fait mal. Il doit toujours faire mal. Il doit être douloureux d'aimer quelqu'un ; douloureux de le quitter, on voudrait mourir pour lui. Quand des gens se marient, il faut qu'ils abandonnent tout pour s'aimer. La mère qui donne la vie à un enfant souffre beaucoup. Le mot Amour est si mal compris et si mal utilisé.

MÈRE TERESA

Mon Seigneur et mon Dieu, enlève-moi tout ce qui me sépare de toi. Mon Seigneur et mon Dieu, donne-moi tout ce qui m'attire à toi. Mon Seigneur et mon Dieu, prend-moi à moi et donne-moi entièrement à toi.

SAINT NICOLAS DE FLÜE (1417-1487, mystique et ermite suisse)

Messire Dieu, premier servi.

SAINTE JEANNE D'ARC (1412–1431, Française, combattante pour la liberté et sainte nationale)

Dès que j'ai su que Dieu existait, je n'ai pu faire autrement que de ne vivre que pour Lui.

BIENHEUREUX CHARLES DE FOUCAULD (1858–1916, ermite chrétien dans le Sahara)

TRINITÉ (du latin *trinitas,* « le nombre trois ») : il n'y a qu'un Dieu unique mais il est en trois personnes. En français, lorsque l'on veut insister sur l'unité de Dieu, on parle de la Trinité, lorsque l'on veut distinguer les personnes en Dieu, on parle des trois personnes ; même la manière de parler dit quelque chose de la difficulté de « nommer » ce mystère.

Quand il y a de l'amour, il y a une trinité : quelqu'un qui aime, quelqu'un qui est aimé et la source de l'amour.

SAINT AUGUSTIN

(*moi et le Père, nous sommes un,* Jn 10, 30). Il le prie et nous offre l'Esprit-Saint qui est l'amour du Père et du Fils. C'est pourquoi nous sommes baptisés *au nom du Père et du Fils et de l'Esprit-Saint* (Mt 28, 19).

36 *Un raisonnement logique peut-il conclure que Dieu est trinité ?*

Non. La →TRINITÉ divine est un mystère. Nous ne pouvons connaître la Trinité que par Jésus-Christ. [237]

En utilisant seulement les ressources de leur intelligence, les hommes ne peuvent conclure à l'existence de la Sainte Trinité. Cependant ce mystère n'échappe pas à la raison lorsqu'on accueille la → RÉVÉLATION de Dieu en Jésus-Christ. Si Dieu était seul et isolé, il ne pourrait aimer de toute éternité. Éclairés par Jésus, nous trouvons des traces de Dieu en trois personnes déjà dans l'→ ANCIEN TESTAMENT (par ex. Gn 1, 2 ; 18, 2 ; 2 S 23, 2), et même dans toute la création.

37 *Comment Dieu est-il « Père » ?*

Dieu est vénéré comme Père, d'abord parce qu'il est Créateur, et qu'il s'occupe avec amour de ses créatures. Jésus, le Fils de Dieu, nous a enseigné également que nous pouvions considérer son Père comme notre Père et que nous pouvions nous adresser à lui en lui disant : « Notre Père. » [238–240]

Différentes → RELIGIONS préchrétiennes s'adressent déjà à Dieu comme « Père ». En Israël, avant Jésus, on s'adressait déjà à Dieu en l'appelant Père (Dt 32, 6 ; Ml 2, 10) sachant qu'il était également comme une Mère (Is 66, 13). Dans l'expérience humaine, le père et la mère représentent l'origine et l'autorité, ce qui abrite et qui soutient. Jésus-Christ nous indique comment Dieu est vraiment Père : *Celui qui m'a vu a vu le Père* (Jn 14, 9). Dans la parabole du fils perdu, Jésus traduit les plus profondes aspirations humaines vers un Père miséricordieux.

→ 511–527

38 *Qui est l'Esprit-Saint ?*

L'Esprit-Saint est la troisième personne de la Sainte → TRINITÉ. Il est Dieu et partage avec le Père et le Fils la même majesté divine. [243–248, 263–264]

Quand nous découvrons la réalité de Dieu *en nous,* nous sommes sous l'influence de l'Esprit-Saint. *Dieu a envoyé l'Esprit de son Fils dans nos cœurs* (Ga 4, 6) pour nous exaucer en plénitude. Dans l'Esprit-Saint, un chrétien trouve une joie profonde, une paix intérieure et la liberté. *L'Esprit que vous avez reçu ne fait pas de vous des esclaves, des gens qui ont encore peur ; c'est un Esprit qui fait de vous des fils ; poussés par cet Esprit, nous crions vers le Père en l'appelant : « Abba ! »* (Rm 8, 15.) Dans l'Esprit-Saint que nous avons reçu lors du baptême et de la → CONFIRMATION, nous pouvons dire à Dieu : « Père ».

→ 113–120, 203–207, 310–311

39 *Jésus est-il Dieu ? Fait-il partie de la Trinité ?*

Jésus de Nazareth est le Fils, la deuxième personne de la Sainte Trinité, celui que nous invoquons quand nous

> La mémoire de ce Père éclaire l'identité la plus profonde des hommes : d'où nous venons, qui nous sommes et quelle est la grandeur de notre dignité. Nous venons certainement de nos parents et nous sommes leurs enfants, mais nous venons aussi de Dieu, qui nous a créés à son image et qui nous a appelés à être ses fils. C'est pourquoi, à l'origine de tout être humain, il n'existe pas d'aléa ni de hasard, mais un projet de l'amour de Dieu. C'est ce que nous a révélé Jésus-Christ, vrai Fils de Dieu et homme parfait. Il connaît de qui il vient et de qui nous venons tous : de l'amour de son Père et de notre Père.
>
> BENOÎT XVI, 9 juillet 2006

> Viens Esprit Créateur nous visiter.
> Viens éclairer l'âme de tes fils.
> Emplis nos cœurs de grâce et de lumière.
> Toi qui créas toute chose avec amour.
>
> SAINT RABAN MAUR, Hymne *Veni creator spiritus* IXe siècle

prions : ***Au nom du Père et du Fils et du Saint-Esprit*** **(Mt 28, 19). [243–260]**

Ou bien Jésus était un imposteur quand il se présentait comme le maître du → SABBAT et permettait qu'on l'aborde sous le titre divin de « Seigneur » ou bien il était réellement Dieu. S'il n'était pas Dieu, il commettait un sacrilège quand il pardonnait les péchés. Aux yeux de ses contemporains, ce crime méritait la peine de mort. Grâce aux miracles et aux signes, mais particulièrement par la Résurrection, les disciples ont découvert qui était vraiment Jésus et l'ont adoré comme le *Seigneur*. Telle est la foi de l'→ ÉGLISE.

40 *Dieu peut-il tout ? Est-il le Tout-Puissant ?*

Rien n'est impossible à Dieu **(Lc 1, 37). Il est Tout-Puissant. [268–278]**

Celui qui en appelle à Dieu en cas de besoin croit en sa toute-puissance. Dieu a créé le monde à partir du néant. Il est le maître de l'histoire. Il dirige toutes choses et peut tout. La manière dont il utilise librement sa toute-puissance reste un mystère. Il n'est pas rare de se poser la question : « Mais où donc était Dieu ? » Par le prophète Isaïe, il répond : *Mes pensées ne sont pas vos pensées, et mes chemins ne sont pas vos chemins* (Is 55, 8). Il n'est pas rare que Dieu manifeste sa toute-puissance là où les hommes n'en attendent plus rien. L'impuissance du vendredi saint a été la condition de la Résurrection.

→ 51, 478, 506–507

41 *La recherche scientifique rend-elle superflu le recours à un Créateur ?*

Non. La phrase « Dieu a créé le monde » n'est pas une affirmation d'ordre scientifique qui serait périmée. Il s'agit d'une affirmation théo-logique, ce qui veut dire une affirmation sur la place des choses dans l'ordre divin (*theos,* « Dieu », *logos,* « sens ») et sur leur origine divine. [282–289]

Le récit de la création n'est pas une explication scientifique sur le début du monde. « Dieu a créé le monde » est une affirmation théologique dans laquelle il est question des relations du monde à Dieu. Dieu a voulu le monde, il l'accompagne et veut l'amener à son accomplissement.

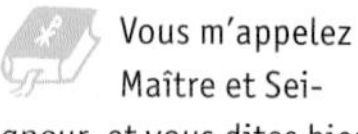

Vous m'appelez Maître et Seigneur, et vous dites bien, car je le suis.

Jean 13, 13

« Car il n'y a pas sous le ciel d'autre nom donné aux hommes, par lequel nous devions être sauvés. »

Actes des apôtres 4, 12

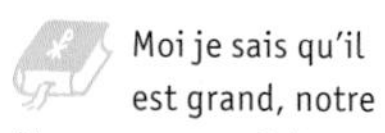

Moi je sais qu'il est grand, notre Dieu, que notre Seigneur surpasse tous les dieux. Tout ce qui plaît au Seigneur, il le fait, au ciel et sur terre, dans les mers et tous les abîmes.

Psaume 135, 5-6

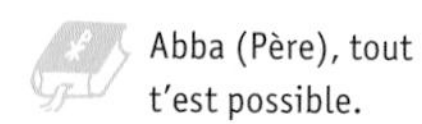

Abba (Père), tout t'est possible.

Prière de Jésus dans le jardin de Gethsémani (Mc 14, 36)

Tu aimes en effet tout ce qui existe, et tu n'as de dégoût pour rien de ce que tu as fait ; car si tu avais haï quelque chose, tu ne l'aurais pas formé.

Sagesse 11, 24

Être *créé* est une qualité qui reste attachée aux choses et une vérité élémentaire *sur* elles.

42 *Peut-on être un partisan convaincu de l'évolution et croire quand même en un Créateur ?*

Oui. La foi est ouverte aux hypothèses de la recherche scientifique. [282–289]

La théologie n'a pas de compétence scientifique ; et la science n'a pas de compétence théologique. La science ne peut pas exclure catégoriquement l'existence d'une finalité dans les processus du devenir de la Création. Inversement, la foi ne peut pas définir comment ces processus se réalisent concrètement dans le flux évolutif de la nature. Un chrétien peut adhérer à la théorie scientifique de l'évolution en tant que théorie explicative utile, dans la mesure où il ne tombe pas dans l'erreur de l'idéologie évolutionniste qui considère l'être humain comme produit d'un hasard de processus biologiques. La théorie de l'→ ÉVOLUTION pose en préalable qu'il existe un « quelque chose » qui évolue, mais ne dit rien sur le « d'où vient » ce quelque chose. On ne répond pas par le biais de la science aux questions concernant l'existence, l'être, la dignité, la mission, le sens et le pourquoi du monde et des hommes. Comme « l'évolutionnisme idéologique » chez les uns, le → CRÉATIONNISME chez les autres transgresse aussi les limites de l'acceptable. Les créationnistes prennent naïvement à la lettre les nombres et les dates cités par la Bible (l'âge de la terre par exemple ou la création en six jours).

43 *Le monde est-il un produit du hasard ?*

Non. Dieu, et non le hasard, est à l'origine du monde. Ni dans son origine, ni dans son ordre interne, ni dans sa finalité, le monde n'est le résultat de forces agissant « sans aucun sens ». [295–301, 317–318, 320]

Les chrétiens croient pouvoir déchiffrer la création comme un manuscrit de Dieu. Aux scientifiques qui traitent de l'ensemble de l'univers comme procédant du hasard, sans aucun sens et sans but, Jean-Paul II a répliqué en 1985 : « Parler de hasard à propos d'un univers qui présente une organisation si complexe dans ses éléments et une finalité

ÉVOLUTION (du latin *evolutio*, « action de dérouler un manuscrit ») : la croissance des organismes vers leur forme définitive, sur des millions d'années. D'un point de vue chrétien, on peut considérer l'évolution comme la création continuelle de Dieu, présente dans le processus naturel.

CRÉATIONNISME (du latin *creatio*, « création ») : théorie selon laquelle Dieu est intervenu à un moment précis directement et une fois pour toutes pour créer le monde selon la lettre du récit de la création du livre de la Genèse.

Aucun savant ne dispose ne serait-ce que d'un seul argument... avec lequel il pourrait contredire une pareille conception [celle d'un créateur].

HOIMAR VON DITFURTH (1921–1989, spécialiste allemand des sciences de la nature)

Ceci [l'inouïe précision de processus du « big-bang »] serait le fruit du hasard ! ? Quelle idée absurde !

WALTER THIRRING (1927– , physicien autrichien)

> Nous ne sommes pas le produit hasardeux et dépourvu de sens de l'évolution. Chacun d'entre nous est le fruit d'une pensée divine. Chacun est voulu, chacun est aimé, chacun est utile.
>
> BENOÎT XVI, 28 avril 2005

> Par l'observation et la réflexion sur le royal ordonnancement de l'univers organisé par la sagesse divine, qui ne serait pas conduit à admirer le tout-puissant maître d'œuvre ?
>
> NICOLAS COPERNIC (1473–1543, chercheur en sciences de la nature et astronome)

si merveilleuse dans sa vie signifie renoncer à chercher une explication au monde tel qu'il nous apparaît. En réalité, ceci équivaudrait à vouloir admettre des effets sans cause. Il s'agit d'une abdication de l'intelligence humaine, qui renoncerait ainsi à penser, à chercher une solution à ses problèmes. » → 49

44 *Qui a créé le monde ?*

Dieu seul, qui transcende l'espace et le temps, a créé le monde à partir du néant et a appelé toutes choses à l'existence. Tout ce qui existe dépend de Dieu et n'a donc de consistance que parce que Dieu lui donne d'être. [290–292, 316]

La création du monde est en quelque sorte « l'œuvre commune » de la Trinité. Le *Père* est le Créateur, le Tout-Puissant. Le *Fils* donne du sens au monde, il en est le cœur : *Tout est créé par lui et pour lui* (Col 1, 16). C'est seulement en apprenant à connaître le Christ que nous comprenons pourquoi le monde est bon. Nous comprenons alors que le monde marche vers un but : la vérité, la bonté et la beauté du Seigneur. *L'Esprit-Saint* assure la cohésion de l'ensemble ; il est *l'Esprit qui fait vivre* (Jn 6, 63).

45 *Les lois de la nature et l'ordre naturel des choses viennent-ils également de Dieu ?*

Oui. Les lois de la nature et l'ordre naturel des choses sont également créés par Dieu. [339, 346, 354]

L'homme n'est pas totalement malléable. Il est façonné par l'ordre et les lois de la nature que Dieu a inscrits dans sa création. Un chrétien ne fait pas simplement « ce qu'il veut ». Il sait qu'il se fait du tort à lui-même et à son environnement lorsqu'il nie les lois de la nature, qu'il utilise les choses contrairement à ce qui est prévu et qu'il se veut plus sage que Dieu qui les crée. Cela dépasse les forces de l'homme de vouloir tout concevoir par lui-même à partir de zéro.

46 *Pourquoi le livre de la Genèse présente-t-il la création comme « une suite de six jours de travail » ?*

L'image symbolique de la semaine de travail couronnée par un jour de repos (Gn 1, 1-2, 3) dit combien la création est bonne, belle et ordonnée avec sagesse. [337–342]

De l'image symbolique de l'œuvre des « six jours de travail », on peut déduire quelques éléments fondamentaux : 1. Tout ce qui existe a été appelé à l'existence par le Créateur. 2. Chaque créature possède sa bonté propre. 3. Même ce qui est devenu mauvais possède cependant un noyau de bonté. 4. Toutes les créatures dépendent les unes des autres et existent les unes pour les autres. 5. La création dans son ordre et son harmonie reflète la suprême bonté et beauté de Dieu. 6. Dans la création existe une hiérarchie : l'homme l'emporte sur l'animal, l'animal sur la plante, la plante sur la matière inanimée. 7. La création s'achemine vers la grande fête, quand le Christ viendra prendre le monde et que Dieu sera tout en tous. → 362

47 *Pourquoi Dieu s'est-il reposé le septième jour ?*

Après le travail, Dieu se repose. Cela attire l'attention sur l'achèvement de la création, qui se situe au-delà de tous les efforts humains. [349]

C'est toi qui créas l'univers ; par ta volonté, il n'était pas et fut créé.

Apocalypse 4, 11

Les arbres et les étoiles t'apprendront ce qu'aucun maître ne pourra jamais t'apprendre.

SAINT BERNARD DE CLAIRVAUX (1090–1153, deuxième fondateur de l'ordre des Cisterciens)

GENÈSE (du grec *genesis,* « origine ») : premier livre de la Bible qui décrit entre autres la création du monde et celle des hommes.

Ne croyez pas que Dieu veut nous interdire tout amour du monde. Non, nous devons l'aimer car tout ce qu'il y a mis est digne de notre amour.

SAINTE CATHERINE DE SIENNE (1347–1380, mystique et docteur de l'Église)

Même si l'homme est le partenaire junior de son Créateur (Gn 2, 15), il ne peut sauver le monde par le biais de ses seuls efforts. Le but de la création est *un ciel nouveau et une nouvelle terre* (Is 65, 17) grâce à une rédemption qui nous est *offerte*. Le repos dominical, qui donne un avant-goût du repos du ciel, l'emporte donc sur la période de travail qui nous y prépare. → 362

48 *Quel était le dessein de Dieu quand il a créé le monde ?*

« Le monde a été créé pour la gloire de Dieu » (Vatican I). [293-294, 319]

Il n'y a pas d'autre raison à la création que l'amour. En cette création se reflètent la gloire et l'honneur de Dieu. Louer Dieu ne consiste donc pas à applaudir Dieu. Après tout, l'homme n'est pas un spectateur de l'œuvre créatrice. Louer Dieu signifie pour lui : accepter, en union avec toute la création, sa propre existence avec gratitude. → 489

> La gloire de Dieu est l'homme vivant. Mais la vie de l'homme est de voir Dieu.
>
> SAINT IRÉNÉE DE LYON

> Celui qui t'a fait sait également ce qu'il veut faire de toi.
>
> SAINT AUGUSTIN

> Notre confiance dans la providence, c'est la foi solide et vivante que Dieu peut nous aider et qu'il le fera. Qu'il puisse nous aider est évident, car il est tout-puissant. Qu'il nous aide effectivement est certain, car il l'a promis en de nombreux passages de l'Écriture sainte et qu'il est fidèle à toutes ses promesses.
>
> MÈRE TERESA

La divine Providence

49 *Dieu dirige-t-il le monde et ma vie ?*

Oui, mais d'une manière mystérieuse ; Dieu dirige toutes choses vers leur accomplissement mais par des chemins connus de lui seul. À aucun moment, il ne laisse échapper de ses mains ce qu'il a créé. [302-305]

Dieu agit aussi bien sur les grands événements de l'histoire que sur les petits événements de notre vie personnelle, sans pour autant restreindre notre liberté comme si nous étions des marionnettes dans ses projets éternels. En Dieu, *nous avons la vie, le mouvement et l'être* (Ac 17, 28). Dieu est présent à toutes les vicissitudes de notre vie, même dans les événements douloureux ou dans les coups du sort apparemment insensés. Dieu veut aussi écrire droit même sur les lignes courbes de notre vie. Ce qu'il nous enlève et ce qu'il nous offre, ce en quoi il nous fortifie et ce en quoi il nous éprouve, tout cela ce sont des effets de la Providence et des signes de sa volonté. → 43

50 *Quelle est la place de l'homme dans la divine Providence ?*

La divine Providence n'achève pas la création indépendamment de nous. Elle nous invite à collaborer à l'achèvement de la création. [307-308]

L'homme peut refuser la volonté de Dieu. Mais il est meilleur pour lui de devenir l'instrument de l'amour de Dieu. Mère Teresa disait : « Je ne suis qu'un petit crayon dans la main de notre Seigneur. Puisse-t-il tailler ou aiguiser le crayon. Puisse-t-il toujours écrire ou dessiner ce qu'il veut et où il le veut. Quand ce qui est écrit ou dessiné est bon, nous n'en attribuons pas le mérite au crayon ou au matériel utilisé mais à celui qui l'a utilisé. » Même si Dieu agit avec nous et par nous, nous ne devons cependant jamais confondre notre propre pensée, nos plans et notre agir avec l'action de Dieu. Dieu n'a pas besoin de notre travail, comme s'il lui manquait quelque chose si nous ne le faisions pas.

51 *Si Dieu sait tout et peut tout, pourquoi n'empêche-t-il pas le mal ?*

« Dieu ne tolère le mal que pour en faire sortir quelque chose de mieux » (saint Thomas d'Aquin). [309-314, 324]

Le mal dans le monde est un sombre et douloureux mystère. Le Crucifié lui-même a demandé à son Père : *Mon Dieu, pourquoi m'as-tu abandonné ?* (Mt 27, 46.) Beaucoup de choses dans ce domaine restent incompréhensibles. Mais nous savons une chose avec certitude : Dieu est bon à cent pour cent. Il ne pourra jamais être l'auteur de quelque chose de mauvais. Dieu a créé un monde bon, mais inachevé. Par des bouleversements violents et des processus douloureux, le monde va vers son achèvement. Il convient de mieux distinguer ce que l'Église appelle le *mal physique,* un handicap congénital par exemple ou une catastrophe naturelle, et le *mal moral* qui vient du mauvais usage de la liberté dans le monde. « L'enfer sur terre » – enfants soldats, attentats-suicides, camps de concentration – est surtout l'œuvre des hommes. La question déterminante n'est donc pas : « Comment peut-on croire en un Dieu bon alors qu'il y a tant de mal ? »,

Et vous donc ! Vos cheveux même sont tous comptés !

Matthieu 10, 30

Ce qui n'entrait pas dans mon plan faisait quand même partie du plan de Dieu. Et plus j'avais conscience de cela, plus grandissait en moi une vive conviction de foi : du point de vue de Dieu, il n'y a pas de hasard.

SAINTE EDITH STEIN (1891-1942, chrétienne juive, philosophe et carmélite, victime des camps de concentration)

Dieu vit tout ce qu'il avait fait : cela était très bon.

Genèse 1, 31

J'estime en effet que les souffrances du temps présent ne sont pas à comparer à la gloire qui doit se révéler en nous.

Épître aux Romains 8, 18

Aucune souffrance n'est dénuée de sens. Elle est toujours fondée sur la sagesse de Dieu.

SAINT THOMAS D'AQUIN

mais : « Comment un être humain doté de cœur et de raison pourrait-il supporter de vivre en ce monde, si Dieu n'existait *pas* ? » La mort et la résurrection du Christ nous montrent que le mal n'a pas le premier mot et n'aura pas le dernier mot. Du pire, Dieu fait surgir le bien absolu. Nous croyons qu'au Jugement dernier Dieu mettra un terme à toute injustice. Dans la vie du monde à venir, le mal n'aura plus de place et la souffrance aura une fin.
→ 40, 286–287

> Dieu murmure dans nos moments de joie, il parle dans notre conscience. Mais il parle haut et fort dans nos souffrances. Elles constituent son mégaphone pour réveiller un monde engourdi.
>
> CLIVE STAPLES LEWIS (1898–1963, écrivain anglais, auteur des *Chroniques de Narnia)*

Le ciel et les créatures célestes

52 *Qu'est-ce que le ciel ?*

Le ciel est le lieu propre de Dieu, la demeure des anges et des saints, et le point d'aboutissement de la création. Dans l'expression « le ciel et la terre », nous désignons la création tout entière. [325–327]

Le ciel n'est pas un endroit précis de l'univers. Il est un état dans l'au-delà. Le ciel est là où Dieu exerce sa volonté sans aucune résistance. Il y a ciel là où la vie est la plus intense et la plus heureuse possible – une vie comme n'en existe pas sur terre. Quand, avec l'aide de Dieu, nous arrivons au ciel, alors nous attend *ce que l'œil n'a pas vu, ce que l'oreille n'a pas entendu, et ce qui n'est pas monté au cœur de l'homme, tout ce que Dieu a préparé pour ceux qui l'aiment* (1 Co 2, 9). → 158, 285

> Nous avons la nostalgie de la joie du ciel, là où se trouve Dieu. Il est en notre pouvoir d'être dès maintenant avec lui dans le ciel et, à l'instant même, d'être heureux avec lui. Mais être heureux avec lui dès maintenant signifie : aider, comme il aide, donner comme il donne, servir comme il sert, sauver comme il sauve, aimer comme il aime. Être vingt-quatre heures avec lui et le rencontrer sous son revêtement le plus effrayant. Car il nous a dit : « Ce que vous avez fait au plus petit d'entre les miens, c'est à moi que vous l'avez fait. »
>
> MÈRE TERESA

53 *Qu'est-ce que l'enfer ?*

Par le mot « enfer », notre foi désigne l'état d'éloignement définitif de Dieu. Quand quelqu'un voit clairement l'amour dans le face-à-face avec Dieu et que malgré tout il n'en veut pas, il choisit cet état. [1033–1036]

Jésus, qui connaît l'enfer, en parle comme *des ténèbres extérieures* (Mt 8, 12). Selon nos conceptions modernes, on parlerait plutôt d'un enfer froid que chaud. Par des frissons, on évoque en effet un état d'engourdissement complet et la totale désespérance pour tout ce qui pourrait apporter de l'aide, du soulagement, de la joie et de la consolation dans la vie. → 161–162

> Tout ce qui n'est pas éternel n'a aucune valeur dans l'éternité.
>
> C. S. LEWIS

54 *Que sont les anges ?*

Les anges sont des créatures purement spirituelles de Dieu qui possèdent intelligence et volonté. Ce ne sont pas des êtres corporels, ils sont immortels et ne sont pas visibles habituellement. Vivant toujours en présence de Dieu, ils communiquent aux hommes la volonté de Dieu et la protection de Dieu. [328-333, 350-351]

Un ange, écrivait le cardinal Joseph Ratzinger, « est comme la pensée personnelle de Dieu à mon égard ». Les anges sont en même temps tournés entièrement vers leur Créateur. Ils brûlent d'amour pour lui et le servent nuit et jour. Leur chant de louange ne cesse jamais. Dans l'Écriture, les anges déchus sont nommés diables ou démons.

55 *Est-il possible d'entrer en relation avec les anges ?*

Oui. On peut les appeler à l'aide et les invoquer pour qu'ils soient nos intercesseurs auprès de Dieu. [334-336, 352]

Dieu donne un ange gardien à chaque être humain. Il est bon et raisonnable de prier les anges gardiens pour soi-même et pour les autres. Les anges peuvent également faire sentir par eux-mêmes leur présence dans la vie d'un chrétien en l'accompagnant par exemple de leur aide ou

Jésus est venu pour nous dire qu'il nous veut tous au Paradis et que l'enfer dont on parle peu de nos jours existe et qu'il est éternel pour tous ceux qui ferment leur cœur à son amour.

BENOÎT XVI, 8 mai 2007

À la fin, il n'y aura que deux groupes d'hommes qui se tiendront devant Dieu, ceux qui lui disent : « Que ta volonté soit faite » et ceux à qui Dieu dit : « Que ta volonté soit faite. » Tous ceux qui se trouvent en enfer y sont de leur propre choix.

C. S. LEWIS

Il a pour toi donné ordre à ses anges de te garder en toutes tes voies. Sur leurs mains, ils te porteront pour qu'à la pierre ton pied ne heurte.

Psaume 91, 11-12

Chaque croyant a près de lui un ange qui le protège et le conduit sur le chemin qui mène à la vie éternelle.

SAINT BASILE LE GRAND (vers 330-379, docteur de l'Église)

> L'homme n'est ni ange ni bête et le malheur veut que celui qui veut faire l'ange fait la bête.
>
> BLAISE PASCAL

> À voir ton ciel, ouvrage de tes doigts, la lune et les étoiles, que tu fixas, qu'est donc le mortel, que tu t'en souviennes, le fils d'Adam, que tu le veuilles visiter ? À peine le fis-tu moindre qu'un dieu ; tu le couronnes de gloire et de beauté.
>
> Psaume 8, 4-6

> Toutes les créatures de la terre sentent comme nous. Toutes les créatures aspirent au bonheur comme nous. Toutes les créatures aiment, souffrent et meurent comme nous, elles sont donc des œuvres du créateur tout-puissant, semblables à nous, elles sont nos sœurs.
>
> SAINT FRANÇOIS D'ASSISE

en transmettant un message. Les faux anges des spéculations ésotériques n'ont rien à voir avec la foi.

La créature humaine

56 *L'homme a-t-il une place spéciale dans la création ?*

Oui. L'homme est le sommet de la création, parce que Dieu l'a *créé à son image* (Gn 1, 27). [343–344, 353]

La création de l'homme se distingue nettement de la création des autres êtres vivants. L'homme est une *personne,* ce qui veut dire qu'avec sa volonté et son intelligence, il peut décider – ou non – d'aimer.

57 *Comment l'être humain doit-il se comporter avec les animaux et les autres créatures ?*

L'homme doit honorer le Créateur dans ses créatures et il doit se comporter avec elles avec soin et de manière responsable. Les hommes, les animaux et les plantes ont le même Créateur qui les a appelés à l'existence par amour. L'amour des animaux est donc un sentiment profondément humain. [344, 354]

Certes, il est permis aux hommes d'utiliser les plantes et les animaux et de s'en nourrir, cependant il ne lui est pas permis de torturer les animaux ou de les maltraiter. Ce serait contraire à la dignité de la création, comme peut l'être la surexploitation de la terre par une cupidité aveugle.

58 *Que signifie : l'homme a été créé « à l'image de Dieu » ?*

À la différence des objets inanimés, des plantes et des animaux, l'homme est une personne dotée d'un esprit. Cette particularité le rapproche davantage de Dieu que des autres créatures visibles. [355–357, 380]

L'homme n'est pas une *chose,* mais il est *quelqu'un.* De même que nous disons de Dieu qu'il est une personne, de même nous le disons des hommes. Un homme peut pousser sa réflexion au-delà de son horizon immédiat et prendre la mesure de l'immensité de ce qui existe. Il peut même prendre du recul pour porter un regard critique et agir sur lui-même. Il peut considérer les autres comme des personnes, découvrir leur dignité et les aimer. Parmi toutes les créatures visibles, l'homme est le seul qui soit à même de *reconnaître son créateur et de l'aimer* (Vatican II, *Gaudium et Spes [GS]* 12, 3). À cause de cela, l'homme est destiné à vivre en amitié avec lui (Jn 15, 15).

59 *Pourquoi Dieu a-t-il créé l'homme ?*

Dieu a tout fait pour l'homme. L'homme, « seule créature sur terre que Dieu a voulue pour elle-même » (*GS*), Dieu l'a créé pour qu'il soit heureux. Il le devient quand il connaît Dieu, qu'il l'aime, le sert et qu'il vit dans un sentiment de reconnaissance pour son Créateur. [358]

La reconnaissance, c'est prendre acte de l'amour de Dieu. Celui qui est reconnaissant se tourne librement vers l'auteur du bien et entre dans une union nouvelle et plus profonde avec lui. Dieu voudrait que nous reconnaissions son amour et que, dès maintenant, nous vivions notre vie en union avec lui. Pour toujours.

Bien-aimés, aimons-nous les uns les autres, puisque l'amour est de Dieu et que quiconque aime est né de Dieu et connaît Dieu.

1re épître de Jean 4, 7

Reconnais que tu es une image de Dieu et rougis de l'avoir recouverte par une image étrangère.

BERNARD DE CLAIRVAUX

Méfie-toi de toute joie qui ne soit pas en même temps gratitude.

THEODOR HAECKER (1879–1945, écrivain allemand)

Si la seule prière de ta vie consistait à dire : « Je te remercie », cela serait déjà suffisant.

MAÎTRE ECKHART (vers 1260-1328, dominicain, mystique)

Porté par la foi, le remerciement peut également pénétrer dans ce qu'il y a de pénible et dans la mesure où il y parvient ce sera transformé.

ROMANO GUARDINI (1885-1968, catholique allemand d'origine italienne, philosophe de la religion)

60 *Pourquoi Jésus est-il le plus bel exemple du monde ?*

Jésus-Christ est unique, parce qu'il ne nous montre pas seulement la véritable nature de Dieu mais également le véritable idéal de l'homme. [358–359, 381]

Jésus fut davantage qu'un homme idéal. Même les hommes extraordinaires en apparence sont des pécheurs. Personne par conséquent ne peut être le modèle absolu de l'être humain. Mais Jésus fut sans péché. Ce qu'est la condition humaine et ce qui rend l'homme infiniment aimable, au sens vrai du terme, nous ne le voyons qu'en Jésus-Christ, *lui qui a été éprouvé en tout à l'exception du péché* (He 4, 15). Jésus, le Fils de Dieu, est l'homme authentique et vrai. En lui, nous découvrons comment Dieu a voulu les hommes.

61 *En quoi consiste l'égalité entre les hommes ?*

Tous les hommes sont égaux parce qu'ils ont une même origine dans l'amour créateur de Dieu. Tous les hommes ont un sauveur en la personne de Jésus. Tous les hommes sont destinés à trouver leur bonheur et leur béatitude éternels en Dieu. [360–361]

Tous les êtres humains sont donc frères et sœurs. Les chrétiens ne doivent pas être solidaires uniquement d'autres chrétiens mais de tous les hommes et combattre énergiquement les divisions d'ordre raciste, sexiste ou économique dans la famille humaine. → 280, 517

62 *Qu'est-ce que l'âme ?*

L'âme est ce qui rend humaine chaque personne. Elle est son principe spirituel de vie, ce qu'il y a de plus intime en elle. L'âme agit pour que le corps matériel devienne un corps vivant, humain. Par son âme, l'homme est un être qui peut dire « je » et qui peut se tenir devant Dieu comme un individu non interchangeable. [362–365, 382]

Les hommes sont des êtres corporels et spirituels. L'esprit de l'homme est plus qu'une fonction du corps et ne peut être expliqué à partir de sa constitution physique. Notre

---

Il est l'image du Dieu invisible, Premier-né de toute créature car c'est en lui qu'ont été créées toutes choses… tout a été créé par lui et pour lui.

Épître aux Colossiens 1, 15–16

„Ecce homo!“

« Voici l'homme ! », (Jn 19, 5). C'est avec ces mots que Pilate a présenté Jésus, torturé et couronné d'épines, au peuple.

Il est devenu ce que nous sommes pour qu'il puisse faire de nous ce qu'il est.

SAINT ATHANASE LE GRAND (vers 295-373, père de l'Église)

Ouvre la bouche en faveur du muet, pour la cause de tous les délaissés.

Proverbes 31, 8

Fais quelque chose de bien à ton corps afin que ton âme ait joie d'y habiter.

SAINTE THÉRÈSE D'AVILA (1515–1582, mystique espagnole, docteur de l'Église)

L'homme devient vraiment lui-même, quand le corps et l'âme se trouvent dans une profonde unité... Si l'homme aspire à être seulement esprit et qu'il veuille refuser la chair comme étant un héritage simplement animal, alors l'esprit et le corps perdent leur dignité. Et si, d'autre part, il renie l'esprit et considère donc la matière, le corps, comme la réalité exclusive, il perd également sa grandeur.

BENOÎT XVI, *Deus Caritas est*

intelligence nous dit : il doit y avoir un principe spirituel, lié au corps, sans être pour autant identique à lui. Nous l'appelons « âme ». Bien que l'existence de l'âme ne puisse être prouvée scientifiquement, sans la prise en compte de cet élément spirituel dominant la matière, on ne peut comprendre que les hommes soient des êtres spirituels. → 153–154, 163

63 *D'où provient l'âme humaine ?*

L'âme humaine est immédiatement créée par Dieu. Elle n'est pas « produite » par les parents.[366–368, 382]

L'âme humaine ne peut être ni le produit du développement évolutif de la matière ni le résultat d'un lien génétique entre père et mère. Que chaque être humain à sa naissance soit une personne unique et spirituelle, l'Église explique ce mystère en disant : Dieu nous donne une âme, qui ne meurt pas, même quand l'homme perd son corps en mourant pour le retrouver à la résurrection. Dire : « J'ai une âme » signifie : « Dieu ne m'a pas seulement créé comme une chose, mais comme une personne et m'a appelé à une relation sans fin avec lui. »

Grâce à son origine terrestre, l'homme est relié à tous les êtres vivants mais c'est seulement par son âme « insufflée » par Dieu qu'il est homme. Cela lui confère une dignité unique, mais aussi une responsabilité unique.

CARDINAL CHRISTOPH SCHÖNBORN (1945– , archevêque de Vienne)

64 *Pourquoi Dieu a-t-il créé l'être humain homme et femme ?*

Dieu, qui est l'amour et le modèle idéal de la communion, a créé les êtres humains hommes et femmes afin qu'ensemble, ils soient une image de ce qu'il est. [369-373, 383]

Dieu a créé l'être humain, homme et femme, afin qu'il désire son accomplissement et sa plénitude dans la rencontre avec une personne de l'autre sexe. Les hommes et les femmes sont absolument égaux en dignité, mais ils expriment chacun selon le projet créateur, qui les a fait être homme ou être femme, des aspects différents de la perfection divine. Dieu n'est ni homme ni femme, mais il s'est manifesté sous des aspects paternels (Lc 6, 36) et maternels (Is 66, 13). Dans l'amour d'un homme et d'une femme, et spécialement dans la communauté du mariage dans laquelle l'homme et la femme deviennent *une seule chair* (Gn 2, 24), nous pouvons un peu imaginer quelque chose du bonheur de l'union avec Dieu dans laquelle chacun d'entre nous trouvera sa plénitude finale. De même que l'amour de Dieu est fidèle, ainsi l'amour humain cherche à être fidèle ; et à l'image de l'amour de Dieu, cet amour est créateur, car des vies nouvelles surgissent du mariage. → 260, 400-401, 416-417

65 *Qu'en est-il des personnes qui ont des penchants homosexuels ?*

L'Église croit que selon l'ordre de la création l'homme et la femme ont été créés l'un pour l'autre dans une relation impliquant nécessairement la réciprocité afin que la vie puisse être donnée à des enfants. L'Église ne peut donc pas approuver les pratiques homosexuelles. Cependant, les chrétiens se doivent d'avoir respect et amour pour tout être humain, indépendamment de son orientation sexuelle, parce que Dieu nous aime et respecte chacun. [2358-2359]

Il n'y a aucun homme sur terre qui ne soit le fruit d'une relation entre une mère et un père. C'est donc une douloureuse expérience pour certaines personnes à tendance homosexuelle de ne pas se sentir attirées par le sexe opposé et de devoir renoncer à la fertilité physique d'une

Dieu créa l'homme à son image, à l'image de Dieu il le créa, homme et femme il les créa.

Genèse 1, 27

Il n'est pas bon que l'homme soit seul. Il faut que je lui fasse une aide qui lui soit assortie.

Genèse 2, 18

Nous lisons également que l'homme ne peut être « seul » (Gn 2, 18) ; il ne peut exister que comme « unité des deux », et donc en relation avec une autre personne humaine. Il s'agit ici d'une relation réciproque, de l'homme à l'égard de la femme et de la femme à l'égard de l'homme. Être une personne à l'image et à la ressemblance de Dieu implique donc aussi le fait d'exister en relation, en rapport avec l'autre moi. C'est un prélude à la révélation ultime que Dieu un et trine fait de lui-même : unité →

relation conforme à la nature humaine et à l'ordre divin de la création. Mais les chemins de Dieu sont souvent imprévisibles : un manque, une perte ou une blessure – acceptés et assumés – peuvent devenir un tremplin pour se jeter dans les bras de Dieu, ce Dieu qui bonifie tout et qui se révèle encore plus grand comme sauveur que comme créateur. → 415

66 *La souffrance et la mort font-elles partie du plan de Dieu ?*

Dieu ne veut pas que les hommes souffrent et meurent. Dieu avait un projet initial pour eux : le paradis. Vivre pour toujours. Paix entre Dieu, les êtres humains et leur environnement. Paix entre l'homme et la femme. [374–379, 384, 400]

Nous sentons parfois comment la vie devrait être et comment nous, nous devrions être. Mais, en réalité, nous vivons en conflit avec nous-mêmes, nous sommes dominés par la peur et les passions incontrôlées et nous avons perdu l'harmonie originelle avec le monde et finalement avec Dieu. Dans l'Écriture sainte, l'expérience de cette aliénation s'exprime dans l'histoire de la « chute ». Parce que le péché s'est glissé dans le paradis où Adam et Ève vivaient en harmonie avec eux-mêmes et avec Dieu, ils doivent le quitter. La pénibilité du travail, la souffrance, la mortalité et la tentation du péché sont les signes de la perte du paradis.

L'homme déchu

67 *Qu'est-ce que le péché ?*

Le péché est fondamentalement rejet de Dieu et refus d'accueillir son amour. Il se manifeste par le mépris de ses commandements. [385–390]

Le péché est plus qu'un comportement fautif ; et il n'est pas une simple faiblesse psychologique. Au fond, tout rejet ou destruction de quelque chose de bon est en fait le rejet du bien pour le mal, le rejet de Dieu. Dans sa dimension la plus profonde et la plus effrayante, le péché est une séparation avec Dieu, avec la source de la vie. C'est pourquoi la mort est la conséquence logique

→ vivante dans la communion du Père, du Fils et de l'Esprit-Saint.

BIENHEUREUX JEAN-PAUL II (1920–2005, premier pape originaire de l'Est, fondateur des JMJ, a joué un grand rôle dans l'effondrement du bloc de l'Est). Lettre apostolique *Mulieris Dignitatem*

Nous avons perdu le Paradis, mais nous avons obtenu le ciel. Le gain est finalement plus grand que la perte.

SAINT JEAN CHRYSOSTOME (349/350–407, docteur de l'Église)

La faiblesse humaine ne peut renverser les projets de la toute-puissance divine. Un architecte divin peut travailler même avec des pierres branlantes.

CARDINAL MICHAEL VON FAULHABER (1869–1952, archevêque de Munich et Freising)

Se détourner de toi, mon Dieu, c'est tomber. Se tourner vers toi, c'est se relever. Rester en toi, c'est être en sûreté.

SAINT AUGUSTIN

> Où le péché s'est multiplié, la grâce a surabondé.
>
> Épître aux Romains 5, 20

> Le pire n'est pas de commettre des crimes, mais de ne pas avoir fait tout le bien qu'on aurait pu faire. C'est le péché d'omission qui n'est autre que le péché de ne pas aimer, et personne ne s'en accuse.
>
> LÉON BLOY (1846–1917, écrivain français)

> Le serpent répliqua à la femme : « ... le jour où vous en mangerez, vos yeux s'ouvriront et vous serez comme des dieux. »
>
> Genèse 3, 4-5

> Un comportement moral dans le monde n'est possible et à recommander que lorsque l'on assume les saletés de la vie, la responsabilité collective dans la mort et le péché, bref, l'ensemble du péché originel et qu'on renonce une fois pour toutes à ne voir la faute que chez les autres.
>
> HERMANN HESSE (1877–1962, écrivain allemand)

péché. Ce n'est que par Jésus que nous comprenons la dimension insondable du péché : par solidarité avec les hommes qui rejettent Dieu dans le péché, Jésus a souffert dans son propre corps les conséquences du péché. Il a pris sur lui la puissance mortelle du péché afin qu'elle ne nous atteigne pas. Le mot « rédemption » exprime tout cela.

→ 224–237, 315–318, 348–468

68 *Qu'est-ce que le péché originel ? En quoi sommes-nous concernés par la chute d'Adam et Ève ?*

Au sens propre, le péché est une faute qui relève de la responsabilité personnelle. Or, l'expression « péché originel » ne désigne pas une faute personnelle mais la situation néfaste de l'humanité dans laquelle s'insère chaque individu, avant que, par libre décision, il ait péché lui-même. [388–389, 402–404]

Dans la chute d'Adam et Ève, dit Benoît XVI, nous devons comprendre que « nous portons tous en nous une goutte du venin de cette façon de penser illustrée par les images du Livre de la → GENÈSE... L'homme n'a pas confiance en Dieu. Tenté par les paroles du serpent, il nourrit le soupçon que... Dieu est un concurrent qui limite notre liberté et que nous ne serons pleinement des êtres humains que lorsque nous l'aurons mis de côté... L'homme ne veut pas recevoir de Dieu son existence et la plénitude de sa vie... Et en agissant ainsi, il se fie au mensonge plutôt qu'à la vérité et cela fait sombrer sa vie dans le vide, dans la mort » (Benoît XVI, 8 décembre 2005).

69 *À cause du péché originel sommes-nous obligés de commettre des péchés ?*

Non. Mais l'homme est profondément blessé par le péché originel et il a tendance à commettre des péchés. Mais, avec l'aide de Dieu, il est cependant capable de faire du bien. [405]

En aucun cas, nous ne sommes obligés de pécher. Mais en réalité nous n'arrêtons pas de pécher parce que nous sommes faibles, ignorants et que nous succombons facilement à la tentation. D'ailleurs, un péché forcé ne serait pas un péché, parce que le péché implique toujours un libre choix.

70 *Comment Dieu nous arrache-t-il de l'attraction du mal ?*

Dieu ne se contente pas de regarder l'homme se détruire peu à peu lui-même et son entourage, par la réaction en chaîne du péché. Il envoie Jésus-Christ, le Sauveur et le Rédempteur qui nous arrache à la puissance du péché. [410–412, 420–421]

« Personne ne peut m'aider. » Surgie de l'expérience humaine, cette phrase n'est plus exacte. Partout où l'homme s'est aventuré à cause de ses péchés, Dieu le Père a envoyé son Fils. La conséquence du péché, c'est la mort (Rm 6, 23). Mais la conséquence du péché, c'est également la merveilleuse solidarité de Dieu avec nous, il nous envoie Jésus comme ami et sauveur. À cause de cela, on peut dire du péché originel qu'il est une *felix culpa* (« heureuse faute ») : « Heureuse était la faute qui nous valut pareil Rédempteur ! » (Liturgie de la nuit de Pâques.)

C'est une des raisons pour lesquelles je crois au christianisme : c'est une religion que l'on n'aurait pas pu inventer.

C. S. LEWIS

Quand les mains du Christ ont été clouées sur la croix, il a cloué également nos péchés sur la croix.

BERNARD DE CLAIRVAUX

CHAPITRE II
Je crois en Jésus-Christ, le Fils unique de Dieu

Et le Verbe s'est fait chair et il a campé parmi nous, et nous avons contemplé sa gloire, gloire qu'il tient du Père comme Unique-Engendré, plein de grâce et de vérité.

Jean 1, 14

71 *Pourquoi les écrits sur Jésus s'appellent-ils Évangile, c'est-à-dire « Bonne Nouvelle » ?*

Sans les évangiles, nous ne saurions pas que Dieu dans son amour infini nous envoie son Fils pour que, malgré nos péchés, nous retournions dans la communion éternelle avec lui. [422–429]

Les textes sur la vie, la mort et la résurrection de Jésus sont les meilleures nouvelles du monde. Ils témoignent que Jésus de Nazareth, ce juif né à Bethléem, est *le Fils du Dieu vivant* (Mt 16, 16) devenu homme. Il a été envoyé par le Père pour que *tous les hommes soient sauvés et parviennent à la connaissance de la vérité* (1 Tm 2, 4).

Si la vie et la mort de Socrate sont d'un sage, la vie et la mort de Jésus sont la vie et la mort d'un Dieu.

JEAN-JACQUES ROUSSEAU (1712–1778, écrivain français)

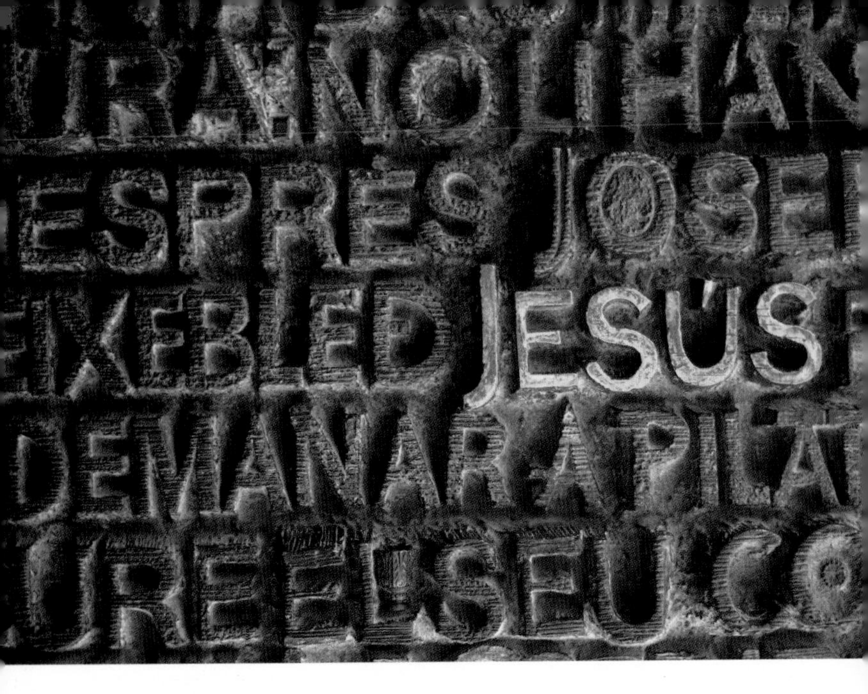

ΙΧΘΥC ΖΩΝΤΩΝ

Dans des catacombes romaines, il y a un ancien signe chrétien codé qui est une désignation du Christ : le mot **ICHTHYS** (« poisson »). Si on épelle le mot grec, on obtient **I**esus, **CH**ristos, **TH**eou (Dieu), **Y**ios (« fils ») et **S**oter (« Sauveur »).

72 *Que signifie le nom de « Jésus » ?*

En hébreu, Jésus signifie « Dieu sauve ». [430–435, 452]

Dans les Actes des Apôtres, Pierre dit : *Car il n'y a pas sous le ciel d'autre nom donné aux hommes, par lequel nous devions être sauvés* (Ac 4, 12). C'est le cœur du message que les missionnaires ont annoncé au monde.

73 *Pourquoi Jésus est-il appelé « Christ » ?*

La brève formule « Jésus est le Christ » exprime le cœur de la foi chrétienne : Jésus, le simple fils du charpentier de Nazareth, est le Messie attendu et le Sauveur. [436–440, 453]

Le mot grec *Christos* ainsi que le mot hébreu « Messie » signifient « oint ». En Israël, les rois, les prêtres et les prophètes recevaient une onction. Pour les → APÔTRES, Jésus *a reçu l'onction d'Esprit-Saint* (Ac 10, 38). À la suite du *Christ,* nous sommes appelés *chrétiens* pour exprimer notre éminente vocation.

74 *Que signifie : Jésus est le « Fils unique de Dieu » ?*

Quand Jésus se présente lui-même comme « le Fils unique de Dieu » (Fils *unique* ou Fils *engendré de manière unique,* Jn 3, 16), quand Pierre et d'autres l'appellent ainsi, cela signifie que, parmi tous les hommes, Jésus est le seul qui soit plus qu'un homme. [441-445, 454]

Dans beaucoup de passages du → NOUVEAU TESTAMENT (Jn 1, 14. 18 ; 1 Jn 4, 9 ; He 11, 7 ; etc.), Jésus est appelé « Fils ». Lors du baptême et de la Transfiguration, la voix du ciel désigne Jésus comme « le Fils bien-aimé ». Jésus dévoile à ses disciples sa relation unique avec son Père du ciel : *Tout m'a été remis par mon Père et nul ne connaît le Fils si ce n'est le Père, et nul ne connaît le Père si ce n'est le Fils, et celui à qui le Fils veut bien le révéler* (Mt 11, 27). Lors de la Résurrection, il apparaît clairement que Jésus-Christ est vraiment le Fils de Dieu.

75 *Pourquoi les chrétiens appellent-ils Jésus « Seigneur » ?*

***Vous m'appelez Maître et Seigneur, et vous dites bien, car je le suis* (Jn 13, 13). [446-451, 455]**

Pour les premiers chrétiens, c'était une évidence de parler de Jésus comme du « Seigneur » tout en sachant que ce titre servait à désigner Dieu dans l'→ ANCIEN TESTAMENT. Par de nombreux signes, Jésus leur avait montré qu'il disposait d'une puissance divine sur la nature, les démons, le péché et la mort. L'origine divine de la mission de Jésus s'est manifestée lors de la résurrection d'entre les morts. Thomas déclare : *Mon Seigneur et mon Dieu* (Jn 20, 28). Si Jésus est « le Seigneur », un chrétien ne doit plier le genou devant aucune autre puissance !

76 *Pourquoi Dieu s'est-il incarné en Jésus-Christ ?*

« Pour nous les hommes et pour notre salut il est descendu du ciel » (→ CREDO de Nicée-Constantinople). [456-460]

En Jésus-Christ, Dieu a réconcilié le monde avec lui et a libéré les hommes de l'emprise du péché. *Dieu a tant aimé*

> Ne parle du Christ que si on te le demande. Mais vis de telle manière qu'on te le demande !
>
> PAUL CLAUDEL (1868-1955, poète et dramaturge français)

> On ne critique pas le Christ. On critique les chrétiens parce qu'ils ne lui ressemblent pas.
>
> FRANÇOIS MAURIAC (1914-1996, romancier français)

> Là où Dieu n'occupe pas la première place... la dignité de l'homme est menacée. Il est donc urgent de conduire l'homme d'aujourd'hui à redécouvrir le visage authentique de Dieu, qui s'est révélé à nous en Jésus-Christ.
>
> BENOÎT XVI, 28 août 2005

> Dieu est si grand qu'il peut se faire petit. Dieu est si puissant qu'il peut se faire faible et venir à notre rencontre comme un enfant sans défense, afin que nous puissions l'aimer.
>
> BENOÎT XVI, 24 décembre 2005

Effectivement, le mystère de l'homme ne s'éclaire vraiment que dans le mystère du Verbe incarné.

Concile Vatican II, *Gaudium et Spes (GS)*

Il reste ce qu'il était et il endosse ce qu'il n'était pas.

Liturgie romaine du 1er janvier

La connaissance de Dieu sans celle de sa misère fait l'orgueil. La connaissance de sa misère sans celle de Dieu fait le désespoir. La connaissance de Jésus-Christ fait le milieu, parce que nous y trouvons et Dieu et notre misère.

BLAISE PASCAL

Une religion sans mystère ne peut être qu'une religion sans Dieu.

JEREMY TAYLOR (1613–1667, écrivain religieux anglais)

le monde qu'il a donné son Fils, l'Unique-Engendré (Jn 3, 16). En Jésus, Dieu a endossé notre chair humaine et mortelle (→ INCARNATION), il a partagé notre destinée terrestre, nos souffrances et notre mort et il est devenu l'un d'entre nous en toutes choses, à l'exception du péché.

77 *Qu'est-ce que cela signifie que Jésus-Christ soit en même temps vrai Dieu et vrai homme ?*

En Jésus, Dieu est vraiment l'un d'entre nous et il est ainsi devenu notre frère ; sans cesser pour autant d'être en même temps Dieu et notre Seigneur. Le concile de Chalcédoine a déclaré, en l'an 451, qu'en la personne de Jésus-Christ la nature divine et la nature humaine étaient liées « de manière indivise et sans mélange ». [464–467, 469]

L'Église a longtemps peiné pour exprimer correctement la relation entre la divinité et l'humanité en Jésus-Christ. Divinité et humanité ne se font pas concurrence comme si Jésus n'était qu'en partie homme et qu'en partie Dieu. On ne peut pas dire non plus que le divin et l'humain se mélangent en Jésus ni que Dieu aurait fait simplement semblant de prendre un corps humain en Jésus *(docétisme)* : il s'est fait vraiment homme. Il n'y a pas non plus en Jésus deux personnes conjointes, l'humain et la divinité *(nestorianisme)*. Enfin, c'est aussi une hérésie d'affirmer que la nature humaine disparaît complètement dans la nature divine *(monophysisme)*. Contre toutes ces hérésies, l'Église a maintenu fermement la foi en Jésus-Christ vrai Dieu et vrai homme en une seule personne. La célèbre formule du concile de Chalcédoine « sans division et sans confusion » n'essaye pas d'expliquer ce qui dépasse l'entendement humain, elle insiste sur les deux points clés de la foi. Elle indique « la direction » dans laquelle il faut chercher le mystère de la personne de Jésus.

78 *Pourquoi Jésus n'est-il compréhensible que comme « mystère » ?*

Puisque Jésus est Dieu, on ne peut pas le comprendre si l'on ne tient pas compte de la réalité invisible de sa divinité. [525–530, 536]

Le côté visible de Jésus renvoie à son côté invisible. Il y a des éléments fort importants dans sa vie, que nous ne pouvons comprendre que comme des → MYSTÈRES. Ainsi, sa condition de Fils de Dieu, son incarnation, sa passion et sa résurrection.

79 *Jésus avait-il comme nous une âme, un esprit et un corps ?*

Oui. Jésus « a travaillé avec des mains d'homme, il a pensé avec une intelligence d'homme, il a agi avec une volonté d'homme, il a aimé avec un cœur d'homme » (Vatican II, *GS*, 22, 2). [470-476]

Du fait de sa pleine nature humaine, Jésus avait une âme et il s'est développé spirituellement. C'est dans cette âme que résidaient son identité humaine et la prise de conscience qu'il avait de lui-même. Jésus avait conscience d'être uni à son Père céleste dans l'Esprit-Saint. Il se laissait diriger par l'Esprit-Saint dans toutes les circonstances de sa vie.

MYSTÈRE
(du grec *mysterion,* « secret ») : un mystère est une réalité (ou un aspect de la réalité) qui est inaccessible à la connaissance rationnelle.

Jésus est une évidence.

HANS URS VON BALTHASAR (1905-1988, théologien catholique suisse)

Quant à Jésus, il croissait en sagesse, en taille et en grâce devant Dieu et devant les hommes.

Luc 2, 52

> Car un tel père comme il fallait qu'il y en ait un n'existe pas parmi les pères humains.
>
> WILHELM WILLMS, *Ave Eva* (1930–2002, prêtre et écrivain)

80 *Pourquoi Marie est-elle vierge ?*

Dieu a voulu que Jésus-Christ ait une véritable mère humaine mais lui seul comme Père : il voulait inaugurer un nouveau commencement, qui soit reconnu comme venant de lui et non de forces terrestres. [484–504, 508–510]

La virginité de Marie n'est pas une conception mythologique dépassée mais elle est fondamentale pour la vie de Jésus. Il est né d'une femme mais il n'a pas de père humain. Jésus est un nouveau début dans le monde, suscité d'en haut. Dans l'évangile de Luc, Marie demande à l'Ange : *Comment cela sera-t-il, puisque je ne connais pas d'homme ?* (Lc 1, 34.) L'Ange lui répond : *L'Esprit-Saint viendra sur toi* (Lc 1, 35). Bien que depuis les premiers siècles l'Église ait rencontré des moqueries au sujet de la virginité de Marie, elle a toujours cru qu'il s'agissait d'une virginité réelle et non symbolique. → 117

> Ce que la foi catholique croit au sujet de Marie se fonde sur ce qu'elle croit au sujet du Christ.
>
> *Catéchisme de l'Église catholique*, 487

81 *En dehors de Jésus, Marie a-t-elle eu encore d'autres enfants ?*

Non. Selon la chair, Jésus est le fils unique de Marie. [500, 510]

Déjà l'Église primitive affirmait la virginité permanente de Marie, ce qui exclut des frères et sœurs biologiques de Jésus. En araméen, la langue maternelle de Jésus, il n'existe qu'un seul mot pour désigner les frères et sœurs, les cousins et les cousines. Dans les évangiles, quand on parle des « frères et sœurs » de Jésus (Mc 3, 31-35 par exemple), il s'agit de parents proches.

> Si quelqu'un ne confesse pas que l'Emmanuel (*) est véritablement Dieu, et la sainte Vierge mère de Dieu… qu'il soit anathème.
>
> Concile d'Éphèse, 431
>
> (*) En Matthieu 1, 23, il est écrit : Voici que la vierge concevra et enfantera un fils, et on l'appellera du nom d'Emmanuel, ce qui se traduit : « Dieu avec nous. »

82 *N'est-il pas choquant de donner à Marie le titre de « mère de Dieu » ?*

Non. Donner à Marie le titre de mère de Dieu, c'est confesser que son fils est Dieu. [495, 509]

Dans le christianisme primitif, quand il y a eu des controverses pour définir qui était Jésus, le titre de *Theotokos* (« mère de Dieu ») devint la marque distinctive de l'interprétation correcte de l'Écriture sainte :

Marie n'a pas seulement donné le jour à un homme qui serait « devenu » Dieu après sa naissance, mais elle portait déjà dans son sein un enfant qui était le vrai Fils de Dieu. La controverse ne porte pas d'abord sur Marie, mais une fois de plus sur Jésus : peut-il être en même temps vrai homme et vrai Dieu ? → 117

> Là où la foi en la mère de Dieu sombre, là sombre également la foi au Fils de Dieu et en Dieu le Père.
>
> LUDWIG FEUERBACH (1804–1872, philosophe allemand, athée, dans *L'Essence du christianisme*)

83 *Que signifie « l'Immaculée Conception de Marie » ?*

L'Église croit que la bienheureuse Vierge Marie a été, au premier instant de sa conception, par une grâce et une faveur singulières du Dieu Tout-Puissant et en vue des mérites de Jésus-Christ Sauveur du genre humain, préservée intacte de toute souillure du péché originel (Dogme de 1854 ; → DOGME). [487–492, 508]

Très vite, dans l'histoire de l'Église, les chrétiens ont professé l'Immaculée Conception de Marie. L'expression est mal comprise aujourd'hui. Elle signifie que, depuis le début, Dieu a préservé la Vierge Marie du péché originel. Elle ne s'applique pas à la conception de Jésus dans le sein de Marie. Elle n'est nullement une dépréciation de la sexualité dans le christianisme, comme si un homme et une femme pouvaient se « souiller » en donnant la vie à un enfant. → 68–69

En 1858, lors d'une apparition à Bernadette Soubirous à Lourdes, Marie se présenta comme « l'Immaculée Conception ».

84 *Marie n'était-elle qu'un instrument entre les mains de Dieu ?*

Marie a été plus qu'un instrument purement passif entre les mains de Dieu. Sa participation active a permis que s'accomplisse l'incarnation de Dieu. [493–494, 508–511]

À l'Ange qui lui a annoncé qu'elle donnerait le jour au « Fils du Très-Haut » Marie a répondu : *Qu'il m'advienne selon ta parole* (Lc 1, 38). La rédemption de l'humanité par Jésus-Christ a donc commencé par une demande de Dieu, une libre acceptation d'un être humain et une grossesse, avant que Marie ne soit mariée avec Joseph. Par des chemins aussi inhabituels, Marie est devenue pour nous « la porte du salut ». → 479

> La réponse de Marie... est le mot le plus lourd de conséquences de l'histoire.
>
> REINHOLD SCHNEIDER (1903–1958, écrivain allemand)

85 *Pourquoi Marie est-elle également notre mère ?*

Marie est notre mère parce que le Christ, le Seigneur, nous l'a donnée pour mère. [963–966, 973]

Femme, voici ton fils... Voici ta mère (Jn 19, 27). L'Église a toujours considéré que ces paroles que, du haut de la croix, Jésus adresse à Marie et au disciple qu'il aimait, étaient la remise de toute l'Église à Marie. Ainsi, Marie est également notre mère. Nous pouvons l'invoquer et lui demander d'intercéder pour nous auprès de Dieu.

→ 147–149

> De tout le genre humain, Marie est la plus tendre des mères, elle est le refuge des pécheurs.
>
> SAINT ALPHONSE DE LIGUORI (1696–1787, fondateur des Rédemptoristes, mystique et docteur de l'Église)

86 *Pourquoi Jésus n'a-t-il pas eu de vie publique pendant trente ans ?*

Jésus a voulu partager avec nous une vie normale et sanctifier ainsi notre vie quotidienne. [531–534, 564]

Jésus fut un enfant qui a bénéficié de l'amour de ses parents et qui a été élevé par eux. Il progressait *en sagesse et en taille et en grâce devant Dieu et devant les hommes* (Lc 2, 52). Il a appartenu à une communauté villageoise juive et a participé aux rituels religieux. Il a appris un métier manuel dans lequel il a dû faire ses preuves. Parce qu'en Jésus Dieu a voulu naître dans une famille humaine et y grandir, la famille est un lieu où Dieu réside et elle est un exemple de communauté dans laquelle on trouve aide et assistance.

> Plus l'Église vit à l'image de Marie, plus elle devient maternelle, plus on peut renaître de Dieu en son sein, être réconcilié.
>
> FRÈRE ROGER SCHUTZ (1915–2005, fondateur et prieur de la communauté œcuménique de Taizé)

87 *Pourquoi Jésus s'est-il fait baptiser par Jean bien qu'il fût sans péché ?*

Baptiser signifie immerger. Par son baptême, Jésus a été immergé dans l'histoire pécheresse de toute l'humanité. En cela, il nous a donné un signe. Pour nous délivrer de nos péchés, il sera un jour immergé dans la mort, pour être de nouveau réveillé à la vie par la puissance de son Père. [535–537, 565]

Des pécheurs – soldats, filles de mauvaise vie, percepteur de taxes – se rendaient auprès du prophète Jean, le baptiseur, parce qu'ils recherchaient *un baptême de repentir pour la rémission des péchés* (Lc 3, 3). En réalité Jésus n'avait pas besoin de ce baptême car il était sans péché,

> Dans la famille, les enfants apprennent à aimer en étant aimés gratuitement ; ils apprennent le respect de toute autre personne en étant respectés ; ils apprennent à connaître le visage de Dieu en recevant la première révélation d'un père et d'une mère pleins d'attentions.
>
> Congrégation pour la doctrine de la foi, 31 mai 2004

mais le fait qu'il se soit soumis à ce baptême nous indique deux choses. Jésus prend sur lui nos péchés. Il fait de son baptême une anticipation de sa passion et de sa résurrection. Alors qu'il donne le signe qu'il est prêt à mourir pour nous le ciel s'ouvre : *Tu es mon Fils bien-aimé* (Lc 3, 22).

> Entre les justes et les pécheurs il y a une communion, car il n'y a finalement pas de justes.
>
> GERTRUD VON LE FORT (1876–1971, écrivain allemand)

88 *Pourquoi Jésus a-t-il été soumis à la tentation ? Pouvait-il vraiment être tenté ?*

Du moment que Jésus possède une véritable nature humaine, il est accessible aux tentations. En lui nous n'avons pas un sauveur *impuissant à compatir à nos faiblesses, lui qui a été éprouvé en tout, d'une manière semblable, à l'exception du péché* (He 4, 15). [538–540, 566]

> Chaque jour... le chrétien doit affronter une lutte comme celle que le Christ a soutenue dans le désert de Judée, où, pendant quarante jours, il fut tenté par le diable... Il s'agit d'une lutte spirituelle, qui est dirigée contre le péché, et, en ultime analyse, contre Satan. C'est une lutte qui engage la personne tout entière, et qui exige une vigilance attentive et constante.
>
> BENOÎT XVI, 1er mars 2006

89 *À qui Jésus promet-il le « Royaume de Dieu » ?*

Dieu *veut que tous les hommes soient sauvés et parviennent à la connaissance de la vérité* (1 Tm 2, 4). Le « Royaume de Dieu » commence chez ceux qui se laissent transformer par l'amour de Dieu. Jésus nous apprend qu'il s'agit avant tout des pauvres et des petits. [541–546, 567]

Même les personnes éloignées de l'Église trouvent fascinant que Jésus, avec une sorte d'amour préférentiel, se tourne d'abord vers celles et ceux qui sont en marge de la société. Dans le Sermon sur la montagne, les pauvres et les affligés, les victimes de persécutions et de violences, tous ceux qui cherchent Dieu avec un cœur pur, tous ceux qui cherchent sa miséricorde, sa justice et sa paix, ont un accès prioritaire au Royaume de Dieu. Même les pécheurs bénéficient d'une invitation particulière : *Ce ne sont pas les bien portants qui ont besoin de médecin, mais les malades ; je suis venu appeler non pas les justes, mais les pécheurs* (Mc 2, 17).

> Jésus dit de son Père : « L'Esprit du Seigneur est sur moi, parce qu'il m'a consacré par l'onction, pour porter la bonne nouvelle aux pauvres. Il m'a envoyé annoncer aux captifs la délivrance et aux aveugles le retour à la vue, renvoyer en liberté les opprimés, proclamer une année de grâce du Seigneur.
>
> Luc 4, 18-19

90 *Jésus a-t-il réellement fait des miracles ou bien ne s'agit-il que de pieuses légendes ?*

Jésus a vraiment fait des miracles, les → APÔTRES également. Les auteurs du Nouveau Testament racontent des événements réels. [547–550]

Un miracle ne se réalise pas à l'encontre de la nature mais à l'encontre de notre connaissance de la nature.

SAINT AUGUSTIN

Nulle part dans le monde il y a eu un aussi grand miracle que dans cette petite étable de Bethléem : ici Dieu et l'homme sont devenus un.

THOMAS A KEMPIS (1379/1380–1471, mystique allemand, auteur de *L'Imitation de Jésus-Christ)*

Ils étaient frappés au-delà de toute mesure et disaient : « Il a bien fait toutes choses : il fait entendre les sourds et parler les muets. »

Marc 7, 37

Déjà les plus anciennes sources parlent des nombreux miracles qui confirment la prédication de Jésus : *Mais si c'est par l'Esprit de Dieu que j'expulse les démons, c'est donc que le Royaume de Dieu est arrivé jusqu'à vous* (Mt 12, 28). Les miracles ont été réalisés en public et l'on connaît le nom de certaines personnes qui en ont bénéficié : l'aveugle Bartimée par exemple (Mc 10, 46-52) ou la belle-mère de Pierre (Mc 8, 14-15). En outre, il y a eu des miracles qui ont choqué et révolté le milieu juif (la guérison d'un paralysé un jour de → SABBAT ou la guérison de lépreux par exemple). Pourtant, ils n'ont pas été contestés par le judaïsme de l'époque de Jésus.

91 *Pourquoi Jésus a-t-il fait des miracles ?*

Les miracles que Jésus a accomplis furent des signes de l'avènement du Royaume de Dieu. Ils furent l'expression de son amour pour les hommes et ils ont confirmé sa mission. [547–550]

En faisant des miracles, Jésus ne s'est pas mis en scène comme un magicien. Il a manifesté la puissance de l'amour salvateur de Dieu. Par ses miracles, il a montré qu'il était le Messie et que le Règne de Dieu commençait avec lui. Il a rendu visible la venue d'un monde nouveau : il a libéré de la faim (Jn 6, 5-15), de l'injustice (Lc 19, 8), de la maladie et de la mort (Mt 11, 5). En expulsant des démons, il a entamé sa victoire sur « le prince de ce monde » (Jn 12, 31 ; c'est-à-dire Satan). Cependant, Jésus n'a pas enlevé tout ce qu'il y avait de mauvais et de méchant dans le monde. Ce qu'il voulait signifier d'abord était la nécessaire libération des hommes de l'esclavage du péché. Même quand il faisait des miracles, ce qui lui tenait le plus à cœur, c'était la foi. → 241–242

92 *Dans quel but Jésus a-t-il appelé des apôtres ?*

Jésus fut entouré d'un large groupe de disciples, hommes et femmes. Dans ce groupe, il a choisi douze hommes qu'il a appelés → APÔTRES (Lc 6, 12-16). Il leur a donné une formation particulière et leur a confié

différentes tâches : *Il les envoya proclamer le Royaume de Dieu et faire des guérisons* (Lc 9, 2). *Au dernier repas, Jésus ne prit avec lui que ces douze apôtres et il leur ordonna : « Faites cela en mémoire de moi »* (Lc 22, 19). [551–553, 567]

Les apôtres furent les témoins de la résurrection de Jésus et les garants de sa vérité. Ils ont continué son œuvre après sa mort et ont choisi des hommes pour leur succéder : les → ÉVÊQUES. Aujourd'hui encore, les successeurs des apôtres exercent les pleins pouvoirs confiés par Jésus : ils dirigent, enseignent et célèbrent. La cohésion des apôtres est devenue le socle de l'unité de l'→ ÉGLISE (→ SUCCESSION APOSTOLIQUE). Pierre se distingue parmi les Douze, Jésus lui ayant conféré une autorité particulière : *Tu es Pierre, et sur cette pierre je bâtirai mon Église* (Mt 16, 18). À partir de cette situation particulière de Pierre parmi les apôtres, est née la fonction du pape.

→ 137

93 *Pourquoi Jésus fut-il transfiguré sur la montagne ?*

Dès la vie terrestre de Jésus, le Père a voulu révéler la majesté divine de son Fils. La transfiguration de Jésus aidera plus tard ses disciples à comprendre sa mort et sa résurrection. [554–556, 568]

Trois évangiles racontent comment, au sommet d'une montagne, Jésus s'est mis à rayonner aux yeux de ses disciples (il a été « transfiguré »). La voix du Père céleste donne à Jésus le titre de « Fils bien-aimé » et dit qu'il faut l'écouter. Pierre voudrait « construire trois tentes » pour prolonger ce moment. Mais Jésus est sur le chemin de sa passion. La vision de sa gloire a pour but de rendre forts ses disciples.

94 *Lorsqu'il est entré à Jérusalem, Jésus savait-il qu'il allait mourir ?*

Oui. Jésus a annoncé trois fois ses souffrances et sa mort avant de se diriger consciemment et volontairement vers le lieu de sa passion (Lc 9, 51). [557–560, 569–570]

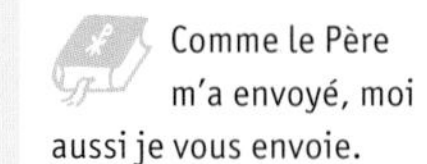

Comme le Père m'a envoyé, moi aussi je vous envoie.

Jean 20, 21

Si quelqu'un obtient la grâce d'une forte révélation de Dieu, il se passe alors comme s'il vivait quelque chose de semblable à ce que les disciples ont vécu lors de la Transfiguration : pendant un court instant on a un avant-goût de ce que sera la béatitude du Paradis. Normalement il s'agit de courtes révélations que Dieu accorde quelquefois, avant tout en prévision de dures épreuves.

BENOÎT XVI, 12 mars 2006

Et le Verbe s'est fait chair et il a demeuré parmi nous et nous avons vu sa gloire, gloire qu'il tient de son Père comme Fils unique, plein de grâce et de vérité.

Jean 1, 14

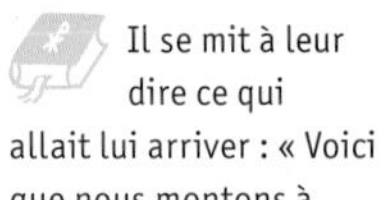

Il se mit à leur dire ce qui allait lui arriver : « Voici que nous montons à Jérusalem, et le Fils de l'homme sera livré aux grands prêtres et aux scribes ; ils le condamneront à mort et le livreront aux païens, ils le bafoueront, cracheront sur lui, le flagelleront et le tueront, et après trois jours il ressuscitera. »

Marc 10, 32-34

95 *Pourquoi Jésus a-t-il choisi la fête juive de la Pâque pour sa mort et sa résurrection ?*

Jésus a choisi la fête de la Pâque de son peuple Israël comme un symbole de ce qui allait s'accomplir dans sa mort et sa résurrection. De même que le peuple d'Israël a été délivré de l'esclavage d'Égypte, ainsi le Christ nous a libérés de l'esclavage du péché et de la puissance de la mort. [571-573]

La fête de la Pâque était la fête de la libération d'Israël de son esclavage en Égypte. Jésus s'est rendu à Jérusalem pour nous libérer de manière encore plus profonde. Il a fêté avec ses disciples le repas pascal, mais, au lieu d'immoler le traditionnel agneau de la Pâque, il s'est offert lui-même comme l'agneau du sacrifice. *Notre pâque, le Christ, a été immolée* (1 Co 5, 7) pour offrir une fois pour toutes la réconciliation définitive entre Dieu et les hommes. → 171

Lorsque l'heure fut venue, il se mit à table, et les apôtres avec lui. Et il leur dit : « J'ai ardemment désiré manger cette pâque avec vous avant de souffrir ; car je vous le dis, jamais plus je ne la mangerai jusqu'à ce qu'elle s'accomplisse dans le Royaume de Dieu. »

Luc 22, 14-16

96 *Pourquoi a-t-on condamné un homme de paix comme Jésus à la mort sur la croix ?*

Jésus a obligé ses contemporains à se poser une question décisive à son sujet : ou bien Jésus agissait avec toute l'autorité divine ou bien il était un imposteur, un blasphémateur, quelqu'un qui contrevenait à la Loi et qui devait être traduit en justice, conformément à la Loi. [574-576]

À bien des égards, l'action de Jésus constituait un défi majeur pour le judaïsme traditionnel de son temps. Il a pardonné les péchés, ce qui relève uniquement de Dieu ; il a relativisé la loi du sabbat, il s'est exposé au soupçon de blasphème et a attiré sur lui l'accusation d'être un faux prophète. Autant d'infractions pour lesquelles la Loi prévoyait la peine de mort.

97 *Les juifs sont-ils responsables de la mort de Jésus ?*

Personne ne peut attribuer « aux juifs » une responsabilité collective dans la mort de Jésus. En revanche, ce que l'Église professe avec certitude, c'est la complicité de tous les pécheurs dans la mort de Jésus. [597-598]

Le vieux prophète Siméon avait prévu que Jésus serait *un signe en butte à la contradiction* (Lc 2, 34). Il y eut une forte opposition à Jésus de la part des autorités juives, mais Jésus eut des disciples secrets parmi les pharisiens, comme Nicodème et Joseph d'Arimathie. Dans le procès de Jésus, diverses personnalités et institutions romaines et juives furent impliquées (Caïphe, Judas, le Grand Conseil, Hérode, Ponce Pilate). Dieu seul peut juger la culpabilité personnelle de chacun. La thèse selon laquelle tous les juifs de cette époque ou bien les juifs d'aujourd'hui seraient responsables de la mort de Jésus est déraisonnable et indéfendable d'un point de vue biblique. → 135

> Ce ne sont pas les démons qui l'ont crucifié mais c'est toi qui l'as crucifié avec eux et qui le crucifies encore en prenant plaisir au vice et au péché.
>
> SAINT FRANÇOIS D'ASSISE

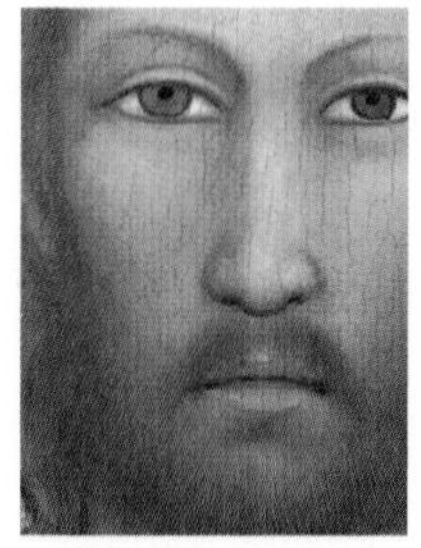

> Jésus, sachant que son heure était venue de passer de ce monde vers le Père, ayant aimé les siens qui étaient dans le monde, les aima jusqu'à la fin.
>
> Jean 13, 1

98 *Dieu voulait-il la mort de son propre fils ?*

La mort violente de Jésus n'a pas été le fruit d'un tragique concours de circonstances. Jésus a *été livré selon le dessein bien arrêté et la prescience de Dieu* (Ac 2, 23). Afin que nous, les enfants du péché et de la mort, nous ayons la vie, le Père céleste *de celui qui n'avait pas connu le péché, il l'a fait péché pour nous* (2 Co 5, 21). Mais à la grandeur du sacrifice que Dieu le Père a demandé à son Fils a répondu la grandeur de l'abnégation du Fils : *Et que dire ? Père, sauve-moi de cette heure ! Mais c'est pour cela que je suis venu à cette heure* (Jn 12, 27). Des deux côtés, il y a un amour qui se manifeste jusqu'au paroxysme de la croix. [599-609, 620]

Pour nous sauver de la mort, Dieu a effectué une mission périlleuse : en la personne de son Fils Jésus-Christ, il a introduit « un remède d'immortalité » (Ignace d'Antioche) dans notre monde de mort. Le Père et le Fils furent des alliés inséparables dans cette mission. Remplis d'un désir ardent et par amour des hommes, ils prirent sur eux ce qu'il y avait d'extrême. Dieu a proposé un échange pour nous sauver à jamais : il voulait donner sa vie éternelle pour que nous puissions goûter sa joie. Jésus a voulu endurer notre agonie, notre désespérance, notre sentiment d'abandon, notre mort, pour être pleinement en communion avec nous, tout en demeurant en communion avec son Père. Pour nous aimer jusqu'au bout et même au-delà. La mort du Christ est la volonté du Père, mais elle n'est pas son dernier mot. Puisque le Christ est mort pour

> Il n'y a pas d'autre échelle pour atteindre le Paradis que la croix.
>
> SAINTE ROSE DE LIMA (1586-1617, sainte nationale du Pérou, première sainte des Amériques)

nous, si nous demeurons en communion avec lui, nous pouvons échanger notre mort contre sa vie.

99 *Que s'est-il passé au dernier repas ?*

Le soir avant sa mort, Jésus a lavé les pieds de ses disciples ; il a institué l'→EUCHARISTIE et a fondé le sacerdoce de la nouvelle Alliance. [610-611]

> Dieu n'est pas venu pour mettre un terme à la souffrance. Il n'est pas venu non plus pour l'expliquer, il est venu pour la remplir de sa présence.
>
> PAUL CLAUDEL (1868–1955, poète et écrivain français)

> Quand donc il leur eut lavé les pieds, qu'il eut repris ses vêtements et se fut remis à table, il leur dit : « Comprenez-vous ce que je vous ai fait ? Vous m'appelez Maître et Seigneur, et vous dites bien, car je le suis. Si je vous ai lavé les pieds, moi le Seigneur et le Maître, vous aussi vous devez vous laver les pieds les uns aux autres. Car c'est un exemple que je vous ai donné, pour que vous fassiez, vous aussi, comme moi j'ai fait pour vous.
>
> Jean 13, 12-15

Jésus a manifesté son amour jusqu'à la perfection de trois manières : il a lavé les pieds de ses disciples et a montré qu'il était parmi nous comme celui qui sert (Lc 22, 27). Il a anticipé sa souffrance libératrice en prononçant ces paroles sur les offrandes du pain et du vin : *Ceci est mon corps donné pour vous* (Lc 22, 19), instituant ainsi la sainte → EUCHARISTIE. Lorsque Jésus ordonne à ses → APÔTRES : *Faites ceci en mémoire de moi* (1 Co 11, 24), il en fait les → PRÊTRES de la nouvelle Alliance.

→ 208–223

> En un certain sens, nous pouvons dire que précisément la Dernière Cène est l'acte de fondation de l'Église, car Il se donne lui-même et crée ainsi une nouvelle communauté, une communauté unie dans la communion avec Lui-même.
>
> BENOÎT XVI, 15 mars 2006

100 *Au mont des Oliviers, dans la nuit précédant sa mort, Jésus a-t-il vraiment ressenti l'angoisse devant la mort ?*

Puisque Jésus était vraiment un homme, au mont des Oliviers, il a ressenti une véritable angoisse humaine face à la mort. [612]

Avec ses forces humaines, les mêmes qui sont en chacun d'entre nous, Jésus a dû mener une lutte interne pour adhérer pleinement à la volonté du Père exigeant qu'il donne sa vie pour la vie du monde. Au moment le plus difficile, abandonné de tous et même de ses amis, Jésus a décidé de dire oui. *Mon Père, si cette coupe ne peut passer sans que je la boive, que ta volonté soit faite !* (Mt 26, 42.)

→ 476

101 *Pourquoi Jésus a-t-il dû nous sauver précisément sur une croix ?*

La croix sur laquelle Jésus innocent a été exécuté de manière cruelle est le lieu de l'humiliation et de l'abandon le plus total. Le Christ, notre Rédempteur, a choisi la croix afin de porter le péché du monde et de souffrir la douleur du monde. Ainsi, par son amour parfait, il a ramené le monde vers Dieu. [613-617, 622-623]

Dieu n'aurait pas pu montrer son amour de manière plus impressionnante qu'en se laissant clouer pour nous sur la croix, en la personne de son Fils. La croix était le moyen d'exécution le plus honteux et le plus cruel de l'Antiquité. Quels que soient les crimes commis par des citoyens romains, on n'avait pas le droit de les crucifier. Jésus est entré ainsi dans les souffrances les plus profondes de l'humanité. Depuis lors, personne ne peut plus dire : « Dieu ne sait pas ce que je souffre. »

102 *Pourquoi devons-nous, nous aussi, accepter la souffrance dans notre vie, « prendre sur nous la croix » et suivre Jésus ?*

Les chrétiens ne doivent pas rechercher la souffrance mais, quand ils se heurtent à une souffrance inévitable, cela peut avoir du sens pour eux d'unir leurs souffrances à celles du Christ : *Le Christ aussi a souffert pour vous, vous laissant un modèle afin que vous suiviez ses traces* (1 P 2, 21). [618]

Jésus a dit : *Si quelqu'un veut venir à ma suite, qu'il se renie lui-même, qu'il se charge de sa croix, et qu'il me suive* (Mc 8, 34). Les chrétiens ont le devoir de lutter contre la souffrance dans le monde. Pourtant, la souffrance continuera d'exister. Dans la foi, nous pouvons accepter notre

L'une des plus anciennes représentations de la croix est une caricature trouvée dans les catacombes romaines où l'on se moque du sauveur des chrétiens. L'inscription dit : « Alexamenos adore son Dieu. »

PASSION (du latin *passio,* « maladie, souffrance ») : terme employé pour désigner les souffrances du Christ.

Dieu a étendu ses mains sur la croix pour embrasser les limites de l'univers.

SAINT CYRILLE DE JÉRUSALEM (vers 313-386/387, père de l'Église)

Nous chrétiens nous ne sombrons pas dans les tempêtes du monde pour l'unique raison que nous sommes portés par le bois de la croix.

SAINT AUGUSTIN

propre souffrance et partager celle des autres. De cette manière, la souffrance humaine est intégrée à l'amour rédempteur du Christ et devient de ce fait partie prenante de la puissance divine qui tire le monde vers le bonheur.

> On doit porter sa croix et non la traîner, et on doit la saisir comme un trésor et non comme une charge. C'est seulement par la croix que nous pouvons être semblables au Christ.
>
> FRANÇOIS FÉNELON (1651–1715, évêque français)

103 *Jésus est-il vraiment mort ou a-t-il pu ressusciter parce que sa mort n'était qu'apparente ?*

Jésus-Christ est réellement mort sur la croix. Son corps a été enseveli. Toutes les sources en témoignent. [627]

> Si tu portes joyeusement ta croix, elle te portera.
>
> THOMAS A KEMPIS

> En opérant la Rédemption par la souffrance, le Christ a élevé en même temps la souffrance humaine jusqu'à lui donner valeur de Rédemption. Tout homme peut donc, dans sa souffrance, participer à la souffrance rédemptrice du Christ.
>
> JEAN-PAUL II, *Salvifici Doloris*

> Quand nous regardons la croix, nous comprenons la grandeur de son amour. Quand nous regardons la crèche, nous comprenons la tendresse de son amour, pour toi et pour moi, pour ta famille et pour toutes les familles.
>
> MÈRE TERESA

En Jean 19, 33, les soldats constatent explicitement la mort de Jésus. D'un coup de lance, ils percent le côté de Jésus et voient que du sang et de l'eau s'en écoulent.

Il faut ajouter à cela qu'on a brisé les jambes aux autres crucifiés – une mesure destinée à accélérer le processus de mort – mais que cela n'a pas été nécessaire pour Jésus car il était déjà mort.

104 *Peut-on être chrétien sans croire en la résurrection du Christ ?*

Non. ***Si le Christ n'est pas ressuscité, notre prédication est vide, vide aussi votre foi*** **(1 Co 15, 14). [631, 638, 651]**

105 *Comment les disciples sont-ils parvenus à la foi en la résurrection de Jésus ?*

Les disciples, qui avaient perdu toute espérance, sont parvenus à la foi en la résurrection de Jésus, parce qu'après sa mort, ils l'ont vu de multiples manières, ont parlé avec lui et ont fait l'expérience qu'il était quelqu'un de vivant. [640-644, 656]

Les événements de Pâques qui se sont déroulés à Jérusalem aux environs de l'an 30 ne sont pas une histoire inventée. Sous le choc de la mort de Jésus et de la défaite de leur cause commune, les disciples se sont enfuis. *Nous espérions, nous, que c'était lui qui allait délivrer Israël* (Lc 24, 21). Ou bien ils se sont barricadés derrière des portes closes. Seule la rencontre avec le Christ ressuscité les a libérés de leur inhibition et les a remplis d'une foi enthousiaste en Jésus-Christ, le Seigneur de la vie et de la mort.

106 *Y a-t-il des preuves de la résurrection de Jésus ?*

D'un point de vue scientifique, il n'y a pas de preuves de la résurrection de Jésus. Il y a en revanche de très forts témoignages individuels et collectifs de la part des contemporains des événements de Jérusalem. [639-644, 647, 656-657]

Le plus ancien témoignage écrit concernant la résurrection de Jésus est une lettre de saint Paul aux Corinthiens, rédigée vingt ans après la mort de Jésus : *Je vous ai donc transmis en premier lieu ce que j'avais moi-même reçu, à savoir que le Christ est mort pour nos péchés selon les Écritures, qu'il a été mis au tombeau, qu'il est ressuscité le troisième jour selon les Écritures, qu'il est apparu à Céphas, puis aux Douze. Ensuite, il est apparu à plus de cinq cents frères à la fois – la plupart d'entre eux demeurent jusqu'à présent et quelques-uns se sont endormis* (1 Co 15, 3-6). Paul parle ici d'une tradition vivante qu'il a trouvée dans

Le suaire de Turin est une toile de lin du 1er siècle. En 1898, il fut photographié la première fois par un Turinois. En observant le négatif on découvrit sur le tissu de lin la mystérieuse image d'un supplicié de l'Antiquité.

L'événement de la mort et de la résurrection du Christ constitue le cœur du christianisme. Il est le point d'appui de notre foi, le puissant levier de nos certitudes, le vent impétueux qui balaye toute peur et indécision, tout doute et calcul humains.

BENOÎT XVI, 19 octobre 2006

Qui connaît Pâques ne peut plus désespérer.

DIETRICH BONHOEFFER (1906-1945, théologien protestant et résistant contre Hitler, qui a été exécuté dans le camp de concentration de Flossenbürg)

la communauté chrétienne primitive, lorsque lui-même est devenu chrétien, deux ou trois ans après la mort et la résurrection de Jésus – suite à sa rencontre bouleversante avec le Seigneur ressuscité. Les disciples ont considéré que le tombeau vide était la première indication concernant la réalité de la Résurrection (Lc 24, 5-6). Il se trouve que ce sont des femmes – selon le droit de l'époque leur témoignage n'était pas recevable – qui l'ont découvert. Bien que l'on dise de l'→ APÔTRE Jean, parvenu à la tombe vide, *il vit et il crut* (Jn 20, 8), la conviction que Jésus est vivant ne s'est développée que par une série d'apparitions. L'Ascension de Jésus a mis fin à ces rencontres avec le Ressuscité. Et pourtant, depuis cette époque jusqu'à nos jours, les rencontres avec le Seigneur vivant continuent : Jésus-Christ vit.

> L'amour de Dieu passe dans sa fulgurance. Comme un éclair, l'Esprit-Saint traverse la nuit de chaque homme. Le ressuscité se saisit de toi, il se charge de tout, il prend sur lui tout ce que nous n'arrivons pas à porter. C'est seulement après, quelquefois très longtemps après, que cela devient clair : le Christ est passé et il a distribué son trop-plein.
>
> FRÈRE ROGER SCHUTZ

107 *Lors de sa résurrection, Jésus est-il revenu à la condition physique qui était la sienne pendant sa vie terrestre ?*

Le Seigneur ressuscité a permis que ses disciples le touchent, il a mangé avec eux et leur a montré les plaies de sa passion. Son corps pourtant ne relevait plus exclusivement du domaine terrestre, mais du domaine divin du Père. [645–646]

Le Christ ressuscité, qui porte les plaies du Crucifié, n'est plus situé dans l'espace et dans le temps. Il peut pénétrer dans une pièce aux portes fermées et peut apparaître à ses disciples en des lieux différents et sous une apparence qui ne leur permet pas de le reconnaître immédiatement. La résurrection du Christ ne fut donc pas un retour à la vie terrestre normale, mais le passage à une autre vie : *Le Christ une fois ressuscité des morts ne meurt plus, la mort n'exerce plus de pouvoir sur lui* (Rm 6, 9).

Jésus apparaît à Marie de Magdala, qui ne le reconnaît pas tout de suite. Jésus lui dit : « Marie. » Se retournant, elle lui dit en hébreu : « Rabbouni ! », ce qui veut dire « Maître ».

Jean 20, 16

108 *Qu'y a-t-il de changé dans le monde grâce à la Résurrection ?*

Puisque désormais la mort n'a plus le dernier mot, la joie et l'espoir sont venus dans le monde. Maintenant que la mort n'a plus *aucun pouvoir* (Rm 6, 9) sur Jésus, elle a perdu également tout pouvoir sur nous qui appartenons à Jésus. [655, 658]

109 *Jésus est monté au ciel. Qu'est-ce que cela veut dire ?*

Avec Jésus, l'un d'entre nous est parvenu auprès de Dieu, et cela pour toujours. En son Fils, Dieu est humainement proche de nous les hommes. En outre, dans l'évangile de Jean, Jésus dit : ***Et moi, une fois élevé de terre, je les attirerai tous à moi*** **(Jn 12, 32). [659-667]**

Dans le → NOUVEAU TESTAMENT, l'Ascension du Christ constitue la fin d'une période de quarante jours marquée par une proximité particulière du Ressuscité à ses disciples. À la fin de cette période, Jésus entre avec toute son humanité dans la majesté de Dieu. L'Écriture sainte exprime cela avec les images symboliques de « nuage » et de « ciel ». Comme dit le pape Benoît XVI : « L'homme trouve place en Dieu. » Jésus-Christ est maintenant près du Père, d'où il viendra un jour « pour juger les vivants et les morts ». L'Ascension de Jésus signifie que Jésus n'est plus visible sur terre, tout en y étant toujours présent.

110 *Pourquoi Jésus est-il le Seigneur de toute la terre ?*

Jésus-Christ est le Seigneur de la terre et le Seigneur de l'histoire car tout a été créé pour lui. Tous les hommes ont été sauvés par lui et sont conduits par lui. [668-674, 680]

Il est « au-dessus de nous », et est le seul que nous adorons en pliant le genou ; il est *auprès de nous,* et tête de son Église, en laquelle le Règne de Dieu commence dès maintenant et il est *devant nous,* maître de l'histoire, permettant que les puissances des ténèbres soient finalement vaincues et que le destin du monde s'accom-

Quelqu'un qui a reçu le message de Pâques ne peut plus se promener avec un visage tragique et mener l'existence sans joie d'un homme qui n'a pas d'espérance.

FRIEDRICH SCHILLER (1759-1805, écrivain et dramaturge allemand)

Hommes de Galilée, pourquoi restez-vous ainsi à regarder le ciel ? Ce Jésus qui, d'auprès de vous, a été enlevé au ciel viendra comme cela, de la même manière que vous l'avez vu s'en aller vers le ciel.

Actes des apôtres 1, 11

Car c'est en lui qu'ont été créées toutes choses, dans les cieux et sur la terre, les visibles et les invisibles, Trônes, Seigneuries, Principautés, Puissances ; tout a été créé par lui et pour lui.

Épître aux Colossiens 1, 16

PAROUSIE (du grec *parousia*, « présence personnelle ») signifie le retour du Christ lors du jugement dernier.

Des hommes défailliront de frayeur, dans l'attente de ce qui menace le monde habité, car les puissances des cieux seront ébranlées... Quand cela commencera d'arriver, redressez-vous et relevez la tête, parce que votre délivrance est proche.

Luc 21, 26.28

Dieu ne rejette aucune âme, car elle se rejettera d'elle-même : chacun sera son propre juge.

JAKOB BÖHME (1575–1624, mystique allemand)

plisse selon le plan de Dieu ; il vient à *notre rencontre* en majesté, le jour que nous ignorons, pour conduire la terre à son renouvellement et à son achèvement. Nous pouvons découvrir sa proximité avant tout dans la Parole de Dieu, la réception des → SACREMENTS, le soin des pauvres et là où *deux ou trois sont réunis en son nom* (d'après Mt 18, 20). → 157, 163

111 *Que se passera-t-il à la fin du monde ?*

À la fin du monde, le Christ viendra aux yeux de tous les hommes. [675–677]

Les bouleversements dramatiques (Lc 18, 8 ; Mt 3-14) qui sont annoncés dans l'Écriture sainte : la méchanceté qui se montre sans fard, les épreuves et les persécutions, qui mettront la foi de nouveau à l'épreuve, ne sont que la face obscure de la nouvelle réalité : la victoire définitive et visible de Dieu sur le mal. La majesté, la vérité et la justice de Dieu se manifesteront de manière radieuse. Avec la venue du Christ, il y aura *un ciel nouveau et une terre nouvelle. Il essuiera toute larme de leurs yeux : de mort, il n'y en aura plus ; de pleur, de cri et de peine, il n'y en aura plus, car l'ancien monde s'en est allé* (Ap 21, 1.4). → 164

112 *Comment cela se passera-t-il quand le Christ viendra, jugera nous et le monde entier ?*

Si quelqu'un ne veut rien connaître de l'amour, le Christ lui-même ne peut pas l'aider ; il se juge lui-même. [678–679, 681–682]

Parce que Jésus est *le chemin, la vérité et la vie* (Jn 14, 6), il révélera ce qui est important aux yeux de Dieu et ce qui ne l'est pas. C'est à l'aune de sa propre vie que se mesure la pleine vérité sur l'homme, les choses, les pensées, les événements. → 157, 163

CHAPITRE III
Je crois en l'Esprit-Saint

113 *Que signifie : je crois en l'Esprit-Saint ?*

Croire en l'Esprit-Saint, c'est l'adorer en tant que Dieu avec le Père et le Fils comme l'une des personnes

de la Sainte Trinité « consubstantielle au Père et au fils ». Nous croyons que l'Esprit vient dans le cœur de l'homme pour l'amener comme enfant de Dieu à connaître le Père du Ciel. Animés par l'Esprit de Dieu, nous pouvons changer la face du monde. [683–686]

Avant sa mort, Jésus a promis à ses disciples de leur envoyer *un autre Défenseur* (Jn 14, 16) lorsqu'il ne serait plus avec eux. Quand *l'Esprit-Saint* fut répandu sur les disciples de l'Église primitive, ils comprirent à qui Jésus avait fait allusion. Leur cœur fut rempli d'un profond sentiment de sécurité et de joie et ils reçurent des → CHARISMES particuliers, ce qui signifie qu'ils pouvaient prophétiser, guérir et faire des miracles. Aujourd'hui encore, il existe dans l'Église des personnes qui ont de tels dons et qui font la même expérience.

→ 35–38, 310–311

114 *Quel rôle l'Esprit-Saint joue-t-il dans la vie de Jésus ?*

Toute l'œuvre de Jésus ne peut se comprendre que comme animée par l'Esprit-Saint. La présence de l'Esprit de Dieu, celui que nous appelons Esprit-Saint, est absolument manifeste dans toute la vie de Jésus. [689–691, 702–731]

L'Esprit-Saint a appelé Jésus à la vie dans le sein de la Vierge Marie (Mt 1, 18) ; il a attesté qu'il était le Fils bien-aimé (Lc 4, 16-19), il l'a conduit (Mc 1, 12) et l'a animé jusqu'au bout (Jn 19, 30). Sur la croix, Jésus rendit l'Esprit. Après sa résurrection, il fit don de l'Esprit-Saint à ses disciples (Jn 20, 20). L'Esprit de Jésus fut ainsi transmis à son Église : *Comme le Père m'a envoyé, moi aussi je vous envoie* (Jn 20, 21). (Joh 20,21).

115 *Sous quel nom et sous quels signes l'Esprit-Saint se manifeste-t-il ?*

L'Esprit-Saint descend sur Jésus comme une colombe. Les premiers chrétiens ont expérimenté l'Esprit-Saint comme une onction salvatrice, une eau vive, une tempête rugissante ou des langues de feu. Jésus-Christ lui-même parle de celui qui aide, qui console, qui enseigne et qui est esprit de vérité. Dans les → SACREMENTS de

CHARISME (du grec *charis*, « don, faveur ») : on appelle ainsi les dons de l'Esprit-Saint tels qu'ils sont décrits dans la première épître aux Corinthiens 12, 6, par exemple : il s'agit entre autres du don de guérison, d'opérer des miracles, de prophétie, du don de parler en langue et celui de l'interpréter, du don de sagesse, de connaissance, de foi. Font partie de cet ensemble les sept dons du Saint-Esprit (voir question 310). Ce sont des dons particuliers pour la conduite ou la gestion d'une communauté, l'amour du prochain et l'annonce de la foi.

« Celui qui prie : « Viens Esprit-Saint » doit être prêt également à prier : « Viens et bouscule-moi là où je dois être bousculé ». »

WILHELM STÄHLIN (1883–1975, théologien allemand protestant)

Il nous pousse à aller vers les autres, il allume en nous le feu de la charité, il fait de nous des missionnaires de l'amour de Dieu.

BENOÎT XVI
Sur l'Esprit-Saint,
20 juillet 2007

l'Église, l'Esprit-Saint est conféré par l'imposition des mains et l'onction d'huile. [691–693]**

La paix conclue par Dieu avec l'humanité fut signifiée à Noé par l'apparition d'une *colombe.* L'Antiquité païenne connaissait également la colombe comme symbole de l'amour. Les premiers chrétiens ont donc compris immédiatement pourquoi l'Esprit-Saint, l'amour personnifié de Dieu, était descendu sur Jésus comme une colombe lors de son baptême dans le Jourdain. Aujourd'hui la colombe est un signe de paix, mondialement reconnu, et l'un des grands symboles de la réconciliation entre Dieu et l'humanité (Gn 8, 10-11).

116 *Que signifie : L'Esprit-Saint « a parlé par les prophètes » ?*

Dans l'Ancien Testament, Dieu avait déjà accordé son Esprit à des hommes et à des femmes de telle sorte qu'ils parlent en son Nom et annoncent au peuple la venue du Messie. [683–688, 702–720]

Dans l'Ancien Testament, Dieu a pris des hommes et des femmes qui acceptaient d'être choisis pour consoler, guider et exhorter son peuple. L'Esprit de Dieu a parlé ainsi par la bouche d'Isaïe, de Jérémie, d'Ézéchiel et des autres prophètes. Jean-Baptiste, le dernier des prophètes, n'a pas seulement prédit la venue du Messie, mais il l'a éga-

En Jésus-Christ, Dieu lui-même s'est fait homme et nous a accordé la possibilité, pour ainsi dire, de jeter un regard dans l'intimité de Dieu lui-même. Et nous voyons là une chose tout à fait inattendue : le Dieu mystérieux n'est pas une infinie solitude. Il est un événement d'amour. Il existe le Fils, qui parle avec le Père. Et tous les deux sont une seule chose dans l'Esprit qui est, pour ainsi dire, l'atmosphère du don et de l'amour qui fait d'eux un Dieu unique.

BENOÎT XVI,
vigile de la Pentecôte 2006

Après avoir, à maintes reprises et sous maintes formes, parlé jadis aux Pères par les prophètes, Dieu, en ces jours qui sont les derniers, nous a parlé par le Fils.

Épître aux Hébreux 1, 1-2

lement rencontré et il a annoncé qu'il était celui qui nous libérerait de la puissance du péché.

117 *Comment l'Esprit-Saint a-t-il pu agir dans, avec et par Marie ?*

Marie a été totalement accessible et ouverte à Dieu (Lc 1, 38). Ainsi, par l'opération du Saint-Esprit, elle a pu devenir « la mère de Dieu » et en tant que mère du Christ elle a pu devenir également la mère de tous les chrétiens et même de tous les hommes. [721–726]

Marie a permis à l'Esprit-Saint d'accomplir le miracle par excellence : l'incarnation de Dieu. Elle a dit oui à Dieu : *Je suis la servante du Seigneur ; qu'il m'advienne selon ta parole !* (Lc 1, 38.) Soutenue par l'Esprit-Saint, elle a accompagné Jésus dans ses joies et ses peines jusqu'au pied de la croix. Et c'est là que Jésus nous l'a donnée comme mère (Jn 19, 25-27). → 80–85, 479

118 *Que s'est-il passé à la Pentecôte ?*

Cinquante jours après sa résurrection, le Seigneur a envoyé du ciel l'Esprit-Saint sur ses disciples. Le temps de l'→ ÉGLISE a commencé. [731–733]

Le jour de la Pentecôte, l'Esprit-Saint a transformé des apôtres bloqués par la peur en courageux témoins du Christ. En très peu de temps, des milliers de personnes se sont fait baptiser : ce fut la naissance de l'Église. Le miracle des langues de la → PENTECÔTE indique que, dès le début, l'Église est faite pour tous : elle est universelle (le mot *catholique* vient d'une expression grecque qui signifie ouverte à tous) et missionnaire. Elle s'adresse à tous, surmonte les barrières ethniques et linguistiques et peut être comprise de tous. Jusqu'à nos jours, l'Esprit-Saint est l'élixir de vie de l'Église.

L'Esprit-Saint viendra sur toi et la puissance du Très-Haut te prendra sous son ombre.

Luc 1, 35

PENTECÔTE (du grec *pentecoste hemera*, « le cinquantième jour » après Pâques) : à l'origine ce fut une fête au cours de laquelle Israël fêtait la conclusion de l'Alliance avec Dieu au Sinaï. À cause des événements qui se sont déroulés à Jérusalem le jour de la Pentecôte, cette fête est devenue pour les chrétiens celle de l'Esprit-Saint.

Tous furent alors remplis de l'Esprit-Saint et commencèrent à parler en d'autres langues, selon que l'Esprit leur donnait de s'exprimer... Chacun les entendait parler en sa propre langue.

Actes des apôtres 2, 4.6

J'ai encore beaucoup à vous dire, mais vous ne pouvez pas le porter à présent. Mais quand il viendra, lui, l'Esprit de vérité, il vous guidera dans la vérité tout entière.

Jean 16, 12-13

LES FRUITS DE L'ESPRIT

amour, joie, paix, patience, bonté, bienveillance, foi, douceur, maîtrise de soi (Ga 5, 22).

LES ŒUVRES DE LA CHAIR

D'après l'épître aux Galates 5, 19 en font partie : libertinage, impureté, débauche, idolâtrie, magie, haines, discorde, jalousie, emportements, rivalités, dissensions, factions, envie, beuveries, ripailles et autres choses semblables.

119 *Quelle est l'action de l'Esprit-Saint dans l'Église ?*

L'Esprit-Saint édifie l'→ ÉGLISE. Il la stimule et lui rappelle sa → MISSION. Il appelle des personnes à son service et leur confère les dons nécessaires. Il nous conduit dans une communion de plus en plus profonde avec la Sainte Trinité. [733-741, 747]

Même quand, au cours de sa longue histoire, l'Église est plusieurs fois apparue comme « ne sachant plus très bien ce qu'elle faisait », l'Esprit-Saint est pourtant resté à l'œuvre en elle malgré toutes les fautes et les insuffisances humaines. Ses deux mille ans d'existence et les nombreux saints de toute époque et de toute culture sont à eux seuls les preuves visibles de la présence de l'Esprit-Saint. C'est Lui qui maintient l'ensemble de l'Église dans la vérité et qui la mène toujours plus loin dans la connaissance de Dieu. C'est l'Esprit-Saint qui agit dans les → SACREMENTS et qui rend vivante pour nous l'Écriture sainte. Aujourd'hui encore, il offre aux hommes qui s'ouvrent totalement à lui les dons de sa grâce (→ CHARISMES). → 203-206

120 *Comment l'Esprit-Saint agit-il dans ma vie ?*

L'Esprit-Saint m'ouvre à Dieu ; il m'apprend à prier et m'aide à être présent aux autres. [738-741]

Selon saint Augustin, l'Esprit-Saint est « l'hôte silencieux de notre âme ». Pour sentir sa présence, il faut faire silence. Cet hôte s'exprime souvent de manière très douce en nous et avec nous, par la voix de la conscience ou par d'autres stimuli internes ou externes. Être le « temple de l'Esprit-Saint » signifie : être présent, corps et âme, pour accueillir cet hôte qui est *Dieu en nous.* Notre corps est en quelque sorte la demeure de Dieu. Plus nous sommes ouverts à l'Esprit-Saint, plus il devient un maître de vie, plus il se hâte de nous donner ses → CHARISMES pour construire l'Église. Ainsi au lieu des → ŒUVRES DE LA CHAIR croissent en nous les → FRUITS DE L'ESPRIT. → 290-291, 295-297, 310-311

Je crois... à la Sainte Église catholique

121 *Qu'est-ce que l'« Église » ?*

Le mot → ÉGLISE vient du grec *ekklesia* qui désigne le rassemblement de ceux qui sont convoqués. Nous tous, baptisés et croyant en Dieu, nous sommes convoqués par le Seigneur. Ensemble, nous sommes l'Église. Le Christ, comme dit Paul, est la tête de l'Église. Nous, nous sommes son corps. [748–757]

Quand nous recevons les → SACREMENTS et que nous écoutons la Parole de Dieu, le Christ est en nous et nous sommes en lui – c'est cela l'→ ÉGLISE. Les Saintes Écritures ne cessent d'évoquer l'étroite communauté de vie personnelle de tous les baptisés avec Jésus en multipliant les images. Tantôt l'Église est appelée peuple de Dieu, puis épouse du Christ. Tantôt elle est appelée mère, puis famille de Dieu. Elle est aussi comparée aux convives d'une noce. L'Église ne doit pas être comprise comme une pure institution, « une Église fonctionnelle » dont on pourrait se séparer. Nous pouvons nous mettre en colère contre les fautes et les souillures de l'Église, mais nous ne pouvons jamais nous en éloigner, car Dieu l'aime d'une manière irrévocable et n'a jamais pris de distance avec elle malgré tous ses péchés. L'Église est la présence de Dieu au milieu des hommes. Voilà pourquoi nous devons l'aimer.

> Notre capacité de comprendre est limitée ; c'est pourquoi la mission de l'Esprit est d'introduire l'Église de façon toujours nouvelle, de génération en génération, dans la grandeur du mystère du Christ.
>
> BENOÎT XVI, 7 mai 2005

ÉGLISE
En français, le mot Église vient (du grec *ekklesia)*, qui signifie « convocation ». En anglais *church* provient du grec *kyriake*, « qui appartient au Seigneur ».

> Il [le Christ] est aussi la Tête du Corps, c'est-à-dire de l'Église.
>
> Épître aux Colossiens 1, 18

> L'Église est une vieille femme pleine de rides et de plis. Mais elle est ma mère. Et une mère, on ne la frappe pas.
>
> Le théologien KARL RAHNER, s. j., quand il entendait des critiques inappropriées sur l'Église.

Le Seigneur dit à Caïn : « Où est ton frère Abel ? » Il répondit : « Je ne sais pas. Suis-je le gardien de mon frère ? »

Genèse 4, 9

Nous devons devenir saints ensemble. Nous devons arriver auprès de Dieu ensemble, comparaître devant lui ensemble. Nous ne devons pas rencontrer le Bon Dieu l'un après l'autre. Que pourrait-il bien dire si nous repartions l'un sans l'autre ?

CHARLES PÉGUY
(1873–1914, poète français)

Comme le Père m'a envoyé, moi aussi je vous envoie.

Jean 20, 21

122 *Pourquoi Dieu veut-il qu'il y ait l'Église ?*

Dieu veut qu'il y ait l'→ ÉGLISE parce qu'il ne veut pas nous sauver isolément mais ensemble. Il veut faire de toute l'humanité un seul peuple. [758–781, 802–804]

Personne ne parvient au ciel de manière asociale. Celui qui ne pense qu'à lui et au seul salut de son âme vit de manière asociale. Au ciel comme sur terre, cela est impossible. Dieu lui-même n'est pas asocial, il n'est pas un être isolé se suffisant à lui-même. Le Dieu trinitaire est « social » en lui-même. Il est une société, un perpétuel échange de l'amour. Sur ce modèle divin, l'homme est également appelé à la relation, à l'échange, à la participation, à l'amour. Nous sommes responsables les uns des autres.

123 *Quelle est la tâche de l'Église ?*

La tâche de l'→ ÉGLISE est que Royaume de Dieu, déjà commencé avec Jésus, puisse germer dans tous les peuples et se développer. [763–769, 774–776, 780]

Là où passait Jésus, le ciel touchait la terre : le Royaume de Dieu faisait irruption, un royaume de paix et de justice. L'→ ÉGLISE est au service de ce Royaume de Dieu. Elle n'est pas une fin en soi. Elle doit poursuivre ce que Jésus a commencé. Elle doit faire ce qu'il ferait. Elle prolonge les signes sacrés de Jésus (→ SACREMENTS). Elle transmet les

paroles de Jésus. À cause de cela, l'Église, avec toutes ses faiblesses, est un grand morceau du ciel sur la terre.

124 *Pourquoi l'Église est-elle beaucoup plus qu'une institution ?*

L'→ ÉGLISE est plus qu'une institution parce qu'elle est un → MYSTÈRE aussi bien humain que divin. [770–773, 779]

Le véritable amour ne rend pas aveugle, mais clairvoyant. Il en va de même du regard que nous portons sur l'→ ÉGLISE. Vue du dehors, l'Église n'est qu'une institution historique avec des résultats historiques, mais aussi avec des erreurs et même des crimes – une Église de pécheurs. Mais ce regard ne va pas assez loin. Le Christ en effet fait tellement confiance à nous qui sommes pécheurs qu'il n'abandonne jamais l'Église, dussions-nous le trahir tous les jours. Cette inséparable union du divin et de l'humain, du péché et de la grâce, est le secret de l'Église. Aux yeux de la foi, l'Église est, de ce fait, indestructible. → 132

125 *Quelles sont les caractéristiques du peuple de Dieu ?*

Le fondateur de ce peuple est Dieu, le Père. Celui qui le dirige est Jésus-Christ. Sa source d'énergie est l'Esprit-Saint. La porte d'entrée du peuple de Dieu est le baptême. Sa dignité est la liberté des enfants de Dieu. Sa loi est l'amour. Quand ce peuple reste fidèle à Dieu et cherche d'abord le Royaume de Dieu, il transforme le monde. [781–786]

Parmi tous les peuples de la terre, il y a un peuple qui n'a pas son pareil. Il n'est soumis à personne sinon à Dieu seul. Il est comme le sel qui donne du goût ; comme du levain qui imprègne tout ; comme la lumière qui dissipe les ténèbres. Celui qui appartient au peuple de Dieu doit savoir qu'il peut se trouver en opposition ouverte avec des hommes qui nient l'existence de Dieu et qui méprisent ses commandements. Mais dans la liberté des enfants de Dieu, il ne faut avoir peur de rien, même pas de la mort.

Allez donc, de toutes les nations faites des disciples, les baptisant au nom du Père et du Fils et du Saint-Esprit, et leur apprenant à observer tout ce que je vous ai prescrit. Et moi je suis avec vous pour toujours jusqu'à la fin des temps.

Matthieu 28, 19-20

L'Église ne peut pas se comporter comme une entreprise qui modifie son offre quand la demande baisse.

CARDINAL KARL LEHMANN (1936– , évêque de Mayence)

Agissez en tout sans murmures ni contestations, afin de vous rendre irréprochables et purs, enfants de Dieu sans tache au sein d'une génération dévoyée et pervertie, d'un monde où vous brillez comme des foyers de lumière.

Épître aux Philippiens 2, 14-15

> Ils ne peuvent faire davantage que de me tuer.
>
> PRINCE ROBERT D'ARENBERG (1898–1972, membre du groupe qui a commis l'attentat contre Hitler le 20 juillet 1944)

126 *« L'Église est le Corps du Christ. » Qu'est-ce que cela veut dire ?*

Nous formons une unité avec le Christ, principalement par les →SACREMENTS du baptême et de l'→EUCHARISTIE, un lien indissoluble se crée entre lui et nous. Ce lien est si fort que nous sommes associés à lui comme la tête et les membres dans un corps humain. [787–795] → 146, 175, 200, 208, 217

> Aimer le Christ et aimer l'Église, c'est tout un.
>
> FRÈRE ROGER SCHUTZ

127 *« L'Église est l'épouse du Christ. » Qu'est-ce que cela veut dire ?*

Jésus-Christ aime l'→ÉGLISE comme un époux aime son épouse. Il s'unit à elle pour toujours et donne sa vie pour elle. [796]

Celui qui a fait l'expérience de l'amour sait ce qu'est l'amour. Jésus le sait et il se désigne lui-même comme un époux qui brûle d'amour pour son épouse et qui souhaite célébrer avec elle la fête de leur amour. Son épouse, c'est nous, l'→ ÉGLISE. Déjà dans l'→ ANCIEN TESTAMENT l'amour de Dieu pour son peuple était comparé à l'amour entre un homme et une femme. Si Jésus désire l'amour de chacun d'entre nous, il vit bien souvent un amour malheureux – si on peut s'exprimer ainsi – à cause de ceux qui ne veulent rien savoir de son amour et qui n'y répondent pas.

> Tu penses donc que les faiblesses de l'Église inciteraient le Christ à l'abandonner ? Abandonner l'Église serait la même chose qu'abandonner son propre corps.
>
> DOM HELDER CAMARA (1909–1999, Brésilien, évêque des pauvres)

128 *« L'Église est le temple du Saint-Esprit. » Qu'est-ce que cela veut dire ?*

Au cœur du monde, l'→ÉGLISE est le lieu de la présence de l'Esprit. [797–801, 809]

> C'est nous qui sommes le temple du Dieu vivant, ainsi que Dieu l'a dit : « J'habiterai au milieu d'eux et j'y marcherai ; je serai leur Dieu et ils seront mon peuple. »
>
> 2e épître aux Corinthiens 6, 16

Le peuple d'Israël honorait Dieu dans le Temple de Jérusalem. Ce Temple n'existe plus. L'→ ÉGLISE est venue : elle n'est pas attachée à un lieu précis. *Que deux ou trois, en effet, soient réunis en mon nom, je suis là au milieu d'eux* (Mt 18, 20). Ce qui lui donne vie, c'est l'Esprit du Christ : il vit dans la Parole de Dieu et il est présent dans les signes sacrés des → SACREMENTS. Il vit dans le cœur des croyants et il s'exprime par leurs prières. Il les conduit et les comble de ses dons (→ CHARISMES) ordinaires aussi bien qu'extraordinaires. Aujourd'hui encore, celui qui fait

confiance en l'Esprit-Saint peut faire de vrais miracles.
→ 113–120, 203–205, 310–311

Je crois en l'Église une, sainte, catholique et apostolique

129 *Pourquoi ne peut-il y avoir qu'une seule Église ?*

De même qu'il n'y a qu'un seul Christ, il ne peut y avoir qu'un seul corps du Christ, qu'une seule épouse du Christ et donc qu'une seule → ÉGLISE de Jésus-Christ. Le Christ est la tête, l'Église est le corps. Ensemble ils forment le « Christ total » (saint Augustin). De même que le corps est composé de différents membres mais ne forme qu'un, de même l'Église est une dans ses différentes Églises particulières. Ensemble elles forment le Christ total. [811–816, 866, 870]

Jésus a fondé son Église sur les → APÔTRES. Aujourd'hui encore, l'→ ÉGLISE jusqu'à nos jours repose sur cette fondation. Sous la conduite du ministère de Pierre qui « préside à l'amour » (Ignace d'Antioche), la foi des apôtres fut transmise dans l'Église de génération en génération. Il en va de même des → SACREMENTS que Jésus a confiés au collège des apôtres, ils continuent à agir avec leur force originelle.

130 *Les chrétiens non catholiques sont-ils également nos sœurs et nos frères ?*

Tous les baptisés font partie de l'→ ÉGLISE de Jésus-Christ. C'est pourquoi les baptisés qui ne sont pas en pleine communion avec l'Église catholique sont appelés chrétiens à bon droit et sont de ce fait nos sœurs et nos frères. [817–819]

Les ruptures dans l'unique Église du Christ sont nées de falsifications de l'enseignement du Christ, de fautes humaines et d'une insuffisante volonté de réconciliation – surtout chez les dignitaires religieux. Les chrétiens d'aujourd'hui ne sont pas responsables des divisions historiques de l'Église. Pour le salut de l'humanité, l'Esprit-Saint agit également dans les → ÉGLISES et dans les COMMUNAUTÉS ECCLÉSIALES séparées de l'Église

La plupart des gens n'ont pas idée de ce que Dieu ferait d'eux s'ils acceptaient simplement de se mettre à sa disposition.

SAINT IGNACE DE LOYOLA (1491–1556, fondateur de l'ordre des Jésuites)

Il n'y a qu'un Corps et qu'un Esprit, comme il n'y a qu'une espérance au terme de l'appel que vous avez reçu ; un seul Seigneur, une seule foi, un seul baptême ; un seul Dieu et Père de tous, qui est au-dessus de tous, par tous et en tous.

Épître aux Éphésiens 4, 4-6

Avec cette Église [la communauté de Rome], en raison de son origine plus excellente, toute Église doit nécessairement s'accorder, c'est-à-dire les fidèles de partout dans le monde, parce qu'en elle a été conservée la Tradition qui vient des apôtres.

IRÉNÉE DE LYON

catholique. Tous les dons existants, comme par exemple l'Écriture sainte, les → SACREMENTS, la foi, l'espérance, la charité et les autres → CHARISMES viennent du Christ. Là où vit l'Esprit du Christ existe une dynamique interne en direction de la « restauration de l'unité », car tout ce qui lui appartient aspire à s'assembler.

131 *Que devons-nous faire pour l'unité des chrétiens ?*

En parole et en actes nous devons écouter le Christ dont la volonté explicite est que tous soient un (Jn 17, 21). [820-822]

Jeunes ou vieux, l'unité des chrétiens est un travail qui incombe à tous les chrétiens. L'unité fut l'un des désirs les plus ardents de Jésus. Il a prié son Père : *Que tous soient un... afin que le monde croie que tu m'as envoyé* (Jn 17, 21). Les divisions sont comme des plaies dans le corps du Christ, elles font mal et suppurent. Les divisions conduisent à des hostilités, elles affaiblissent la foi et la crédibilité des chrétiens. Pour que le scandale des divisions soit extirpé du monde, il faut que chacun se convertisse, mais qu'il y ait également une meilleure connaissance de la foi de sa propre communauté et des divergences avec celle des autres. Et, par-dessus tout, il faut qu'existent une prière commune et une collaboration des chrétiens au service de l'humanité. Quant aux responsables de l'Église, ils ne doivent pas laisser s'interrompre le dialogue théologique.

132 *Pourquoi l'Église est-elle sainte ?*

L'→ ÉGLISE est sainte, non pas parce que tous ses membres sont saints, mais parce que Dieu est saint et qu'il agit en elle. Tous les membres de l'Église sont sanctifiés par le baptême. [823-829]

Chaque fois que nous laissons la Trinité divine agir en nous, notre amour grandit, nous sommes *sanctifiés* et guéris. Les saints sont des amoureux, non parce qu'ils savent aimer mieux que les autres, mais parce que Dieu les a touchés. Ils transmettent aux hommes l'amour qu'ils ont reçu de Dieu, mais à leur manière, qui est souvent originale. Parvenus près de Dieu, eux aussi sanctifient l'Église, parce qu'ils « passent leur ciel » à nous soutenir sur le chemin de la → SAINTETÉ → 124

ÉGLISES ET COMMUNAUTÉS ECCLÉSIALES
Beaucoup de communautés chrétiennes à travers le monde prennent le nom d'Églises. Pour les catholiques n'est « Église » que celle dans lesquelles les sacrements de Jésus-Christ ont été conservés intégralement. Ce qui est vrai, avant tout, pour les orthodoxes et les Églises orientales. Dans les « communautés ecclésiales » issues de la Réforme, les sacrements n'ont pas été maintenus intégralement.

ŒCUMÉNISME
(du grec *oikumene*, « terre habitée ») : efforts en vue de la réunion de toutes les Églises chrétiennes.

Ainsi parla Jésus, et levant les yeux au ciel et dit : « Que tous soient un. Comme toi, Père, tu es en moi et moi en toi, qu'eux aussi soient en nous, afin que le monde croie que tu m'as envoyé. »

Jean 17, 1.21

133 *Pourquoi l'Église est-elle catholique ?*

« Catholique » (du grec *katholon*) signifie ouvert à la totalité. L'→ÉGLISE est catholique, parce que le Christ l'a appelée à confesser la foi tout entière, à conserver tous les →SACREMENTS pour en faire don et à proclamer la Bonne Nouvelle à tous ; il l'a envoyée à *tous* les peuples. [830-831, 849-856]

134 *Qui fait partie de l'Église catholique ?*

Fait pleinement partie de l'Église catholique celui qui, en union avec le →PAPE et les →ÉVÊQUES, s'unit au Christ par la confession de la foi catholique et la réception des →SACREMENTS. [836-838]

Dieu a voulu *une* Église pour *tous.* Malheureusement, nous les chrétiens, nous n'avons pas respecté fidèlement ce souhait du Christ. Pourtant, nous restons encore liés profondément les uns aux autres par la foi et le baptême communs.

135 *Quel est le rapport de l'Église avec le peuple juif ?*

Le peuple juif est le peuple élu de Dieu. Or, les dons et l'appel de Dieu sont irrévocables. L'Alliance entre Dieu et le peuple juif n'est pas révolue. Ainsi, les juifs sont les « frères aînés » des chrétiens, parce que Dieu les a aimés en premier et leur a parlé en premier. L'homme Jésus est juif. Cela nous rapproche. L'Église reconnaît en lui le Fils du Dieu vivant. Cela nous divise. Nous sommes unis dans l'attente de la venue finale du Messie. [839-840]

Notre foi est greffée sur la foi juive. L'Écriture sainte des juifs, que nous appelons l'→ ANCIEN TESTAMENT, est la première partie de notre Écriture sainte. L'image judéo-chrétienne de l'homme, dont l'éthique est modelée par les dix commandements, est le fondement des démocraties occidentales. Il est honteux que pendant des siècles les chrétiens n'aient pas voulu reconnaître cette étroite parenté avec le judaïsme et qu'avec des justifications pseudo-théologiques ils aient développé une haine quelquefois mortelle du judaïsme. C'est pourquoi

SAINTETÉ

C'est la plus ancienne caractéristique de Dieu. En latin, le mot *fanum* désigne le divin, le pur, ce qui est séparé du profane, du quotidien. Dieu est le « tout autre », le Saint d'Israël (Is 30, 15). Jésus vient dans le monde comme « le Saint de Dieu » (Jn 6, 69). Avec lui on peut voir ce qu'être « saint » veut dire : aimer d'un amour illimité et miséricordieux, qui aide et qui sauve et qui trouve sa perfection dans la croix et la résurrection.

Il a tout mis sous ses pieds, et l'a constitué, au sommet de tout, Tête pour l'Église, laquelle est son Corps, la Plénitude de Celui qui est rempli, tout en tout.

Épître aux Éphésiens 1, 22-23

N'allez pas croire que je sois venu abolir la Loi ou les Prophètes : je ne suis pas venu abolir, mais accomplir.

Matthieu 5, 17

le pape Jean-Paul II a demandé pardon expressément, à l'occasion de l'année sainte 2000. Le concile Vatican II dit clairement que les juifs en tant que peuple ne doivent pas être chargés de la responsabilité collective de la mort de Jésus en croix. → 96–97, 335

La religion juive n'est pas pour nous quelque chose d'externe, mais elle appartient d'une certaine manière au cœur de notre religion. Nous avons avec elle des relations que nous n'avons avec aucune autre religion. Vous êtes nos frères bien-aimés et l'on peut dire d'une certaine manière que vous êtes nos frères aînés.

JEAN-PAUL II
lors de sa visite à la synagogue de Rome, 1986

LIBERTÉ RELIGIEUSE
Le droit de tout homme de suivre sa conscience, lors du choix ou de l'exercice de sa religion. Reconnaître la liberté religieuse ne signifie pas reconnaître que toutes les religions sont égales et sont également vraies.

136 *Quel est le point de vue de l'Église sur les autres religions ?*

L'Église respecte tout ce qui est bon et vrai dans les autres → RELIGIONS. Elle accorde de la valeur et milite en faveur de la liberté religieuse comme faisant partie des droits de l'homme. Elle sait pourtant que Jésus-Christ est le seul sauveur de toute l'humanité. Lui seul est *le chemin, la vérité et la vie* (Jn 14, 6). [841–845, 846–848]

Celui qui est en recherche de Dieu est proche de nous, les chrétiens. Les musulmans tout particulièrement font partie de notre cercle de parenté. Comme le judaïsme et le christianisme, l'islam est une → RELIGION monothéiste (→ MONOTHÉISME). Les musulmans vénèrent le Dieu créateur et considèrent qu'Abraham est leur père dans la foi. Pour le Coran, Jésus est un grand prophète et Marie, sa mère, est la mère du prophète. L'Église enseigne que tous les hommes qui, sans qu'il y ait faute de leur part, ne connaissent pas le Christ et l'Église, mais qui cherchent Dieu sincèrement et suivent la voix de leur conscience,

obtiennent le salut éternel. En revanche, celui qui a reconnu que Jésus-Christ était *le chemin, la vérité et la vie* et ne l'a pas suivi, celui-là ne trouvera pas le salut par d'autres chemins. La phrase *extra Ecclesiam nulla salus* (« hors de l'Église pas de salut ») signifie cela. → 199

> L'Église ne doit jamais se contenter de l'assemblée de ceux qu'elle a réussi à atteindre à un certain moment, et dire que les autres vont bien ainsi : les musulmans, les hindouistes et ainsi de suite. L'Église ne peut pas se retirer commodément dans les limites de son propre domaine. Elle est chargée de la sollicitude universelle, elle doit se préoccuper pour tous et de tous.
>
> BENOÎT XVI, 7 mai 2006

137 *Pourquoi l'Église est-elle apostolique ?*

L'→ ÉGLISE est apostolique parce qu'elle a été fondée par les → APÔTRES, qu'elle maintient ce qu'ils ont transmis et qu'elle est dirigée par leurs successeurs. [857–860, 869, 877]

Jésus a appelé les → APÔTRES pour qu'ils soient ses collaborateurs les plus proches ; ils ont été ses témoins oculaires. Après sa résurrection, il leur est apparu à maintes reprises. Il leur a conféré l'Esprit-Saint et les a envoyés comme messagers disposant de pleins pouvoirs dans le monde entier. Dans la jeune Église, ils furent les garants de l'unité. Par imposition des mains, ils transmirent leur mission et leur autorité à leurs successeurs, les évêques. Ce que ceux-ci firent, à leur tour, jusqu'à aujourd'hui. On appelle ce processus « → SUCCESSION APOSTOLIQUE ».
→ 92

LES DOUZE APÔTRES
(du grec *apostolos*, « envoyé, messager ») : les noms des douze apôtres sont les suivants : le premier, Simon appelé Pierre, et André son frère ; puis Jacques, le fils de Zébédée, et Jean son frère ; Philippe et Barthélemy ; Thomas et Matthieu le publicain ; Jacques, le fils d'Alphée, et Thaddée ; Simon le Zélé et Judas l'Iscariote, celui-là même qui l'a livré. Matthieu 10, 2-4

138 *Comment l'Église une, sainte, catholique et apostolique est-elle structurée ?*

Dans l'Église, on distingue des → LAÏCS et des clercs (→ CLERGÉ). En tant qu'enfants de Dieu, ils ont la même

LA SUCCESSION APOTOLIQUE
(du latin *successio*, « suite ») : à partir des apôtres, c'est la suite ininterrompue des évêques, leur succession dans la fonction épiscopale. Jésus a conféré les pleins pouvoirs à ses apôtres. Cela continue aujourd'hui, d'évêque en évêque, par l'imposition des mains et la prière, jusqu'au retour du Seigneur.

LAÏCS
(du grec *laos*, « peuple ») : situation commune dans l'Église des chrétiens qui font partie du peuple de Dieu par le baptême et qui ne sont pas ordonnés.

CLERGÉ
(du grec *kleroi*, « bergers ») : situation dans l'Église de ceux qui sont ordonnés.

Je suis destiné à être quelqu'un ou à faire quelque chose à quoi personne d'autre n'est appelé ; j'ai une place dans le projet de Dieu et sur la terre de Dieu, que n'a personne d'autre.

BIENHEUREUX JOHN HENRY NEWMAN

dignité. Bien que différentes, leurs tâches sont d'égale valeur. La mission des laïcs est d'orienter le monde entier vers le Royaume de Dieu. Des ministres ordonnés (les clercs) leur sont associés ; ils ont la responsabilité de gouverner l'Église, d'enseigner et de sanctifier. Dans l'une et l'autre catégorie, il existe des chrétiens consacrés à Dieu d'une manière particulière par la pauvreté, la chasteté et l'obéissance (dans les ordres religieux par exemple). [871-876, 934, 935]

Tout chrétien a le devoir de témoigner de l'Évangile par sa propre vie. Mais chacun marche avec Dieu à sa manière. À certains, il confie la mission de → LAÏCS afin qu'ils construisent le Royaume de Dieu au milieu du monde par leur famille et leur profession : il leur donne par le baptême et la → CONFIRMATION tous les dons de l'Esprit-Saint dont ils ont besoin. À d'autres confirmés, il confie la charge de pasteurs : ils doivent gouverner son peuple, l'enseigner et le sanctifier. Personne ne peut avoir l'audace de s'attribuer cette fonction : le Seigneur lui-même doit la lui donner et, par le sacrement de l'ordination, lui transmettre la puissance divine qui lui permettra d'agir au nom du Christ et de célébrer les → SACREMENTS.

→ 259

139 *En quoi consiste la vocation des laïcs ?*

Les → LAÏCS ont la mission de s'engager dans la société afin que le Royaume de Dieu puisse croître parmi les hommes. [897-913, 940-943]

Un → LAÏC n'est pas un chrétien de deuxième classe car il participe au sacerdoce du Christ (sacerdoce commun des baptisés). Il veille à ce que les personnes de son entourage (école, formation, famille, profession) apprennent à connaître l'Évangile et à aimer le Christ. Il imprègne de sa foi la société, l'économie et la politique. Il participe à la vie de l'Église en effectuant les ministères d'acolyte et de lecteur, en se proposant d'animer des groupes, en faisant partie de commissions et d'organisations d'Église (équipes animatrices des paroisses, conseils pastoraux, etc.). Les jeunes gens tout spécialement doivent penser sérieusement à la place que Dieu souhaite les voir occuper dans l'Église.

HIÉRARCHIE (du grec *hiéros* et *arché,* « sainte origine ») : structure pyramidale donnée à l'Église par le Christ, de qui émane tout pouvoir et autorité.

PAPE (du grec *pappas*, « père ») : successeur de l'apôtre Pierre, évêque de Rome. Parce que Pierre était déjà le premier parmi les apôtres, le pape, en tant que son successeur, a la présidence du collège des évêques. Comme représentant du Christ, il est le pasteur suprême de l'Église.

ÉVÊQUE (du grec *episcopein*, « regarder quelque chose d'en haut ») : successeur des apôtres. Il dirige un diocèse (Église locale). Comme membre du collège des évêques et sous la responsabilité du pape, il porte la charge de toute l'Église.

140 *Pourquoi l'Église n'est-elle pas une organisation démocratique ?*

Le principe de la démocratie est que le pouvoir émane du peuple. Dans l'→ ÉGLISE, en revanche, le pouvoir émane du Christ. L'Église a par conséquent une structure hiérarchique, qui s'exerce dans une culture collégiale. [874-879]

L'élément *hiérarchique* dans l'→ ÉGLISE consiste en ceci : le Christ lui-même agit dans l'Église quand des ministres ordonnés font et donnent quelque chose par la grâce de Dieu, chose qu'ils ne peuvent pas faire ni donner d'eux-mêmes. C'est le cas quand ils distribuent les → SACREMENTS au nom du Christ et qu'ils enseignent avec son autorité. L'élément *collégial* dans l'Église est dans le fait que le Christ a confié la totalité de la foi à une communauté de douze → APÔTRES dont les successeurs gouvernent l'Église, sous la présidence de celui qui exerce la fonction dévolue à Pierre. À partir de ce point de vue collégial, les conciles ont une place indiscutable dans l'Église. Mais la multiplicité des dons de l'Esprit et l'universalité de l'Église peuvent également donner du fruit dans les autres assemblées d'Église, dans les synodes et les conseils.

141 *Quel est le rôle du pape ?*

En tant que successeur de saint Pierre et chef du collège des évêques le → PAPE est le garant de l'unité de l'→ ÉGLISE. Il a la plus haute autorité en ce qui concerne la pastorale de l'Église et l'autorité suprême pour

PRÊTRE (du grec *presbyteros,* « le plus ancien ») : collaborateur de l'évêque pour l'annonce de la Bonne Nouvelle et la célébration des sacrements. Il exerce son service dans l'Église en union avec les autres prêtres, sous la direction de l'évêque.

toutes les décisions concernant la doctrine et les règles disciplinaires. [880-882, 936-937]

Jésus accorda à Pierre une primauté sur tous les → APÔTRES, ce qui fit de lui l'autorité suprême de l'Église primitive (→ ROME) – cette église locale, gouvernée par Pierre et lieu de son martyre, devint à sa mort le lieu de référence au sein de la jeune Église : toutes les communautés devaient être en accord avec Rome. C'était le critère d'une foi apostolique juste, intégrale et authentique. Jusqu'à nos jours, tout → ÉVÊQUE de Rome est, comme Pierre, le pasteur suprême de l'Église, dont la Tête est, en fait, le Christ. Ce n'est que dans l'exercice de cette

fonction que le → PAPE est « le représentant du Christ sur terre ». En vertu de son autorité suprême pour la charge des âmes et la doctrine, il veille à la transmission authentique de la foi. Si besoin est, il doit retirer des enseignements ou relever de leur charge des ministres pour faute grave relative à la foi ou à la morale. La force et le rayonnement de l'Église catholique sont dus largement à son unité sur les questions de foi et de morale, unité garantie par le → MAGISTÈRE dont le pape est le chef.

Priez pour moi, afin que j'apprenne à aimer toujours mieux son troupeau, la Sainte Église, chacun d'entre vous et vous tous ensemble. Priez pour moi, afin que je ne fuie pas devant les loups. Prions les uns pour les autres, afin que le Seigneur nous porte, et que, par lui, nous apprenions à nous porter les uns les autres.

BENOÎT XVI
au début de son pontificat, 24 juillet 2005

142 *Les évêques peuvent-ils agir et enseigner contre le pape, le pape peut-il faire de même avec les évêques ?*

Les → ÉVÊQUES ne peuvent agir et enseigner qu'en union avec le pape, mais pas contre lui. Le → PAPE, quant à lui,

peut, dans des cas bien précis, prendre des décisions sans l'accord des évêques. [880-890]

Toutefois, le → PAPE est lié dans ses décisions à la foi de l'→ ÉGLISE. « Ce qui est de tout temps et partout fut toujours cru de tous » (saint Vincent de Lérins) est comme le sens commun de l'Église puisque, dans le domaine de la foi, la conviction des chrétiens est qu'elle est animée par l'Esprit-Saint.

143 *Le pape est-il vraiment infaillible ?*

Oui. Mais la parole du → PAPE n'est infaillible que lorsqu'il proclame un dogme par un acte ecclésial solennel *ex cathedra,* c'est-à-dire qu'il prend une décision définitive sur un point de doctrine touchant la foi et les mœurs. Ce caractère d'infaillibilité peut résider aussi dans des décisions voulues comme telles du collège des évêques en communion avec le pape, comme par exemple lors d'un concile. [888-892]

L'infaillibilité du → PAPE n'a rien à voir avec son intégrité morale ou son intelligence. En fait, *l'Église* est infaillible : Jésus lui a promis l'Esprit-Saint qui la maintient et la guide pour qu'elle pénètre de plus en plus dans sa vérité. Quand une vérité de foi évidente est soudain niée ou mal interprétée, l'Église doit avoir, en dernier recours, *une* voix, qui affirme de manière définitive ce qui est vrai et ce qui est faux. Cette voix est la voix du pape. En tant que successeur de Pierre et premier des → ÉVÊQUES, il a seul le pouvoir de formuler la vérité controversée, en conformité avec la tradition de la foi de l'Église, de manière à ce que cette vérité soit présentée aux fidèles comme étant « à croire avec certitude » pour tous les temps. On dit alors : « Le pape proclame un dogme. » Le contenu d'un dogme ne peut donc jamais exprimer quelque chose de « nouveau ». Il est très rare qu'un dogme soit proclamé ; le dernier date de 1950.

144 *Quelle est la charge des évêques ?*

Les → ÉVÊQUES ont la responsabilité de l'→ ÉGLISE particulière (diocèse) qui leur est confiée, et la coresponsabilité de l'ensemble de l'Église. Ils exercent leur

ROME

La communauté ecclésiale de Rome fut, dès le début, considérée comme étant l'Église « très grande, très ancienne et connue de tous, que les deux très glorieux apôtres Pierre et Paul fondèrent et établirent à Rome... Avec cette Église, en raison de son origine plus excellente, doit nécessairement s'accorder toute Église, c'est-à-dire les fidèles de partout, parce qu'en elle a été conservée la tradition qui vient des apôtres » (saint Irénée de Lyon, 135-202). Le fait que les deux apôtres soient morts en martyrs à Rome a donné un surcroît d'importance à la communauté de Rome.

Eh bien ! moi je te dis : « Tu es Pierre, et sur cette pierre je bâtirai mon Église, et les Portes de l'Hadès ne tiendront pas contre elle. Je te donnerai les clefs du Royaume des Cieux : quoi que tu lies sur la terre, ce sera tenu dans les cieux pour lié, et quoi que tu délies sur la terre, ce sera tenu dans les cieux pour délié. »

Matthieu 16, 18-19

autorité en union avec tous les évêques et pour toute l'Église sous la conduite du → PAPE. [886-887, 893-896, 938-939]

Les → ÉVÊQUES doivent d'abord être des → APÔTRES, des témoins fidèles de Jésus qui les a appelés personnellement auprès de lui et les a envoyés. Ils amènent ainsi le Christ aux hommes et les hommes au Christ. Cela s'accomplit par leur prédication, la célébration des → SACREMENTS et le gouvernement de l'→ ÉGLISE. Comme successeur des apôtres, l'évêque exerce sa fonction en vertu d'une autorité apostolique qui lui est propre ; il n'est pas un mandataire ou une sorte d'assistant du pape. Pourtant, il agit en communion avec le → PAPE et sous son autorité.

CONCILE ŒCUMÉNIQUE
Réunion de l'ensemble des évêques catholiques de l'Église universelle. À ne pas confondre avec « œcuménisme » : ce qui concerne l'unité de tous les chrétiens.

Et il en institua Douze pour être ses compagnons et pour les envoyer prêcher.

Marc 3, 14

145 *Pourquoi Jésus veut-il qu'il y ait des chrétiens qui s'engagent à vivre pour toujours dans la pauvreté, la chasteté et l'obéissance ?*

Dieu est amour. Il désire aussi notre amour. Une manière de se donner à Dieu par amour est de *vivre comme Jésus* – c'est-à-dire pauvre, chaste et obéissant. Celui qui vit ainsi a la tête, le cœur et les mains libres pour Dieu et les hommes. [914-933, 944-945]

Il y a des hommes et des femmes qui se laissent totalement conquérir par Jésus, si bien qu'ils abandonnent tout pour Dieu à *cause du Royaume des Cieux* (Mt 19, 12) – même des dons aussi beaux que leurs avoirs, leur autonomie, l'amour conjugal. Cette vie selon les conseils évangéliques dans la pauvreté, la chasteté et l'obéissance montre à tous les chrétiens que le monde n'est pas tout. Ce n'est que le « face-à-face » avec l'époux divin qui rendra l'homme définitivement heureux.

DOGME
(du grec *dogma*, « opinion, conclusion, thèse »). Un article de foi, contenu dans l'Écriture et la Tradition, proclamé *ex cathedra* comme révélation divine.

EX CATHEDRA
(mot latin « à partir de la – cathèdre – chaire de l'enseignant ») : l'expression désigne une déclaration doctrinale infaillible du pape.

Je crois... à la communion des saints

Qui vous écoute m'écoute, qui vous rejette me rejette, et qui me rejette, rejette Celui qui m'a envoyé.

Luc 10, 16

146 *Que signifie « la communion des saints » ?*

Tous ceux et toutes celles qui ont mis leur espérance dans le Christ et qui lui appartiennent par le baptême,

LES CONSEILS ÉVANGÉLIQUES
La pauvreté, la chasteté et l'obéissance sont les conseils donnés par l'Évangile pour suivre le Christ.

Suivre le Christ, cela implique toujours le courage de nager à contre-courant.

BENOÎT XVI, 17 mai 2008

qu'ils soient vivants ou décédés, font partie de la « communion des saints ». Parce que nous ne sommes qu'un seul corps dans le Christ, nous vivons dans une communion qui englobe le ciel et la terre. [946-962]

L'Église est plus grande et plus vivante que nous ne le pensons. En font partie des personnes vivantes ou mortes – celles-ci peuvent être engagées dans un processus de purification ou bien sont déjà dans la majesté divine –, des personnes connues et inconnues, de grands saints et des personnes modestes. Par-delà la mort, nous pouvons nous prêter assistance mutuellement. Nous pouvons invoquer le saint dont nous portons le nom ou nos saints préférés, mais aussi des proches qui sont décédés et dont nous croyons qu'ils sont déjà parvenus auprès de Dieu. Inversement, nous pouvons venir en aide à nos défunts qui sont encore dans le processus de purification en priant pour eux. Ce que chacun fait ou endure, dans et pour le Christ, sert au bien de tous. Mais malheureusement, cela signifie aussi que chaque péché blesse la communauté.
→ 126

Alors Jésus fixa sur lui son regard et l'aima. Et il lui dit : « Une seule chose te manque : va, ce que tu as, vends-le... puis, viens, suis-moi. »

Marc 10, 21

Un membre souffre-t-il ? tous les membres souffrent avec lui. Un membre est-il à l'honneur ? tous les membres se réjouissent avec lui.

1re épître aux Corinthiens 12, 26

147 *Pourquoi Marie a-t-elle une position aussi éminente dans la communauté des saints ?*

Marie est la mère de Dieu. Sur terre, elle a eu des liens uniques avec Jésus. Cette proximité ne cesse pas au

Nous avons une mère dans le ciel. Étant en Dieu et avec Dieu, elle est proche de chacun de nous, elle connaît notre cœur, elle peut entendre nos prières, elle peut nous aider par sa bonté maternelle et elle nous est donnée – comme le dit le Seigneur – précisément comme « mère », à laquelle nous pouvons nous adresser à tout moment.

BENOÎT XVI, 15 août 2005

Dieu n'a pas donné aux hommes une servante mais une mère.

B. ADOLF KOLPING (1813–1865, prêtre allemand, apôtre des ouvriers et des artisans)

Et ils n'avaient pas de vin, car le vin des noces était épuisé. La mère de Jésus lui dit : « Ils n'ont pas de vin. » Jésus lui dit : « Que me veux-tu, femme ? Mon heure n'est pas encore arrivée. » Sa mère dit aux servants : « Tout ce qu'il vous dira, faites-le. »

Jean 2, 3-5

ciel. Marie est la reine du ciel et elle est toute proche de nous par sa maternité. [972]

Parce qu'elle s'est engagée corps et âme dans une aventure risquée et dangereuse, bien que divine, Marie a été accueillie au ciel avec son corps et son âme. Celui qui vit et croit comme Marie va au ciel. → 80–85

148 *Marie peut-elle vraiment nous aider ?*

Oui. Que Marie puisse nous aider, l'Église en a fait l'expérience depuis son origine. Des millions de chrétiens peuvent en témoigner. [967–970]

En tant que mère de Jésus, Marie est aussi notre mère. Une bonne mère défend toujours son enfant. Marie, notre mère, encore plus ! Déjà, sur terre, elle est intervenue auprès de Jésus en faveur d'autres personnes, aux noces de Cana par exemple, permettant ainsi à des mariés de ne pas perdre la face. À la Pentecôte, elle était dans le cénacle avec les disciples, priant au milieu d'eux. Parce que son amour n'a pas de fin, nous pouvons être certains qu'elle intervient pour nous aux deux moments les plus importantes de notre vie : « *Maintenant* et à l'heure de notre mort. » → 85

149 *Peut-on adorer Marie ?*

Non. On ne peut adorer que Dieu seul. Mais nous pouvons vénérer Marie comme mère de notre Seigneur. [971]

Adorer signifie reconnaître humblement et sans conditions la souveraineté absolue de Dieu sur toute créature. Marie est une créature comme nous. Pour notre foi, elle est notre mère. Et nous devons honorer nos parents. Cela ressort des Écritures. Marie dit en effet d'elle-même : *Oui, désormais, toutes les générations me diront bienheureuse* (Lc 1, 48). L'Église exprime particulièrement sa vénération mariale dans des lieux de pèlerinage, dans des fêtes liturgiques, des cantiques et des prières, comme le rosaire, qui est un résumé des évangiles. → 353, 485

Je crois... au pardon des péchés

150 *L'Église peut-elle vraiment pardonner les péchés ?*

Oui. Non seulement Jésus a pardonné lui-même les péchés, mais il a aussi conféré à l'→ ÉGLISE la charge et le pouvoir de délivrer les hommes de leurs péchés. [981–983, 986–987]

Par le ministère du prêtre, Dieu accorde aux hommes son pardon et efface toute culpabilité comme si les fautes n'avaient jamais eu lieu. Un → PRÊTRE ne peut réaliser cela que parce que Jésus le fait participer à son propre pouvoir divin de pardonner les péchés. → 225–239

151 *Comment l'Église pardonne-t-elle les péchés ?*

Fondamentalement, le pardon des péchés est accordé par le → SACREMENT du baptême. Après cela, pour le pardon des fautes graves, il est nécessaire de recourir au sacrement de la réconciliation (sacrement de pénitence, confession). Pour des fautes plus légères, la confession est également recommandée. Mais la lecture des Saintes Écritures, la prière, le jeûne et l'accomplissement de bonnes actions ont également leur efficacité en vue du pardon des péchés. [976–980, 984–987] → 226–239

Je crois... à la résurrection des morts

152 *Pourquoi croyons-nous à la résurrection des morts ?*

Nous croyons à la résurrection des morts parce que le Christ est ressuscité d'entre les morts, qu'il vit pour toujours et qu'il nous fait participer à sa vie éternelle. [988–991]

Quand quelqu'un meurt, son corps est enterré ou incinéré. Mais nous croyons cependant qu'il y a pour cette personne une vie après la mort. Jésus ressuscité s'est manifesté comme Seigneur sur la mort. Sa parole est fiable : *Moi, je suis la résurrection. Qui croit en moi, même s'il meurt, vivra* (Jn 11, 25 b). → 103–108

Ceux à qui vous remettrez les péchés, ils leur seront remis ; ceux à qui vous les retiendrez, ils leur seront retenus.

Jean 20, 23

Les prêtres ont reçu un plein pouvoir que Dieu n'a donné ni à ses anges ni à ses archanges... Dieu ratifie là-haut tout ce que les prêtres font ici-bas.

SAINT JEAN CHRYSOSTOME

Je serais dans l'inquiétude si la confession dans le secret n'existait pas.

MARTIN LUTHER (1483–1546, réformateur allemand)

Comment certains parmi vous peuvent-ils dire qu'il n'y a pas de résurrection des morts ? S'il n'y a pas de résurrection des morts, le Christ non plus n'est pas ressuscité. Mais si le Christ n'est pas ressuscité, vide alors est →

153 *Pourquoi croyons-nous en la résurrection de la « chair » ?*

Le terme biblique « chair » caractérise l'homme dans sa condition de faiblesse et de mortalité. Dieu ne considère cependant pas la chair humaine comme ayant moindre valeur. En Jésus-Christ, il s'est lui-même fait « chair » (→INCARNATION) pour sauver l'homme. Dieu ne sauve pas que l'esprit de l'homme, il sauve la personne *tout entière* avec son corps et son âme. [988–991, 997–1001, 1015]

Dieu nous a créés êtres de corps (chair) et d'âme. À la fin du monde, il ne laissera pas tomber « la chair », c'est-à-dire toute la création, comme un vieux jouet. Au « dernier jour », il nous ressuscitera en êtres de chair – c'est-à-dire que nous serons transformés, mais nous nous sentirons cependant *dans notre élément.* Pour Jésus aussi, le fait d'être dans une condition charnelle ne fut pas un épisode. Quand le Ressuscité se montra à ses disciples, ils virent les plaies de son corps.

154 *Que devenons-nous quand nous mourons ?*

À la mort, il y a séparation du corps et de l'âme. Le corps se décompose pendant que l'âme va à la rencontre de Dieu et attend qu'au dernier jour elle soit de nouveau réunie au corps ressuscité. [992–1004, 1016–1018]

Le *comment* de la résurrection de notre corps est un mystère. Une image peut nous aider à comprendre : quand nous voyons un oignon de tulipe, nous ne pouvons pas savoir quelle fleur magnifique il va développer dans l'obscurité de la terre. Il en va de même pour nous-mêmes : nous ne savons rien non plus de l'apparence future de notre nouveau corps. Saint Paul affirme ceci avec certitude : *On est semé dans l'ignominie, on ressuscite dans la gloire* (1 Co 15, 43 a).

155 *Si nous croyons en lui, comment le Christ nous aidera-t-il lors de notre mort ?*

Le Christ vient à notre rencontre et nous conduit vers la vie éternelle. « Ce n'est pas la mort qui viendra

→ notre message, vide aussi votre foi... Si nous qui sommes dans le Christ n'avons d'espoir que cette vie, nous sommes les plus à plaindre de tous les hommes. Mais non ; le Christ est ressuscité d'entre les morts, prémices de ceux qui se sont endormis.

1re épître aux Corinthiens 15, 12-14.19-20

Et le Verbe s'est fait chair et il a habité parmi nous.

Jean 1, 14

Même pour le corps il y a une place en Dieu.

BENOÎT XVI, 15 août 2005

Mais, dira-t-on, comment les morts ressuscitent-ils ? Avec quel corps reviennent-ils ? Insensé ! Ce que tu sèmes, toi, ne reprend vie s'il ne meurt. Et ce que tu sèmes, ce n'est pas le corps à venir, mais un simple grain, soit de blé, soit de quelque autre plante.

1re épître aux Corinthiens 15, 35-37

me chercher, c'est le bon Dieu » (sainte Thérèse de Lisieux). [1005–1014, 1016, 1019]

En contemplant les souffrances et la mort de Jésus, le passage de la mort peut être plus facile. Dans un acte de confiance et d'amour envers le Père nous pouvons dire « oui », comme Jésus l'a fait au jardin des Oliviers. Ce type d'attitude est nommé « offrande spirituelle ». Le mourant s'associe à l'offrande du Christ sur la croix. Celui qui meurt ainsi dans la confiance en Dieu et en paix avec les hommes, donc sans péché grave, est en route vers la communauté du Christ ressuscité. Notre mort nous fait tomber, mais nous tombons dans ses mains. Celui qui meurt ne voyage pas vers le néant, mais rentre à la maison, dans l'amour de Dieu qui l'a créé. → 102

Je crois... à la vie éternelle

156 *Qu'est-ce que la vie éternelle ?*

La vie éternelle commence avec le baptême. Elle se poursuit au-delà de la mort et n'aura pas de fin. [1020]

Les amoureux font cette expérience : ils voudraient que leur histoire ne s'arrête jamais. Dieu *est amour,* dit la première épître de saint Jean (1 Jn 4, 16). La *charité* – dit la première épître aux Corinthiens – *ne passe jamais* (1 Co 13, 8). Dieu est éternel parce qu'il est amour et l'amour est éternel parce qu'il est divin. Quand nous vivons dans l'amour, nous entrons dans l'éternel présent de Dieu. → 285

157 *Après notre mort devrons-nous comparaître devant un tribunal ?*

Ce qu'on appelle le jugement particulier ou personnel se produit dès la mort de l'individu. Le jugement général, que l'on appelle aussi le Jugement dernier, arrivera au dernier jour, c'est-à-dire à la fin du monde lors du retour du Seigneur. [1021–1022]

Lors de sa mort, chacun arrive à l'heure de vérité. Alors, rien ne peut plus être repoussé ou caché. Rien ne peut plus être changé. Nous sommes confrontés au jugement de Dieu, qui nous fait justice car, dans sa proximité sainte,

> Je veux voir Dieu et, pour voir Dieu, il faut mourir.
>
> SAINTE THÉRÈSE D'AVILA

> Le temps pour chercher Dieu, c'est la vie. Le temps pour trouver Dieu, c'est la mort. Le temps pour posséder Dieu, c'est l'éternité.
>
> SAINT FRANÇOIS DE SALES

> Je ne meurs pas ; j'entre dans la vie.
>
> SAINTE THÉRÈSE DE LISIEUX (1873–1897, mystique et docteur de l'Église)

> Mais voici un point, très chers, que vous ne devez pas ignorer : c'est que devant le Seigneur, un jour est comme mille ans et mille ans comme un jour.
>
> 2e épître de Pierre 3, 8

> Au soir de notre vie nous serons jugés sur notre amour.
>
> SAINT JEAN DE LA CROIX (1542–1591, mystique espagnol, docteur de l'Église et poète)

nous ne pouvons être que justes, aussi justes que Dieu nous a désirés quand il nous a créés. Peut-être aurons-nous besoin d'un processus de purification, peut-être pourrons-nous tomber immédiatement dans les bras de Dieu ? Mais peut-être sommes-nous remplis de tant de méchanceté, de haine, de refus de tout, que nous refuserons à jamais le visage de l'amour, ce visage de Dieu. Une vie sans amour n'est rien d'autre que l'enfer. → 163

JUGEMENT Ce qu'on appelle le jugement particulier ou personnel se produit lors de la mort de chacun. Le jugement général, qu'on appelle aussi le Jugement dernier, se produira à la fin des temps, donc à la fin du monde, lors du retour du Seigneur.

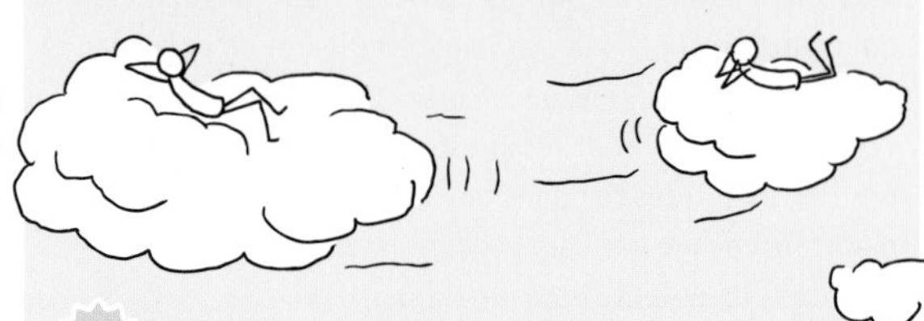

158 *Qu'est-ce que le ciel ?*

Le ciel est l'instant éternel de l'amour. Rien ne séparera plus de Dieu l'âme de celui qui l'a aimé et cherché toute sa vie. Unie à tous les anges et tous les saints, elle se réjouit d'être pour toujours auprès de Dieu et avec Dieu. [1023–1026, 1053]

Un jeune couple qui se regarde amoureusement dans les yeux, un bébé pendant la tétée qui cherche le regard de sa maman, comme s'il voulait conserver chaque sourire pour toujours... sont des exemples qui peuvent donner une petite idée du ciel. Pouvoir voir Dieu face à face est comme un unique instant d'amour qui dure à l'infini. → 52

Car nous voyons, à présent, dans un miroir, en énigme, mais alors ce sera face à face. À présent, je connais d'une manière partielle ; mais alors je connaîtrai comme je suis connu.

1re épître aux Corinthiens 13, 12

Un homme peut perdre les biens temporels contre son gré, mais jamais il ne perdra les biens éternels, si ce n'est de son plein gré.

SAINT AUGUSTIN

159 *Qu'est-ce que le purgatoire ?*

Le purgatoire, souvent représenté comme un lieu, est plutôt un état. Celui qui meurt dans la grâce de Dieu (en paix avec Dieu et les hommes), mais qui a encore besoin d'une purification avant de pouvoir voir Dieu face à face, est au purgatoire. [1030–1031]

Lorsque Pierre eut renié Jésus, le Seigneur se retourna et regarda Pierre : « Et Pierre sortit et pleura amèrement » – manifestant un sentiment *comme il en existe dans le purgatoire*. Un tel purgatoire attend probablement la majorité d'entre nous au moment de notre mort : le Seigneur nous regarde avec amour, et nous éprouvons un cuisant sentiment de honte et un regret douloureux concernant

ce que nous avons fait de mal ou concernant nos actions dans lesquelles il ne manquait « que » l'amour. C'est seulement après cette souffrance purificatrice que nous serons capables de rencontrer son regard d'amour, dans une joie éternelle que rien ne pourra plus troubler.

Voilà pourquoi il fit faire ce sacrifice expiatoire pour les morts, afin qu'ils fussent délivrés de leur péché.

2 Maccabées 12, 45

160 *Pouvons-nous aider les âmes du purgatoire ?*

Oui, puisque tous les baptisés dans le Christ forment la communion des saints et sont solidaires les uns des autres, les vivants peuvent aider les âmes des défunts qui sont au purgatoire. [1032]

Une fois mort, l'homme ne peut plus rien faire pour lui-même. La période de probation active est terminée. Mais *nous,* nous pouvons faire quelque chose pour les défunts du purgatoire. Notre amour est actif jusque dans l'au-delà. Par nos jeûnes, nos prières, nos bonnes actions, mais, surtout par la célébration de l'→ EUCHARISTIE, nous pouvons demander des grâces pour les défunts. → 146

N'hésitons pas à porter secours à ceux qui sont partis et à offrir nos prières pour eux.

SAINT JEAN CHRYSOSTOME

Celui qui n'aime pas demeure dans la mort. Quiconque hait son frère est un homicide ; or vous savez qu'aucun homicide n'a la vie éternelle demeurant en lui.

1re épître de Jean 3, 14-15

161 *Qu'est-ce que l'enfer ?*

L'enfer est l'état de séparation éternelle avec Dieu, l'absence absolue d'amour. [1033-1037]

Celui qui meurt en état de péché grave, commis en pleine conscience et volontairement et sans le regretter, celui qui rejette pour toujours l'amour de Dieu qui fait miséricorde et qui pardonne, celui-là s'exclut lui-même de la communion de Dieu et des saints. Est-il vraiment possible que quelqu'un, au moment de la mort, contemple en face l'amour absolu et persiste dans le non ? Nous ne le savons pas. Mais notre liberté rend possible cette décision. Jésus ne cesse de nous prévenir de ne pas nous séparer définitivement de lui en nous désintéressant de la misère de ses frères et sœurs : *Allez loin de moi, maudits... dans la mesure où vous ne l'avez pas fait à l'un de ces plus petits, à moi non plus vous ne l'avez pas fait* (Mt 25, 41. 45). → 53

Je me demande : « Que signifie l'enfer ? » J'affirme : « L'incapacité d'aimer. »

FEDOR DOSTOÏEVSKI (1821–1881, écrivain russe)

162 *Puisque Dieu est amour, comment peut-il y avoir un enfer ?*

Ce n'est pas Dieu qui condamne l'homme. L'homme se condamne lui-même en repoussant l'amour miséri-

Le Seigneur ne retarde pas l'accomplissement de ce qu'il a promis, comme certains l'accusent de retard, mais il use de patience envers vous, voulant que personne ne périsse, mais que tous arrivent au repentir.

2e épître de Pierre 3, 9

Dieu, dans son infinie bonté, n'abandonnera jamais ceux qui ne veulent pas l'abandonner.

SAINT FRANÇOIS DE SALES

Quand le Fils de l'homme viendra dans sa gloire, escorté de tous les anges, alors il prendra place sur son trône de gloire. Devant lui seront rassemblées toutes les nations, et il séparera les gens les uns des autres, tout comme le berger sépare les brebis des boucs... Et ils s'en iront, ceux-ci à une peine éternelle, et les justes à une vie éternelle.

Matthieu 25, 31-32.46

« Il essuiera toute larme de leurs yeux : de mort, il n'y en aura plus ; de pleur, de cri et de peine, il n'y en aura plus, car l'ancien monde s'en →

cordieux de Dieu. Il se prive volontairement de la vie (éternelle) en s'excluant de la communion avec Dieu. [1036–1037]

Dieu désire vivre en communion même avec le dernier des pécheurs. Il veut que tous se convertissent et soient sauvés. Mais Dieu a créé les hommes libres et respecte leurs décisions. Dieu lui-même ne peut forcer personne à aimer. Lui qui est l'Amour est « désarmé » quand quelqu'un choisit l'enfer plutôt que le ciel. → 51, 53

163 *Qu'est-ce que le Jugement dernier ?*

Le →JUGEMENT DERNIER aura lieu à la fin des temps lors du retour du Christ. *Ceux qui auront fait le bien sortiront pour une résurrection qui mène à la vie, ceux qui auront fait le mal, pour une résurrection qui mène au jugement* (Jn 5, 29). [1038–1041, 1058–1059]

Lors de son retour dans la gloire, le Christ fera jaillir sur nous tout l'éclat de sa lumière. La vérité apparaîtra au grand jour : nos pensées, nos actes, nos relations avec Dieu et avec les autres – rien ne sera plus voilé. Nous découvrirons alors le sens final de la Création, nous comprendrons quels merveilleux moyens Dieu a utilisés pour nous sauver. Enfin nous aurons la réponse à cette question récurrente : pourquoi le mal peut-il être si puissant, alors que Dieu est en réalité le Tout-Puissant ? Le Jugement dernier est effectivement le jugement final pour nous. C'est alors que se décidera si nous sommes ressuscités pour la vie éternelle ou si nous sommes séparés de Dieu à jamais. Pour ceux qui auront choisi la vie, Dieu se conduira de nouveau en Créateur : dans « un corps nouveau » (2 Co 5, 1), ils vivront pour toujours dans la gloire de Dieu et le loueront corps et âme. → 110–112, 157

164 *Comment la terre parviendra-t-elle à son achèvement ?*

À la fin des temps, Dieu créera un ciel nouveau et une terre nouvelle. Le mal n'aura plus ni pouvoir ni force d'attraction. Comme des amis, les élus contempleront Dieu face à face. Leur désir de paix et de justice sera comblé. Contempler Dieu sera leur béatitude. La Trinité divine habitera parmi eux, essuyant toute larme de leurs yeux : la mort ne sera plus, il n'y aura plus ni deuil, ni cri, ni souffrance. [1042–1050, 1060]

→ 110–112

165 *Pourquoi terminons-nous notre profession de foi par « Amen » ?*

Nous terminons notre profession de foi par →AMEN – c'est-à-dire oui – parce que Dieu nous demande d'être des *témoins* de la foi. Celui qui dit Amen approuve joyeusement et librement l'œuvre de Dieu dans la Création et la Rédemption. [1061–1065]

En hébreu, le mot « Amen » vient d'une famille de mots qui signifient aussi bien « foi » que « certitude, confiance et fidélité ». « Celui qui dit *Amen* appose sa signature » (saint Augustin). Nous ne pouvons prononcer ce « oui » sans réserve que parce que Jésus nous a montré par sa mort et sa résurrection qu'il était fidèle et digne de confiance. Il est le « oui » de l'homme à toutes les promesses de Dieu, comme il est également le « oui » définitif de Dieu à chacun de nous. → 527

→ est allé. » Alors, Celui qui siège sur le trône déclara : « Voici, je fais l'univers nouveau. » Puis il ajouta : « Écris : Ces paroles sont certaines et vraies. »

Apocalypse 21, 4-5

AMEN
Le mot « Amen » (de l'hébreu *Aman*, « être ferme, confiant ») est employé dans l'Ancien Testament principalement dans le sens d'« ainsi soit-il » pour renforcer le souhait d'une action divine ou pour s'associer à la louange de Dieu. Dans le Nouveau Testament, le mot renforce souvent la conclusion d'une prière. Le plus souvent Jésus utilise lui-même ce mot de manière particulière pour introduire une parole importante. Amen souligne alors l'autorité de sa parole.

Toutes les promesses de Dieu ont en effet leur oui en lui ; aussi bien est-ce par lui que nous disons l'« Amen » à Dieu pour sa gloire.

2e épître aux Corinthiens 1, 20

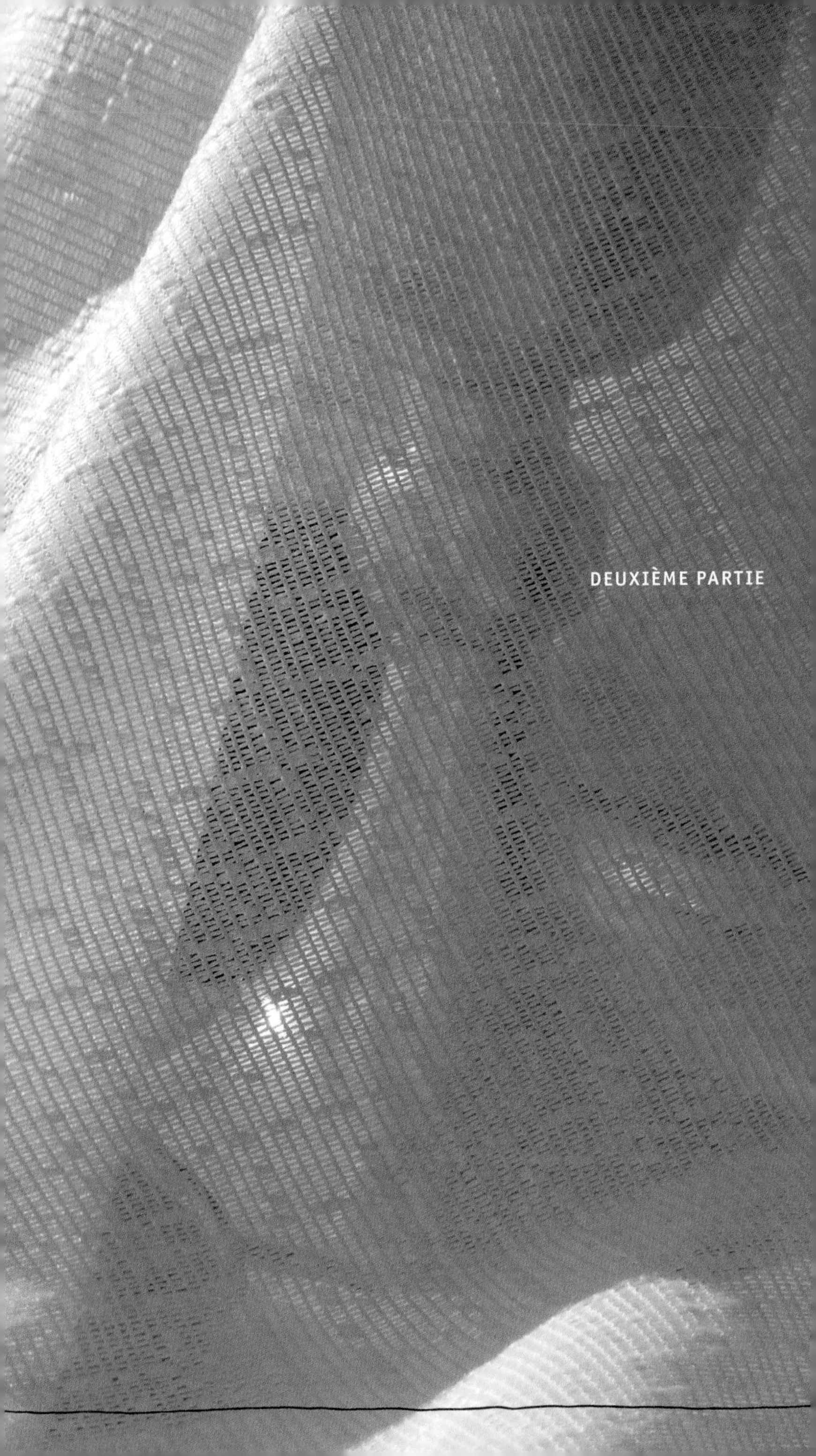

DEUXIÈME PARTIE

La célébration des mystères chrétiens

2

QUESTIONS 166 – 278

LITURGIE (du grec *leitourgia,* « œuvre officielle, service accompli par le peuple et pour le peuple »). Dans la tradition chrétienne, le mot liturgie veut dire que le peuple de Dieu participe à l'« œuvre de Dieu ». La plus importante des célébrations liturgiques est l'Eucharistie. Les autres liturgies en dépendent, comme la célébration d'autres sacrements, les adorations, les bénédictions, les processions et la prière des heures par exemple.

Dans la célébration des mystères chrétiens (→ SACREMENTS), Jésus-Christ vient à la rencontre des hommes dans le temps de l'Église. Jusqu'à la fin des temps, il est présent dans son → ÉGLISE. La rencontre la plus profonde que nous puissions faire avec lui sur terre est la → LITURGIE, le culte divin. C'est pourquoi la règle de saint Benoît dit : « Rien ne doit prévaloir sur le culte divin » (Benoît de Nursie, vers 480-547, fondateur du monachisme occidental).

PREMIÈRE SECTION

Dieu agit en nous par des signes sacrés

166 *Pourquoi l'Église célèbre-t-elle si souvent des liturgies ?*

Le peuple d'Israël interrompait déjà son travail *sept fois par jour* (Ps 119, 164) pour louer Dieu. Jésus prit part au culte et aux prières de son peuple ; il a appris à ses disciples à prier et il les a rassemblés au Cénacle pour célébrer avec eux le plus grand de tous les cultes : s'offrir lui-même comme nourriture. En invitant ses membres à participer à la liturgie, l'→ ÉGLISE est fidèle à l'exhortation de Jésus : *Faites ceci en mémoire de moi* (1 Co 11, 24). [1066-1070]

De même que l'homme respire pour rester en vie, de même l'Église respire et vit quand elle célèbre. Dieu lui-même, jour après jour, lui insuffle une vie nouvelle et lui offre sa parole et ses → SACREMENTS. On pourrait encore utiliser une autre image : chaque office religieux est comme un rendez-vous amoureux que Dieu inscrit sur notre agenda. Celui qui a déjà ressenti l'amour de Dieu s'y rend volontiers. Celui qui parfois ne ressent rien, mais qui y va quand même, montre à Dieu sa fidélité.

> La liturgie ne se réduit jamais à la simple réunion d'un groupe qui fait sa propre célébration... Par la participation au retour de Jésus vers le Père... nous nous trouvons également dans la communion des saints. Oui, d'une certaine manière nous participons à la liturgie du ciel.
>
> CARDINAL JOSEPH RATZINGER / BENOÎT XVI, dans *Dieu et le monde*

167 *Qu'est-ce que la liturgie ?*

La → LITURGIE est le culte officiel de l'→ ÉGLISE. [1077-1112]

Une célébration liturgique n'est pas un événement qui se nourrit de bonnes idées et de beaux cantiques. Aucune → LITURGIE ne se fait ni ne s'invente. Elle témoigne d'une vie de foi qui a grandi pendant des siècles. Un office religieux est un événement sacré, digne de respect. La liturgie devient captivante quand on sent que c'est Dieu lui-même qui est présent dans ses signes sacrés et dans ses prières précieuses et souvent fort anciennes.

Une force sortait de lui et les guérissait tous.

Luc 6, 19

Sans l'Eucharistie du dimanche, nous ne pouvons pas vivre. Ne sais-tu pas que le Christ existe pour l'Eucharistie et l'Eucharistie pour les chrétiens ?

Réponse du martyr SATURNIN (305) lors de son interrogatoire. On lui reprochait d'avoir participé à des rassemblements dominicaux interdits.

168 *Pourquoi la liturgie est-elle prioritaire dans la vie de l'Église et dans la vie de chacun d'entre nous ?*

« La → LITURGIE est le sommet vers lequel tend l'action de l'Église, et en même temps la source d'où découle toute sa vigueur » (*Sacrosanctum concilium* 10). [1074]

Du vivant de Jésus, les foules accouraient en masse vers lui parce qu'elles voulaient être guéries par sa présence. Aujourd'hui nous pouvons encore rencontrer Jésus, car il est vivant dans son Église. Il nous garantit sa présence dans le service des pauvres (Mt 25, 42) et dans l'→ EUCHARISTIE, ce sont deux lieux où nous nous précipitons alors directement dans ses bras. Si nous lui permettons de s'approcher de nous, alors il nous enseigne, nous nourrit, nous transforme, nous guérit et nous ne formons plus qu'un avec lui pendant la messe.

Moi, je suis venu pour qu'on ait la vie et qu'on l'ait surabondante.

Jean 10, 10

169 *Que se passe-t-il en nous quand nous célébrons la liturgie ?*

Quand nous célébrons la liturgie, nous sommes entraînés dans l'amour de Dieu, nous sommes guéris et transformés. [1076]

Toutes les célébrations liturgiques de l'Église et tous ses → SACREMENTS n'ont qu'un seul but : donner la vie et la donner en abondance. Quand nous célébrons une liturgie, nous rencontrons Celui qui a dit de lui-même : *Je suis le chemin, la vérité et la vie* (Jn 14, 6). Celui qui se rend à un office religieux et qui se sent abandonné, Dieu le prend sous sa protection. Celui qui y va en se sentant perdu y trouve un Dieu qui l'attend.

Il partit donc et s'en alla vers son père. « Tandis qu'il était encore loin, son père l'aperçut et fut pris de pitié ; il courut se jeter à son cou et l'embrassa tendrement. »

Luc 15, 20

Et j'irai vers l'autel de Dieu, jusqu'au Dieu de ma joie. J'exulterai, je te rendrai grâce sur la harpe, Dieu, mon Dieu.

Psaume 43, 4

BÉNÉDICTION (du latin *benedicere* ; du grec *eulogein,* « dire du bien ») : la bénédiction est un bien qui émane de Dieu. C'est une action divine qui donne la vie et qui la préserve. Dieu le Père et le créateur de toutes choses nous dit : il est bon que tu sois là, c'est bien que tu existes.

CHAPITRE PREMIER

Dieu et la liturgie

170 *Quelle est la source originelle de la liturgie ?*

La source la plus profonde de la → LITURGIE est Dieu, dans lequel se déroule une éternelle et céleste fête de l'amour – la joie du Père, du Fils et de l'Esprit-Saint. Parce que Dieu est amour, il voudrait nous faire participer à la fête de sa joie et nous offrir sa → BÉNÉDICTION. [1077–1109]

Sur cette terre, les célébrations liturgiques doivent être des fêtes, pleines de beauté et de force : fêtes du *Père qui nous a créés* – d'où le rôle important des dons de la terre : le pain, le vin, l'huile et la lumière, les vapeurs d'encens, la musique sacrée et les belles couleurs. Fêtes du *Fils qui nous a sauvés* – nous sommes dans l'allégresse à cause de notre délivrance, nous reprenons souffle à l'écoute de la Parole, nous nous fortifions en mangeant les offrandes eucharistiques. Fêtes de *l'Esprit-Saint qui vit en nous* – d'où la surabondance de consolation, de connaissance, de courage, de force et de → BÉNÉDICTION qui émane des assemblées chrétiennes. → 179

171 *Quel est le caractère essentiel de chaque liturgie ?*

La célébration eucharistique, mais aussi toute →LITURGIE, est une petite fête de Pâques. Jésus fête avec nous son passage de la mort à la vie et ouvre ce passage pour nous. [1085]

L'événement liturgique le plus important qui ait jamais eu lieu sur terre fut celui de la Pâque, que Jésus a célébrée avec ses disciples la veille de sa mort, lors du repas de la Sainte Cène. Les disciples pensaient que Jésus voulait célébrer la libération d'Israël de l'Égypte. Mais Jésus a célébré la libération de toute l'humanité du pouvoir de la mort. En Égypte, ce fut le « sang de l'agneau » qui, à l'époque, a protégé les Israélites de la mort. Désormais, c'est Jésus lui-même qui serait l'agneau, dont le sang sauve l'humanité de la mort. La mort et la résurrection de Jésus sont la preuve que l'on peut mourir et cependant obtenir la Vie. Tel est le véritable contenu de chaque célébration liturgique chrétienne. Jésus lui-même a comparé sa mort et sa résurrection à la libération d'Israël de la servitude d'Égypte. Par l'expression « mystère pascal », on désigne donc l'efficacité salvatrice de la mort et de la résurrection de Jésus. Par analogie au sang de l'agneau qui a sauvé des vies lorsque les Israélites sont sortis d'Égypte (Ex 12), Jésus est le véritable Agneau pascal qui a libéré l'humanité de l'emprise de la mort et du péché.

172 *Combien y a-t-il de sacrements, et comment s'appellent-ils ?*

Pour l'Église il y a sept →SACREMENTS : le baptême, la →CONFIRMATION, l'→EUCHARISTIE, la réconciliation, l'onction des malades, l'ordre et le mariage. [1210]

173 *Pourquoi avons-nous besoin de sacrements ?*

Nous avons besoin de →SACREMENTS pour dépasser une vie humaine étriquée, et devenir, grâce à Jésus, semblables à Jésus : des enfants de Dieu dans la liberté et la gloire. [1129]

Au baptême, l'être humain vulnérable au pouvoir du Malin devient un enfant protégé de Dieu ; par la →CONFIRMATION, celui qui tâtonne devient déterminé ; par la péni-

Le sang (de l'agneau) sera pour vous un signe sur les maisons où vous vous tenez. En voyant ce signe, je passerai outre et vous échapperez au fléau destructeur lorsque je frapperai le pays d'Égypte.

Exode 12, 13

SACREMENT (du latin *sacramentum*, « serment, engagement » ; utilisé le plus souvent pour traduire le grec *mysterion*, « mystère ») : les sacrements sont des signes sensibles d'une réalité invisible dans lesquels les chrétiens peuvent expérimenter la présence de Dieu qui les guérit, leur pardonne, les nourrit, les fortifie et les dispose à l'amour. Tout cela se réalise par la grâce de Dieu qui agit en eux.

Car sa divine puissance nous a donné tout ce qui concerne la vie et la piété... Par elles, les précieuses, les plus grandes promesses nous ont été données, afin que vous deveniez ainsi participants de la divine nature, vous étant arrachés à la corruption qui est dans le monde, dans la convoitise.

2e épître de Pierre 1, 3-4

Prenant l'aveugle par la main, il le fit sortir hors du village. Après lui avoir mis de la salive sur les yeux et lui avoir imposé les mains, il lui demandait : « Aperçois-tu quelque chose ? »

Marc 8, 23

Ce qui a été visible en notre Sauveur se retrouve dans ses sacrements.

LÉON LE GRAND
(vers 400–461, pape et père de l'Église)

Car celui qui mange et boit, mange et boit sa propre condamnation, s'il ne discerne le Corps (du Seigneur).

1re épître aux Corinthiens 11, 29

tence, le coupable se réconcilie ; par l'→ EUCHARISTIE, ceux qui ont faim deviennent pain pour les autres ; par le mariage comme par l'ordre, des solitaires deviennent des serviteurs de l'amour ; par l'onction des malades, des désespérés reprennent confiance. Dans tous les → SACREMENTS, c'est le Christ lui-même qui est le sacrement. Abandonnant notre égocentrisme, nous grandissons en lui vers la vraie vie qui ne finira jamais.

174 *Pourquoi la foi en Jésus-Christ ne suffit-elle pas ? Pourquoi Dieu nous offre-t-il en plus les sacrements ?*

Nous devons et pouvons accéder à Dieu avec tous nos sens et pas seulement avec notre intelligence. C'est pourquoi Dieu s'offre à nous dans des signes terrestres sensibles – par le pain, le vin et l'huile, par des paroles, des onctions et l'imposition des mains. [1084, 1146–1152]

Des gens ont vu Jésus, l'ont entendu, ont pu le toucher et ont ressenti le salut et la guérison en leur corps et en leur âme. De même, les signes sensibles des → SACREMENTS portent cette signature de Dieu, qui s'adresse à l'homme dans tout son être, et pas seulement à sa seule intelligence.

175 *Pourquoi les sacrements appartiennent-ils à l'Église ? Pourquoi chacun ne peut-il pas les utiliser comme il le veut ?*

Les → SACREMENTS sont un don du Christ à son *Église*. Celle-ci a le devoir de les dispenser, mais également de les protéger contre des usages abusifs. [1117–1119, 1131]

Jésus a confié ses paroles et ses signes sacramentels à des hommes en personne, en l'occurrence les → APÔTRES, pour qu'ils les transmettent. Il ne les a pas livrés à une foule anonyme. Aujourd'hui on dirait qu'il n'a pas mis son héritage en libre accès sur le Net mais qu'il l'a domicilié sur un site précis. Les → SACREMENTS sont là *pour* l'Église et *par* l'Église. Ils sont là pour elle, parce que l'Église, qui est le Corps du Christ, est fondée, nourrie et conduite à sa perfection par les sacrements. Ils sont là *par* elle, parce que les sacrements sont des puissances du Corps du Christ, à l'exemple du sacrement de réconciliation dans lequel le Christ, représenté par le → PRÊTRE, nous pardonne nos péchés.

176 *Quels sont les sacrements que l'on ne reçoit qu'une seule fois dans sa vie ?*

Le baptême, la → CONFIRMATION et l'ordre. Ces → SACREMENTS marquent le chrétien d'un « sceau indélébile ». Le baptême et la confirmation font de lui un enfant de Dieu une fois pour toutes semblable au Christ. L'ordre confère lui aussi un caractère sacramentel indélébile. [1121]

De même que l'on est pour toujours l'enfant de ses parents, et pas seulement parfois, ou un peu, ainsi devient-on par le baptême et la → CONFIRMATION un enfant de Dieu pour toujours, semblable au Christ et membre de son Église. C'est également le cas avec l'ordre, qui n'est pas un boulot dans lequel on s'engage jusqu'à la retraite, mais une grâce que l'on reçoit de manière irrévocable. Parce que Dieu est fidèle, l'effet de ces → SACREMENTS est obtenu une fois pour toutes par le chrétien qui les reçoit comme réponse à l'appel de Dieu, comme vocation et comme protection divine. Ces sacrements ne peuvent donc jamais être réitérés.

177 *Pourquoi les sacrements supposent-ils la foi ?*

Les → SACREMENTS n'ont rien de magique. Un sacrement ne peut agir que compris et reçu dans la foi. Non seulement les sacrements supposent la foi, mais ils la fortifient aussi, et l'expriment. [1122-1126]

Jésus a demandé aux → APÔTRES de faire de tous les hommes des disciples en les évangélisant d'abord, c'est-à-dire en éveillant leur foi, et de ne les baptiser qu'*ensuite*. Ainsi, nous recevons deux choses de l'→ ÉGLISE : la foi et les → SACREMENTS. Aujourd'hui encore on ne devient pas chrétien par un simple rite ou par une inscription sur un registre, mais en accueillant la vraie foi. C'est de l'Église que nous recevons cette foi authentique. Elle s'en porte garant. Puisque la foi de l'Église est exprimée dans la → LITURGIE, aucun rite sacramentel ne doit être modifié ou manipulé selon la fantaisie d'un ministre de l'Église ou d'une communauté.

Qu'on nous regarde donc comme des serviteurs du Christ et des intendants des mystères de Dieu.

1re épître aux Corinthiens 4, 1

Chacun selon la grâce reçue, mettez-vous au service les uns des autres, comme de bons intendants d'une multiple grâce de Dieu.

1re épître de Pierre 4, 10

Mais le jour où apparurent la bonté de Dieu notre Sauveur et son amour pour les hommes, il ne s'est pas occupé des œuvres de justice que nous avions pu accomplir, mais, poussé par sa seule miséricorde, il nous a sauvés par le bain de la régénération et de la rénovation en l'Esprit-Saint.

Épître à Tite 3, 4-5

Je vous ai donc transmis en premier lieu ce que j'avais moi-même reçu.

1re épître aux Corinthiens 15, 3

De même qu'un cierge est allumé à la flamme d'un autre cierge, ainsi la foi s'allume à la foi.

ROMANO GUARDINI

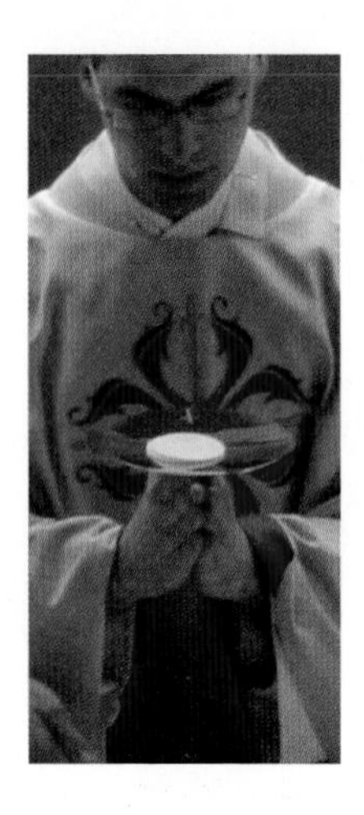

178 *Un sacrement perd-il son efficacité s'il est dispensé par une personne qui n'est pas digne de l'administrer ?*

Non. Les →SACREMENTS agissent par le fait même que l'action est accomplie *(ex opere operato)*, ce qui veut dire indépendamment du comportement moral ou des dispositions spirituelles de celui qui les administre. Il suffit qu'il ait l'intention de faire ce que fait l'→ÉGLISE. [1127-1128, 1131]

Ceux qui célèbrent les → SACREMENTS se doivent de mener une vie exemplaire. Les sacrements cependant n'agissent pas à cause de la → SAINTETÉ de celui qui les administre mais parce que le Christ lui-même est à l'œuvre en eux. Il respecte toutefois notre liberté lors de la réception des sacrements. C'est pourquoi les sacrements n'agissent de manière positive que si nous collaborons avec le Christ.

» C'est pourquoi, avec les anges et tous les saints, nous proclamons ta gloire en chantant d'une seule voix : Saint ! Saint ! Saint ! le Seigneur, Dieu de l'univers ! Le ciel et la terre sont remplis de ta gloire...

Préface de la liturgie eucharistique

» Elle (la liturgie) est une entrée dans la liturgie qui se déroule en permanence au ciel... Ce n'est pas comme si l'homme pensait à quelque chose et chantait ; le chant lui parvient des anges.

CARDINAL JOSEPH RATZINGER / BENOÎT XVI, *Un nouveau chant pour le Seigneur*

CHAPITRE II

Comment nous célébrons les mystères du Christ

179 *Qui célèbre la liturgie ?*

Dans toute liturgie terrestre, c'est le Christ lui-même, le Seigneur, qui célèbre une →LITURGIE qui englobe les anges et les hommes, les vivants et les morts, le passé, le présent et le futur, le ciel et la terre, c'est une véritable liturgie cosmique. Les →PRÊTRES et les fidèles y participent de manière différente. [1136-1139]

Quand nous célébrons, nous devons nous préparer intérieurement au grand événement qui s'accomplit : ici et maintenant le Christ est là, présent, et avec lui tout le ciel. Là-haut, tous sont remplis d'une joie inexprimable et d'une attention aimante à notre égard. Le dernier livre de l'Écriture sainte, l'Apocalypse, décrit sous forme d'images mystérieuses cette → LITURGIE céleste, à laquelle nous nous unissons, ici-bas. → 170

180 *Pourquoi considérons-nous la liturgie comme un « service » divin ?*

Un service divin est avant tout le service que *Dieu* nous rend – et ensuite seulement un service que nous offrons

à *Dieu*. Sous des signes sacrés, Dieu s'offre à nous pour que nous fassions la même chose : nous offrir à lui sans retenue. [1145–1192]

Jésus est présent dans sa parole et dans le → SACREMENT. Dieu est présent ! C'est ce qui est premier et le plus important dans toute célébration eucharistique. Nous ne venons qu'ensuite. Jésus offre sa vie pour nous afin que nous lui offrions le sacrifice spirituel de notre vie. Dans l'→ EUCHARISTIE, le Christ s'offre à nous pour que nous nous offrions à lui. Nous donnons en quelque sorte au Christ un chèque en blanc sur notre vie. Nous participons ainsi au sacrifice du Christ qui nous sauve et nous transforme. Notre vie ici-bas est projetée vers le Royaume de Dieu. Dieu peut mener sa vie dans notre vie.

181 *Pourquoi y a-t-il tant de signes et de symboles dans les offices religieux ?*

Dieu sait que nous ne sommes pas seulement des êtres spirituels mais également corporels ; nous avons besoin de signes et de symboles pour percevoir et exprimer des réalités spirituelles ou intimes. [1145–1152]

Qu'il s'agisse de roses, d'une alliance, d'un habit noir, de graffitis ou du ruban rouge contre le sida, nous exprimons toujours des sentiments intimes par des signes qui nous permettent d'être compris. Le Dieu qui a pris chair dans notre humanité nous offre des signes humains par lesquels il vit et agit au milieu de nous : du pain et du vin, l'eau du baptême, l'onction avec l'Esprit-Saint. Notre réponse aux signes sacrés de Dieu se manifeste par des signes de respect : fléchir le genou, se lever pour entendre la proclamation de l'Évangile, s'incliner, joindre les mains. Et, comme pour un mariage, nous décorons le lieu de la présence de Dieu avec ce que nous avons de plus beau : des fleurs, des cierges et de la musique. Cependant, ces signes ont parfois besoin de quelques mots d'explication.

182 *Pourquoi accompagner les signes sacramentels de la liturgie par des paroles ?*

Célébrer la → LITURGIE, c'est rencontrer Dieu : le laisser agir, l'écouter, lui répondre. Ces dialogues s'expriment toujours en gestes et en paroles. [1153–1155, 1190]

Le voleur ne vient que pour voler, égorger et faire périr. Moi, je suis venu pour qu'on ait la vie et que l'on l'ait surabondante. Moi, je suis le bon pasteur ; le bon pasteur dépose sa vie pour ses brebis.

Jean 10, 10-11

Et celui qui voudra être le premier parmi vous sera l'esclave de tous. Aussi bien, le Fils de l'homme lui-même n'est pas venu pour être servi, mais pour servir et donner sa vie en rançon pour une multitude.

Marc 10, 44-45

Les symboles expriment en langage visible ce qui est invisible.

GERTRUD VON LE FORT

Je prétends que le langage symbolique devrait être la seule langue étrangère que chacun de nous devrait apprendre.

ERICH FROMM (1900–1980, psychanalyste)

Ils [les anges] se criaient l'un à l'autre ces paroles : « Saint, saint, saint est le Seigneur Sabaot, sa gloire emplit toute la terre. »

Isaïe 6, 3

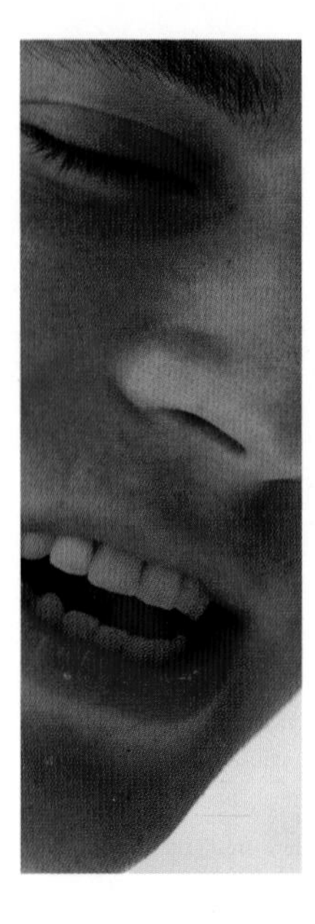

Récitez entre vous des psaumes, des hymnes et des cantiques inspirés ; chantez et célébrez le Seigneur de tout votre cœur.

Épître aux Éphésiens 5, 19

Qui chante prie deux fois.

SAINT AUGUSTIN

Jésus s'est adressé aux hommes en signes et en paroles. Il en va de même dans l'Église quand le → PRÊTRE présente les offrandes et dit : « Ceci est mon corps... ceci est mon sang. » C'est cette parole de Jésus qui fait que les signes deviennent → SACREMENTS : des signes qui réalisent ce qu'ils signifient.

183 *Pourquoi joue-t-on de la musique aux offices religieux ? Quelle musique convient à la liturgie ?*

Quand les paroles ne suffisent pas pour louer Dieu, la musique nous vient en aide. [1156–1158, 1191]

Quand nous nous tournons vers Dieu, nous sommes souvent dans l'indicible, ou l'inexprimable. La musique peut alors venir à notre secours. Dans la jubilation, la parole se transforme en chant – d'où le *chant* des anges. Au cours de l'office religieux, la musique doit rendre la prière plus belle et plus intérieure, elle doit saisir plus profondément le cœur des participants, les orienter vers Dieu et préparer une fête musicale pour Dieu.

184 *Comment la liturgie façonne-t-elle le temps ?*

Dans la liturgie, le temps devient *temps pour Dieu*.

Il nous arrive de ne pas faire grand-chose de notre temps – nous cherchons un *passe-temps*. Dans la liturgie, le temps prend une réelle densité parce que chaque seconde est pleine de sens. Quand nous célébrons l'office divin, nous découvrons que Dieu a sanctifié le temps et a fait de chaque seconde une passerelle vers l'éternité.

185 *Pourquoi les célébrations liturgiques se déroulent-elles selon un cycle annuel ?*

De même que nous célébrons tous les ans l'anniversaire d'une personne ou d'un mariage, ainsi la → LITURGIE célèbre-t-elle, pendant le cycle de l'année, les principaux événements chrétiens de l'histoire du salut. Il y a pourtant une différence importante : chaque époque dont la nôtre est temps de Dieu. Les « commémorations » du message et de la vie de Jésus sont dans notre actualité des rencontres avec le Dieu vivant. [1163-1165, 1194-1195]

Le philosophe danois Søren Kierkegaard disait un jour : « Ou bien nous nous considérons comme des contemporains de Jésus ou bien nous pouvons tout laisser tomber. » Une année liturgique vécue dans la foi fait de nous des contemporains de Jésus. Non pas parce que nous serions tout à fait capables d'entrer par la pensée dans *son* temps ou dans *sa* vie, mais parce que lui, si je lui fais de la place, entre dans *mon* temps et dans *ma* vie, avec sa présence qui guérit et qui pardonne, et la force extraordinaire de sa résurrection.

186 *Qu'est-ce que l'année liturgique ?*

Au cours de l'année liturgique, l'Église célèbre les mystères de la vie du Christ, de son incarnation jusqu'à son retour dans la gloire. L'année liturgique commence avec l'Avent, qui est le temps de l'attente du Seigneur. Elle a son premier sommet avec les célébrations de Noël. Le deuxième sommet, encore plus grand, à Pâques avec la célébration de la passion, de la mort et de la résurrection du Christ. Le temps de Pâques se termine à la Pentecôte où nous fêtons la venue du Saint-Esprit sur l'Église. L'année liturgique est émaillée de fêtes en l'honneur de la Sainte Vierge et des saints, au cours desquelles l'Église loue la grâce de Dieu qui a conduit les hommes vers le salut. [1168-1173, 1194-1195]

Tirez bon parti de la période présente.

Épître aux Éphésiens 5, 16

L'éternité de Dieu n'est pas simplement l'absence du temps, la négation du temps, mais une puissance sur le temps qui se développe en être-avec-le temps et être-dans-le temps.

CARDINAL JOSEPH RATZINGER/BENOÎT XVI, *L'Esprit de la liturgie*

L'année liturgique avec son rappel et sa représentation sans cesse renouvelés de la vie du Christ est le plus grand chef-d'œuvre de l'humanité. Dieu l'a faite sienne et il nous la donne d'année en année, l'offrant dans une lumière toujours nouvelle comme si elle nous parvenait pour la première fois.

JOCHEN KLEPPER (1903-1942, écrivain allemand)

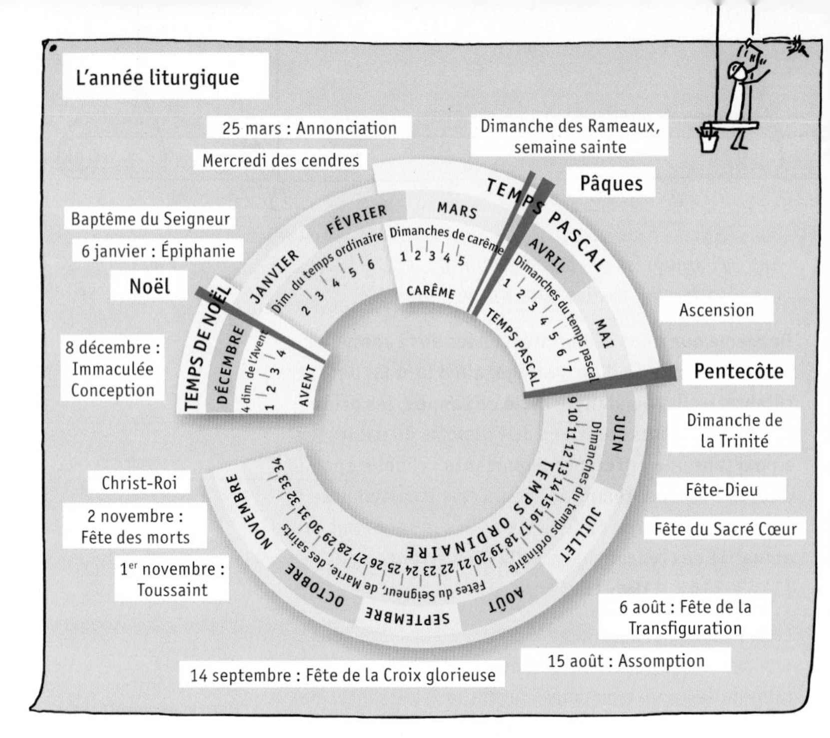

L'année liturgique commence par le premier dimanche de l'Avent, culmine à Pâques et se termine avec le dimanche du Christ-Roi.

Les sept temps de prière de la liturgie des heures sont :

- Laudes (à l'aube)
- Tierce (9 heures)
- Sexte (12 heures)
- None (15 heures)
- Vêpres (le soir)
- Complies (avant le coucher)

187 *Quelle est l'importance du dimanche ?*

Le dimanche est le centre du temps chrétien car il est le jour où nous célébrons la résurrection du Christ et chaque dimanche est une petite fête de Pâques. [1163–1167, 1193]

Si on ne respecte pas le dimanche, comme Jour du Seigneur, ou si on le supprime, la semaine ne comporte plus que des jours ouvrables. L'homme, qui a été créé pour la joie, devient une bête de somme et un fou de la consommation. Nous devons apprendre à faire correctement la fête sur terre sinon nous ne saurons pas quoi faire au ciel. Car au ciel, c'est dimanche, éternellement. → 104–107

188 *Qu'est-ce que la prière des heures ?*

La « prière des heures » est la prière publique et officielle de l'→ Église. Les textes bibliques conduisent celui qui prie au cœur du mystère de la vie de Jésus-Christ. Partout dans

le monde, à chaque heure du jour, on implore la Trinité divine pour qu'elle transforme celui qui prie et le monde tout entier. La prière des heures n'est pas réservée seulement aux → PRÊTRES et aux religieux. Beaucoup de chrétiens très impliqués dans leur foi s'unissent aux multiples invocations qui montent vers Dieu de toutes les parties du monde. [1174-1178, 1196]

Pour l'→ ÉGLISE, les sept « heures » (du latin *hora,* « heure ») sont comme un trésor de prières qui délie la langue même quand la joie, les soucis ou la peur nous ont fermé la bouche. Lors de la prière des heures se renouvelle sans cesse notre étonnement : une phrase, un texte entier s'adaptent exactement à notre situation « comme par hasard ». Dieu écoute quand nous l'appelons. Il répond dans ces textes, quelquefois de manière étonnamment concrète. Mais il accorde également de longues périodes de silence et de sécheresse comme en attente de notre fidélité. → 473, 492

Sept fois le jour, je te loue pour tes justes jugements.

Psaume 119, 164

189 *La liturgie a-t-elle besoin de lieux où elle célèbre la liturgie ?*

Par sa victoire, le Christ est présent à tous les lieux du monde. Le culte de Dieu *en esprit et en vérité* (Jn 4, 24) n'est plus lié à un lieu particulier, car le Christ lui-même est véritable temple de Dieu. Néanmoins le monde chrétien est parsemé d'églises et de lieux saints parce que l'humanité a besoin de lieux concrets pour se rencontrer, et de signes qui rappellent la réalité nouvelle. Chaque église est une image de la maison céleste du Père vers laquelle nous sommes en chemin. [1179-1181, 1197-1198]

Certes, on peut prier partout – dans la forêt, sur la plage, dans son lit. Mais nous ne sommes pas de purs esprits. En tant qu'êtres humains, nous avons un corps, nous devons nous voir les uns les autres, nous entendre, sentir notre présence ; nous avons besoin d'un lieu concret pour nous rencontrer, pour être le « Corps du Christ ». Nous devons nous agenouiller pour adorer Dieu ; nous devons manger le pain consacré là où il est offert ; nous devons nous mettre en route avec notre corps quand IL nous appelle. Et, au bord du chemin, un calvaire nous rappellera à qui appartient le monde et vers qui nous sommes en route.

L'église est le lieu théologique où l'on vient chercher et trouver Dieu. Elle rehausse le caractère habitable de notre monde. De même que la renommée de nos villes et de nos villages est rehaussée par les églises – que serait Cologne sans sa cathédrale ? – ainsi le caractère habitable de notre monde est-il aussi rehaussé par la présence de Dieu.

CARDINAL JOACHIM MEISNER
(1933– , archevêque de Cologne)

> Dieu a placé les églises comme des ports sur la mer afin que vous puissiez y trouver le salut en vous extrayant des turbulences des soucis terrestres et que vous puissiez y trouver paix et silence.
>
> SAINT JEAN CHRYSOSTOME

190 *Qu'est-ce qu'une église chrétienne ?*

Une église chrétienne est le symbole de la communauté en un lieu donné, mais aussi le symbole de la demeure céleste que Dieu a préparée pour nous. On vient dans l'église pour prier, aussi bien en communauté qu'individuellement, mais aussi pour célébrer les →SACREMENTS et tout particulièrement l'→EUCHARISTIE. [1179–1186, 1197–1199]

« Ici, ça sent le ciel » – « ici, on fait silence, on est respectueux ». Beaucoup d'églises nous saisissent littéralement par une atmosphère de prière intense. Nous sentons que Dieu y est présent. La beauté des églises fait référence à la beauté, à la grandeur et à l'amour de Dieu. Les églises ne sont pas seulement des édifices de pierre, messagers de la foi. Elles sont également des maisons de Dieu où il est réellement présent dans l'→ EUCHARISTIE.

191 *Quels sont les endroits privilégiés à l'intérieur d'une église ?*

Ce sont : l'autel avec la croix, le →TABERNACLE, le siège du célébrant, l'ambon, le baptistère et le confessionnal. [1182–1188]

L'*autel* est le point central de l'église. Sur lui le sacrifice de la croix et de la résurrection de Jésus-Christ est actualisé au cours de la célébration eucharistique. Il est aussi la table à laquelle est invité le peuple de Dieu. Le → TABERNACLE est une sorte de trésor sacré, placé dans l'église en un lieu des plus dignes et des plus visibles, il abrite le pain eucharistique dans lequel le Seigneur lui-même est présent réellement. La lampe du sanctuaire indique que le tabernacle est « habité ». Si elle ne brille pas, c'est que le tabernacle est vide. Le *siège* (du latin *cathedra*) éminent de l'→ ÉVÊQUE ou bien celui du → PRÊTRE signifie que c'est réellement le Christ qui préside à la communauté. L'*ambon* (du grec *anabainein,* « monter dessus »), le pupitre pour la Parole de Dieu, doit signaler la valeur et la dignité des lectures bibliques comme Parole du Dieu vivant. Au *baptistère,* on administre le baptême et le bénitier nous invite à maintenir en éveil notre engagement du baptême. Un *confessionnal* ou un lieu adapté au sacrement de la réconciliation permet d'avouer ses fautes et de recevoir le pardon.

192 *L'Église peut-elle modifier et renouveler la liturgie ?*

Dans la → LITURGIE, il existe des éléments modifiables et d'autres non. Tout ce qui est d'institution divine ne peut être changé : les paroles de Jésus lors de la Cène par exemple. À côté de cela, il y a des éléments susceptibles de changement que l'Église a le pouvoir d'adapter. Le mystère du Christ doit être proclamé, célébré et vécu en tout temps et en tout lieu. Il faut donc que la liturgie corresponde à l'esprit et à la culture de chaque peuple. [1200-1209]

Jésus a touché l'être humain tout entier, dans son esprit et son intelligence, son cœur et sa volonté. C'est exactement ce qu'il veut encore faire aujourd'hui dans la → LITURGIE. C'est pourquoi celle-ci se présente sous des traits différents en Afrique et en Europe, dans une maison de retraite ou lors des Journées mondiales de la jeunesse. Elle a un autre visage dans les paroisses que dans les couvents. Mais on doit reconnaître en chaque liturgie la liturgie de l'Église universelle.

Quand on réfléchit à la liturgie, et que l'on ne songe qu'à la façon de la rendre belle, attractive, intéressante, la liturgie est déjà dénaturée. Ou bien elle est l'œuvre de Dieu avec Dieu comme réel sujet, ou bien elle n'est rien.

BENOÎT XVI,
9 septembre 2007

Il y a un seul Seigneur, une seule foi, un seul baptême, un seul Dieu et Père de tous.

Épître aux Éphésiens 4, 5-6

INITIATION (du latin *initium,* « commencement ») : désigne l'introduction et l'insertion de quelqu'un par l'Esprit du Christ dans une communauté existante.

Baptisez-les au nom du Père et du Fils et du Saint Esprit !

Matthieu 28, 19

Par le baptême, chaque enfant est accueilli dans un cercle d'amitié qui ne pourra être brisé ni pendant sa vie ni dans sa mort... Ce cercle amical, cette famille de Dieu, dont l'enfant est maintenant un membre, l'accompagne toujours même dans les périodes de douleur, dans les nuits noires de la vie. Il lui apportera consolation, soutien et lumière.

BENOÎT XVI, 8 janvier 2006

Si donc quelqu'un est dans le Christ, c'est une création nouvelle : l'être ancien a disparu, un être nouveau est là.

2e épître aux Corinthiens 5, 17

La nuit est avancée, le jour est arrivé. Laissons là les œuvres de ténèbres et revêtons les armes de lumière... Revêtez-vous du Seigneur Jésus-Christ.

Épître aux Romains 13, 12.14

DEUXIÈME SECTION

Les sept sacrements de l'Église

193 *Y a-t-il un lien organique entre les sacrements ?*

Tous les →SACREMENTS sont une rencontre avec le Christ qui constitue lui-même le sacrement fondateur. On distingue les sacrements d'→INITIATION qui introduisent dans la foi : le baptême, la →CONFIRMATION et l'→EUCHARISTIE ; les sacrements de guérison : la réconciliation et l'onction des malades ; les sacrements qui sont au service de la communion et de la mission : le mariage et l'ordre. [1210–1211]

Le baptême nous relie au Christ. La → CONFIRMATION nous offre son Esprit. L'→ EUCHARISTIE nous unit à lui. La réconciliation nous réconcilie avec le Christ. Par l'onction des malades, le Christ guérit, fortifie et console. Par le sacrement du mariage, le Christ offre son amour à notre amour et sa fidélité à la nôtre. Par l'ordre, les → PRÊTRES reçoivent la responsabilité de guider les fidèles, le pouvoir de pardonner les péchés et de célébrer la messe.

CHAPITRE PREMIER

Les sacrements de l'initiation

Le sacrement du baptême

194 *Qu'est-ce que le baptême ?*

Le baptême est le fondement de toute vie chrétienne. Il est la porte d'entrée dans l'→ÉGLISE. Par lui, libérés du péché, nous devenons membres du Christ et nous entrons en communion avec Dieu. [1213–1216, 1276–1278]

Le baptême est le → SACREMENT fondateur, le préalable à tous les autres sacrements. Il nous unit à Jésus-Christ, nous plonge dans sa mort rédemptrice sur la croix et nous délivre ainsi de la puissance du péché, et nous fait renaître avec le Christ pour une vie sans fin. Comme le baptême est une alliance avec Dieu, il est nécessaire que le baptisé l'accepte et dise « oui ». → 197

195 *Comment le baptême est-il administré ?*

La forme classique de baptême est la triple immersion du baptisé dans l'eau. Mais, la plupart de temps, celui qui administre le baptême verse trois fois de l'eau sur la tête du baptisé tout en disant : « Je te baptise au nom du Père et du Fils et du Saint Esprit. » [1229–1245, 1278]

L'eau symbolise la purification et la vie nouvelle, ce qui était déjà signifié dans le baptême de pénitence de Jean-Baptiste. Le baptême qui est administré avec de l'eau au « nom du Père et du Fils et du Saint Esprit » est plus qu'un signe de conversion et de pénitence, il est *une vie nouvelle dans le Christ.* D'où les signes supplémentaires de l'onction, de l'habit blanc et du cierge baptismal.

196 *Qui peut être baptisé ? Qu'est-il exigé de celui qui demande le baptême ?*

Toute personne qui n'a pas encore été baptisée peut être baptisée. La seule condition au baptême est la foi, qui doit être proclamée publiquement lors du baptême. [1246–1254]

Celui qui adhère au christianisme ne change pas seulement son regard sur le monde, il s'engage sur un chemin d'initiation (→ CATÉCHUMÉNAT) au cours duquel il devient un être nouveau grâce au don du baptême et par sa conversion personnelle. Il est alors un membre vivant du Corps du Christ.

197 *Pourquoi l'Église tient-elle à baptiser les petits enfants ?*

La pratique de baptiser les petits enfants est une tradition très ancienne de l'Église. Il y a à cela *une unique* raison : avant que l'homme ne fasse le choix de Dieu, Dieu le choisit. Le baptême est par conséquent une grâce, un cadeau immérité venant de Dieu qui accueille sans conditions. Des parents croyants qui veulent le bien de leur enfant veulent donc qu'il reçoive le baptême. Le baptême délivre leur enfant de l'influence du péché originel et de la puissance de la mort. [1250, 1282]

CATÉCHUMÉNAT (du grec *kat'echein,* « enseigner, former des postulants »). Dans l'Église primitive, les adultes qui étaient candidats au baptême (les catéchumènes) suivaient une préparation en trois étapes, le catéchuménat, au cours duquel ils étaient initiés à la foi et participaient progressivement à des célébrations de la Parole de Dieu, jusqu'à ce qu'ils soient admis finalement à l'Eucharistie.

Le cadeau que les nouveau-nés ont reçu doit être assumé par eux quand ils auront grandi, d'une manière libre et responsable. Ce processus de mûrissement les conduira alors à recevoir le sacrement de la confirmation qui achève leur baptême et confère à chacun d'entre eux le sceau du Saint-Esprit.

BENOÎT XVI, 8 janvier 2006

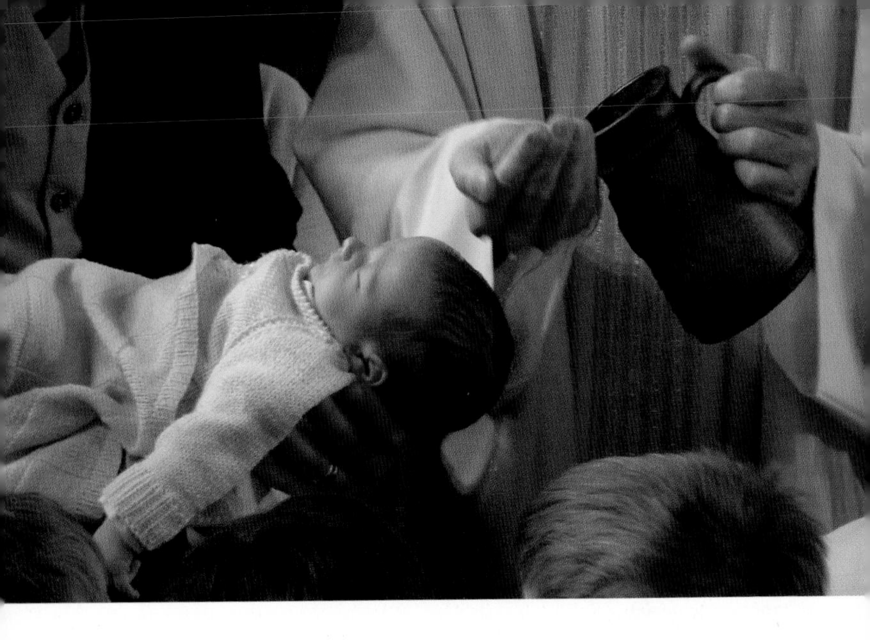

Nous avons donc été ensevelis avec lui par le baptême dans la mort, afin que, comme le Christ est ressuscité des morts par la gloire du Père, nous vivions nous aussi dans une vie nouvelle.

Épître aux Romains 6, 4

Dieu veut que tous les hommes soient sauvés et parviennent à la connaissance de la vérité.

1re épître à Timothée 2, 4

... à moins de naître d'eau et d'Esprit, nul ne peut entrer dans le Royaume de Dieu.

Jean 3, 5

Baptiser son enfant implique de l'initier à la foi. Au prétexte d'un libéralisme mal compris, c'est une injustice de différer le baptême d'un enfant. De même que l'on ne peut pas différer l'amour que l'on porte à un enfant en attendant qu'il le choisisse lui-même plus tard, ainsi serait-ce une injustice si des parents chrétiens différaient pour leur enfant la grâce divine du baptême. De même que chacun naît avec la faculté de parler, mais doit cependant apprendre le langage, ainsi chacun naît-il avec la faculté de croire, mais doit cependant apprendre à croire. On ne peut imposer le baptême arbitrairement à personne. Celui qui a reçu le baptême comme petit enfant doit par la suite le « ratifier » dans sa vie : ce qui veut dire qu'il doit dire oui pour le faire fructifier.

198 *Qui peut administrer le baptême ?*

Ordinairement, c'est l'→ÉVÊQUE, un →PRÊTRE ou un →DIACRE qui administrent le →SACREMENT du baptême. En cas de besoin, tout chrétien. Oui, toute personne peut baptiser en versant de l'eau sur la tête du baptisé en prononçant la formule baptismale : « Je te baptise au nom du Père et du Fils et du Saint-Esprit. » [1256, 1284]

Le baptême est si important que même un non-chrétien peut l'administrer. Il suffit seulement qu'il ait l'intention de faire ce que fait l'Église lorsqu'elle baptise.

199 *Le baptême est-il effectivement le seul chemin du salut ?*

Pour tous ceux qui ont accueilli l'Évangile et qui ont entendu dire que le Christ est *le chemin, la vérité et la vie* (Jn 14, 6), le baptême est le seul chemin vers Dieu et vers le salut. Cependant, il est aussi vrai que le Christ est mort pour *tous*. Tous les hommes sont donc appelés au salut, même ceux qui n'ont pas eu l'occasion de découvrir vraiment le Christ et la foi, mais qui cherchent Dieu d'un cœur honnête et qui mènent une vie en conformité avec leur conscience (on appelle cela *le baptême de désir*). [1257–1261, 1281, 1283]

Dieu a lié le salut aux → SACREMENTS. C'est pourquoi l'Église doit les offrir à l'humanité sans relâche. Renoncer à cette mission serait trahir le mandat de Dieu. Mais Dieu lui-même n'est pas lié à ses sacrements. Là où l'Église ne parvient pas, ou échoue – que ce soit par sa faute ou pour d'autres raisons –, Dieu lui-même ouvre aux hommes un autre chemin vers le salut. → 136

200 *Que se passe-t-il lors du baptême ?*

Lors du baptême, nous devenons membres du Corps du Christ, sœurs et frères de notre Sauveur, enfants de Dieu. Nous sommes libérés du péché, arrachés à la mort et nous sommes désormais destinés à vivre dans la joie des sauvés. [1262–1274, 1279–1280]

Être baptisé signifie ceci : l'histoire de ma vie personnelle plonge dans le flux de l'amour de Dieu. « Notre vie, dit le pape Benoît XVI, appartient au Christ et non plus à nous-mêmes... Accompagnés par lui, oui, accueillis par lui dans son amour, nous sommes délivrés de la peur. Il nous entoure et nous porte, partout où nous allons, lui qui est la vie même » (le 7 avril 2007). → 126

Car, si nous vivons, nous vivons pour le Seigneur et si nous mourons, nous mourons pour le Seigneur. Donc, dans la vie comme dans la mort, nous appartenons au Seigneur.

Épître aux Romains 14, 8

Aussi bien est-ce en un seul Esprit que nous tous avons été baptisés en un seul corps, Juifs ou Grecs, esclaves ou hommes libres, et nous avons tous été abreuvés d'un seul Esprit.

1re épître aux Corinthiens 12, 13

Enfants, et donc héritiers ; héritiers de Dieu, cohéritiers du Christ, puisque nous souffrons avec lui pour être aussi glorifiés avec lui.

Épître aux Romains 8, 17

Je suis appelé à faire ou à être ce à quoi nul autre n'est appelé. Sur la terre de Dieu, j'ai une place dans le plan de Dieu à nulle autre pareille. Que je sois riche ou pauvre, méprisé ou honoré par les hommes, Dieu me connaît et m'appelle par mon nom.

JOHN HENRY NEWMAN

CONFIRMATION (du latin *confirmatio,* « renforcement, affermissement ») : avec le baptême et l'eucharistie, le sacrement de la confirmation constitue l'ensemble des « sacrements de l'initiation chrétienne ». De même que l'Esprit-Saint est descendu le jour de la Pentecôte sur les disciples rassemblés, il descend aussi sur tout baptisé qui demande à l'Église le don de l'Esprit. La confirmation affermit celui-ci et le fortifie pour témoigner en faveur du Christ.

SAINT CHRÊME (du grec *chrisma,* « onction d'huile parfumée », et *christos,* « celui qui est oint ») : le chrême est une huile faite d'un mélange d'huile d'olive et de résine balsamique. L'évêque le consacre durant la semaine sainte lors de la messe chrismale, pour qu'il soit utilisé lors des baptêmes, des confirmations, des ordinations sacerdotales et épiscopales, de même que lors de bénédictions d'autels et de cloches. L'huile symbolise la joie, la force et la santé. Les personnes ayant reçu l'onction du saint chrême doivent répandre *la bonne odeur du Christ* (2 Co 2, 15).

201 *Quel sens revêt le nom reçu au baptême ?*

Lors du baptême, lorsqu'on nous donne un nom, Dieu nous dit : *Je t'ai appelé par ton nom, tu m'appartiens* (Is 43, 1). [2156–2159, 2165–2167]

Au baptême, l'être humain ne se dissout pas dans l'anonymat au nom de Dieu, au contraire, sa personnalité est confirmée. Recevoir un nom au baptême signifie : Dieu me connaît, il me dit oui et m'accueille pour toujours avec ma singularité à nulle autre pareille. → 361

202 *Pourquoi les chrétiens devraient-ils choisir des prénoms de grands saints ?*

Il n'y a pas de meilleurs modèles que les saints, ni de meilleurs auxiliaires. Si mon saint patron est un saint, j'ai un ami près de Dieu. [2156–2159, 2165]

Le sacrement de la confirmation

203 *Qu'est-ce que la confirmation ?*

La →CONFIRMATION est le →SACREMENT qui parfait le baptême, et par lequel nous recevons le don de l'Esprit-Saint. Celui qui fait le libre choix de vivre en enfant de Dieu, et qui demande à recevoir l'Esprit de Dieu par les signes de l'imposition des mains et de l'onction au →SAINT CHRÊME, reçoit une force particulière pour témoigner, en paroles et en actes, de l'amour et de la puissance de Dieu. Il devient alors un membre à part entière et responsable de l'Église catholique. [1285–1314]

Quand un entraîneur envoie un footballeur sur le terrain, il pose sa main sur son épaule et lui donne ses indications. C'est ainsi que l'on peut comprendre la confirmation : on nous impose les mains, et nous entrons sur le terrain de la vie. Grâce à l'Esprit-Saint nous savons ce que nous avons à faire. Il nous a motivés dans tout notre être, et ce qu'il nous demande tinte à nos oreilles. Nous sentons son aide. Nous ne décevrons pas sa confiance et nous ferons tourner le match en sa faveur. Il nous suffit simplement de vouloir, et de l'écouter. → 119–120

204 *Que dit l'Écriture sainte sur le sacrement de la confirmation ?*

Déjà dans l'→ANCIEN TESTAMENT, le peuple de Dieu attendait l'effusion, la venue, de l'Esprit-Saint sur le Messie. Jésus vécut durant toute sa vie dans un Esprit tout particulier d'amour et de communion parfaite avec son Père du ciel. Cet Esprit de Jésus était « l'Esprit-Saint », que le peuple d'Israël désirait ; et ce fut ce même Esprit que Jésus promit à ses disciples, ce même Esprit qui descendit sur les disciples cinquante jours après Pâques, le jour de la Pentecôte. Et c'est encore cet Esprit-Saint de Jésus qui descend sur tous ceux qui reçoivent le →SACREMENT de la →CONFIRMATION. [1285–1288, 1315]

Dans les Actes des Apôtres qui datent de quelques décennies après la mort de Jésus, nous voyons déjà Pierre et Jean en « tournée de confirmation » ; tous les deux se mettent à imposer les mains à de nouveaux chrétiens « qui avaient seulement été baptisés au nom du Seigneur Jésus », afin que leur cœur soit rempli de l'Esprit-Saint.

→ 113–120, 310–311

Apprenant que la Samarie avait accueilli la parole de Dieu, les apôtres qui étaient à Jérusalem y envoyèrent Pierre et Jean. Ceux-ci descendirent donc chez les Samaritains et prièrent pour eux, afin que l'Esprit-Saint leur fût donné. Car il n'était encore tombé sur aucun d'eux ; ils avaient seulement été baptisés au nom du Seigneur Jésus.

Actes des apôtres 8, 14-16

L'Esprit du Seigneur Dieu est sur moi, car le Seigneur m'a donné l'onction ; il m'a envoyé porter la bonne nouvelle aux pauvres, panser les cœurs meurtris, annoncer aux captifs la libération et aux prisonniers la délivrance.

Isaïe 61, 1

Dieu, crée pour moi un cœur pur, restaure en ma poitrine un esprit ferme !

Psaume 51, 12

Approchez-vous de Dieu, et il s'approchera de vous.

Épître de Jacques 4, 8

Je te propose la vie ou la mort, la bénédiction ou la malédiction. Choisis donc la vie, pour que toi et ta postérité vous viviez.

Deutéronome 30, 19

Ce qui importe c'est de commencer avec détermination.

SAINTE THÉRÈSE D'AVILA

205 *Que se passe-t-il lors de la confirmation ?*

Lors de la →CONFIRMATION, un chrétien baptisé est marqué d'un sceau indélébile que l'on ne peut recevoir qu'une seule fois, et qui marque cette personne en tant que chrétien pour toujours. Le don de l'Esprit-Saint est la force d'en haut qui permet au chrétien d'accomplir la grâce de son baptême à travers sa vie, et d'être « témoin » du Christ. [1302–1305, 1317]

Se faire confirmer, c'est conclure « un contrat » avec Dieu. Le confirmand dit : « Oui, je crois en Toi, mon Dieu, donne-moi ton Esprit afin que je t'appartienne totalement, que je ne sois jamais séparé de toi, et que je sois ton témoin durant toute ma vie, de toute mon âme et de tout mon corps, en actes et en paroles, dans les bons et les mauvais jours. » Et Dieu dit : « Moi aussi je crois en toi, mon enfant – et je vais te donner mon Esprit, oui, me donner moi-même. Je vais tout entier t'appartenir. Je ne me séparerai jamais de toi, ici-bas et dans la vie éternelle. Je serai dans ton âme et dans ton corps, dans tes actes et tes paroles. Même si tu m'oublies, je serai là quand même – dans les bons, et les mauvais jours. » → 120

206 *Qui peut être confirmé, et qu'exige-t-on de celui qui demande à l'être ?*

Tout chrétien catholique ayant reçu le →SACREMENT du baptême et qui est en « état de grâce » peut être autorisé à recevoir la →CONFIRMATION. [1306–1311, 1319]

« Être en état de grâce », cela signifie : ne pas avoir commis de péché grave (mortel). Par un péché grave, on se sépare de Dieu, et on ne peut être réconcilié avec Dieu qu'en recourant au sacrement de pénitence. Un (jeune) chrétien qui se prépare à la →CONFIRMATION se trouve dans une des phases les plus importantes de sa vie. Il fera tout pour comprendre sa foi avec son cœur et son intelligence ; il priera l'Esprit-Saint seul et avec d'autres ; il se réconciliera avec lui-même, avec son entourage, et avec Dieu, grâce à la confession, qui permet aussi de se rapprocher de Dieu quand on n'a pas commis de péché grave. → 316–317

207 *Qui peut confirmer ?*

Le → SACREMENT de la → CONFIRMATION est ordinairement administré par l'→ ÉVÊQUE. En cas de nécessité, l'évêque peut concéder à un → PRÊTRE la faculté de l'administrer. Si un chrétien est en danger de mort, tout prêtre peut lui donner la confirmation. [1312–1314]

Le sacrement de l'eucharistie

208 *Qu'est-ce que l'eucharistie ?*

La sainte → EUCHARISTIE est le → SACREMENT par lequel Jésus-Christ livre pour nous son Corps et son Sang – par lequel il se donne lui-même –, afin que nous aussi nous nous donnions à lui par amour et que nous nous unissions à lui dans la sainte → COMMUNION. Par elle, nous sommes liés au seul Corps du Christ, l'Église. [1322, 1324, 1409]

Après le baptême et la → CONFIRMATION, l'→ EUCHARISTIE est le troisième → SACREMENT de l'initiation chrétienne. L'eucharistie est le centre mystérieux de l'ensemble de ces sacrements, car le sacrifice historique de Jésus sur la croix est rendu présent de manière cachée et non sanglante pendant la consécration. Ainsi l'eucharistie est « source et sommet de toute la vie chrétienne » (concile Vatican II, *Lumen Gentium,* 11). Tout est ordonné à elle ; il n'y a pas de plus grand bien que nous puissions obtenir. Quand nous mangeons le pain rompu, nous nous unissons à l'amour du Christ qui a livré son Corps pour nous sur le bois de la croix ; quand nous buvons à la coupe, nous nous unissons à celui qui, dans son sacrifice, est allé jusqu'à verser son Sang pour nous. Nous n'avons pas inventé ce rite. Jésus lui-même a célébré la dernière Cène avec ses disciples, anticipant ainsi sa mort. Il s'offrit à ses disciples sous les signes du pain et du vin et les exhorta à célébrer l'→ EUCHARISTIE à partir de ce moment-là et au-delà de sa mort. *Faites ceci en mémoire de moi !* (1 Co 11, 24.) → 126, 193, 217

Dieu nous aurait donné un bien encore plus grand, s'il avait eu un bien plus grand que le don de lui-même.

JEAN-MARIE VIANNEY (1786–1859, le « saint curé d'Ars »)

Le véritable effet de l'eucharistie est la conversion de l'homme en Dieu.

SAINT THOMAS D'AQUIN

EUCHARISTIE (en grec *eu charistia,* « action de grâce ») : l'eucharistie était à l'origine le nom donné à la prière d'action de grâce qui, dans la liturgie de la première Église, précédait la transformation du pain et du vin en Corps et Sang du Christ. Plus tard, on a élargi cette appellation à l'ensemble de la célébration de la messe.

Avant la fête de la Pâque, Jésus, sachant que son heure était venue de passer de ce monde vers le Père, ayant aimé les siens qui étaient dans le monde, les aima jusqu'à la fin.

Jean 13, 1

209 *Quand le Christ a-t-il institué l'eucharistie ?*

Jésus a institué l'→EUCHARISTIE la veille de sa mort, dans la nuit *où il fut livré* (1 Co 11, 23), quand il rassembla les →APÔTRES autour de lui dans le Cénacle, et qu'il célébra avec eux la dernière Cène. [1323, 1337–1340]

210 *Comment le Christ a-t-il institué l'eucharistie ?*

***Je vous ai pourtant transmis, moi, ce que j'ai reçu de la Tradition qui vient du Seigneur : la nuit même où il fut livré, le Seigneur Jésus prit du pain, puis, ayant rendu grâce, il le rompit, et dit : « Ceci est mon Corps, donné pour vous. Faites cela en mémoire de moi. » Après le repas, il fit de même avec la coupe, en disant : « Cette coupe est la nouvelle Alliance en mon Sang. Chaque fois que vous en boirez, faites cela en mémoire de moi »* (1 Co 11, 23–25).**

Ce récit, le plus ancien que nous ayons sur ce qui se passa au Cénacle, nous est relaté par l'→ APÔTRE Paul. Il n'en fut pas un témoin oculaire, mais il transcrivit ce qui était conservé comme un saint mystère et pratiqué dans la liturgie de la jeune communauté chrétienne. → 99

211 *Quelle est l'importance de l'eucharistie pour l'Église ?*

La célébration de l'→EUCHARISTIE est le cœur de la communion chrétienne. En elle l'Église devient elle-même. [1325]

Ce n'est pas parce que nous payons le denier du culte, ni parce que nous nous entendons bien, ni parce que nous avons été rattachés à telle ou telle paroisse que nous faisons Église, mais parce que, dans l'eucharistie, nous recevons le Corps du Christ, et que, à chaque fois, nous devenons progressivement le Corps du Christ. → 126, 217

212 *Quels noms donne-t-on au repas de Jésus avec nous, et que signifient-ils ?*

Différents noms ont été donnés à l'eucharistie, comme pour faire sentir la richesse de ce saint sacrifice :

» Comment Jésus peut-il donner son Corps et son Sang ? En changeant le pain en son Corps, et le vin en son Sang, et qu'il les donne, il anticipe sa mort, il l'accepte de l'intérieur, et la transforme en un geste d'amour. Ce qui extérieurement est brutale violence – la crucifixion – devient intérieurement acte de l'amour qui se donne totalement.

BENOÎT XVI, 21 août 2005

» J'entendais comme une voix venant d'en haut : « Je suis l'aliment des forts ; grandis et mange-moi ! Mais tu ne me transformeras pas en toi comme si j'étais un aliment matériel, c'est toi qui seras transformé en ce que je suis. »

SAINT AUGUSTIN, à l'époque de sa conversion

» Ne pas communier : c'est comme mourir de soif près d'une source.

JEAN-MARIE VIANNEY

sainte messe, sacrifice de la messe, repas du Seigneur, fraction du pain, assemblée eucharistique, mémorial de la Passion, de la mort et de la Résurrection, sainte et divine liturgie, saints mystères, sainte → COMMUNION. [1328–1332]

Saint sacrifice, sainte messe, sacrifice de la messe : l'unique sacrifice du Christ, qui accomplit et surpasse tous les sacrifices, devient présent dans la célébration eucharistique. L'→ ÉGLISE et les fidèles s'unissent par leur propre offrande au sacrifice du Christ. Le mot « messe » vient de la bénédiction finale *Ite missa est :* allez maintenant, vous êtes envoyés en mission !

Repas du Seigneur : chaque célébration eucharistique est toujours et à chaque fois la Cène unique que Jésus a célébrée avec ses disciples, et en même temps l'anticipation du banquet que le Seigneur célébrera à la fin des temps avec l'humanité sauvée. Ce n'est pas nous, les hommes, qui faisons la messe – c'est le Seigneur qui nous appelle à la messe, et qui est là, présent mystérieusement.

Fraction du pain : la « fraction du pain » était un rite ancien propre au repas juif, que Jésus a repris lors de la dernière Cène, pour exprimer qu'il se livrait *pour nous tous* (Rm 8, 32). Après sa résurrection, les disciples le

» Dans la sainte Eucharistie, nous faisons un avec Dieu, comme l'aliment avec le corps.

SAINT FRANÇOIS DE SALES

» Nous devons tisser notre vie autour de l'eucharistie. Tournez vos yeux vers Lui, qui est la lumière ; mettez votre cœur tout près de son divin cœur ; demandez-lui la grâce pour le confesser, l'amour pour l'aimer, le courage pour le servir. Cherchez-le d'un ardent désir.

MÈRE TERESA

Nous ne devons pas séparer notre vie de l'eucharistie. Si cependant nous le faisons, quelque chose se casse. Les gens nous demandent : « Où les sœurs puisent-elles la force et la joie de faire ce qu'elles font ? » Dans l'eucharistie, il n'y a pas que le fait de la recevoir, elle apaise aussi la faim du Christ. Il nous dit : « Venez à moi ! » Il a faim de nos âmes.

MÈRE TERESA

CONSÉCRATION (du latin *consecratio)* : action de consacrer une personne, un objet ou un lieu, en les vouant au service de Dieu. Dans la liturgie de la messe, ce mot désigne la prière du prêtre qui redit les paroles du Christ à la Cène sur le pain et le vin afin qu'ils deviennent le corps et le sang du Christ grâce à l'Esprit-Saint.

reconnurent à la fraction du pain. C'est par l'expression « fraction du pain » que les premiers chrétiens désignaient leurs célébrations liturgiques de la Cène.

Assemblée eucharistique : la célébration du repas du Seigneur se fait aussi en assemblée des fidèles qui rendent grâce, expression visible de l'→ ÉGLISE.

Mémorial de la passion, de la mort et de la résurrection du Seigneur : lors de la célébration eucharistique, l'assemblée ne se célèbre pas elle-même, elle découvre et célèbre toujours le présent du passage salvifique de Jésus à la vie, par sa mort et sa résurrection.

Sainte et divine liturgie, saints mystères : la célébration eucharistique réunit l'Église du ciel et de la terre en une seule fête. On parle aussi de Très Saint Sacrement parce que les offrandes eucharistiques dans lesquelles Jésus est présent sont, en quelque sorte, ce qu'il y a de plus saint au monde.

Sainte communion (communio) : on parle de sainte → COMMUNION parce que nous nous unissons au Christ dans la sainte messe, et que par lui nous sommes unis les uns aux autres.

213 *Quelles sont les parties essentielles de la messe ?*

Toute la messe (célébration eucharistique) se déroule en deux parties, la liturgie de la Parole et la célébration eucharistique à proprement parler. [1346-1347]

Au cours de la liturgie de la Parole, Dieu veut nous parler et nous écoutons des lectures tirées de l'→ ANCIEN et du → NOUVEAU TESTAMENT, ainsi qu'une lecture d'Évangile. C'est aussi le moment de la prédication et des intercessions pour tous les hommes. La célébration eucharistique qui vient ensuite comprend la présentation du pain et du vin, puis leur consécration, puis la → COMMUNION.

214 *Quelle est la structure de la messe ?*

La messe commence par le rassemblement des fidèles et la procession du → PRÊTRE et des servants d'autel. Après la salutation du prêtre vient la confession des péchés que tous font ensemble, et qui se termine par le →

KYRIE. Les dimanches (excepté pendant les temps du Carême et de l'Avent) et les jours de fête on chante ou on récite ensuite le → GLORIA. La prière du jour introduit une ou deux lectures de l' → ANCIEN et du → NOUVEAU TESTAMENT. L'acclamation de l'→ ALLELUIA prend place avant l'Évangile. Les dimanches et jours de fête, après la proclamation de l'Évangile, le prêtre ou le → DIACRE prononce une → HOMÉLIE. En ces mêmes dimanches et jours de fête, l'assemblée professe sa foi commune dans le → CREDO, auquel s'ajoutent les intercessions de la « prière universelle ».
La deuxième partie de la messe commence par la préparation des offrandes, qui se termine par une prière sur les offrandes. Le sommet de la célébration eucharistique est la prière eucharistique, introduite par la préface et le → SANCTUS. C'est alors que les offrandes du pain et du vin sont changées en Corps et Sang du Christ. La prière eucharistique se termine par la → DOXOLOGIE qui débouche sur la prière du Père (le *Notre-Père*). Viennent ensuite la prière pour la paix, l'→ AGNUS DEI, la fraction du pain et la communion, ce qui, en règle générale, ne se fait que sous l'espèce du Corps du Christ. La messe s'achève dans le recueillement, l'action de grâces, par une prière finale et une → BÉNÉDICTION par le prêtre. [1348–1355]

Le → KYRIE :

Seigneur, prends pitié (de nous) ! Seigneur, prends pitié (de nous) !
Ô Christ, prends pitié (de nous) ! Ô Christ, prends pitié (de nous) !
Seigneur, prends pitié (de nous) ! Ô Christ, prends pitié (de nous) !

Kyrie eleison! *R/ Kyrie eleison!*
Christe eleison! *R/ Christe eleison!*
Kyrie eleison! *R/ Kyrie eleison!*

COMMUNION (du latin *communio*) : par communion, on entend le fait de recevoir le Corps et le Sang du Christ sous les offrandes consacrées du pain et du vin. Cela se fait, en règle général, pendant la messe, en certaines occasions, mais aussi en dehors (par exemple : la communion des malades). La communion uniquement sous l'espèce du pain est une complète communion au Christ.

KYRIE ELEISON (en grec « Seigneur, prends pitié ! ») : le *Kyrie eleison* était une acclamation très ancienne pour rendre hommage aux dieux et aux souverains ; très tôt il fut appliqué au Christ, et vers l'an 500 ce terme de la liturgie grecque fut adopté, non traduit, dans la liturgie romaine et occidentale.

GLORIA (du latin, « gloire ») : le chant d'allégresse des anges aux bergers (Lc 2, 14) dans la nuit de Noël constitue l'introduction d'une hymne chrétienne très ancienne restée dans cette formulation depuis le IXe siècle. C'est une manière solennelle de chanter la louange de Dieu.

ALLELUIA (composé de l'hébreu *halal,* « louez ! glorifiez ! » et du nom de Dieu JHWH/Yahvé, « louons Dieu ! »). Cette exclamation, qui revient vingt-quatre fois dans les psaumes, précède, dans le cours de la messe, la lecture de la Parole de Dieu dans l'Évangile.

HOMÉLIE du grec *homilein,* « parler à quelqu'un, d'égal à égal, avec humanité ») : c'est un synonyme de prédication. Au cours de la célébration eucharistique, le prédicateur a la charge de proclamer la Bonne Nouvelle (en grec *eu angelion),* d'aider les fidèles et de les encourager à professer et à mettre en pratique →

Le → GLORIA :

Gloire à Dieu, au plus haut des cieux,
et paix sur la terre aux hommes qu'il aime.
Nous te louons, nous te bénissons,
nous t'adorons,
nous te glorifions, nous te rendons grâce
pour ton immense gloire, Seigneur Dieu, Roi du ciel,
Dieu le Père tout-puissant.
Seigneur, Fils unique, Jésus-Christ.
Seigneur Dieu, Agneau de Dieu,
le Fils du Père ;
Toi qui enlèves le péché du monde,
prends pitié de nous ;
Toi qui enlèves le péché du monde
reçois notre prière ;
Toi qui es assis à la droite du Père,
prends pitié de nous. Car toi seul es saint,
Toi seul es seigneur,
Toi seul es le Très-Haut :
Jésus-Christ, avec le Saint-Esprit dans la gloire de Dieu le Père ;
Amen.

Gloria in excelsis Deo
et in terra pax hominibus bonae voluntatis.
Laudamus te, benedicimus te,
adoramus te, glorificamus te,
gratias agimus tibi propter magnam gloriam tuam,
Domine Deus, Rex caelestis,
Deus Pater omnipotens,
Domine Fili unigenite, Iesu Christe,
Domine Deus, Agnus Dei,
Filius Patris,
qui tollis peccata mundi, miserere nobis ;
qui tollis peccata mundi, suscipe deprecationem nostram.
Qui sedes ad dexteram Patris, miserere nobis.
Quoniam tu solus Sanctus,
tu solus Dominus,
tu solus Altissimus, Iesu Christe,
cum Sancto Spiritu :
in gloria Dei Patris. Amen.

Le → SANCTUS :

Saint, Saint, Saint le Seigneur, Dieu de l'Univers,
Le ciel et la terre sont remplis de ta gloire
Hosanna, au plus haut des cieux.
Béni, soit celui qui vient au nom du Seigneur,
Hosanna, au plus haut des cieux.

Sanctus, Sanctus, Sanctus Dominus Deus Sabaoth.
Pleni sunt caeli et terra gloria tua.
Hosanna in excelsis.
Benedictus qui venit in nomine Domini.
Hosanna in excelsis.

L' → AGNUS DEI :

Agneau de Dieu, qui enlèves le péché du monde,
prends pitié de nous.
Agneau de Dieu, qui enlèves le péché du monde,
prends pitié de nous.
Agneau de Dieu, qui enlèves le péché du monde,
donne-nous la paix.

Agnus Dei, qui tollis peccata mundi, miserere nobis.
Agnus Dei, qui tollis peccata mundi, miserere nobis.
Agnus Dei, qui tollis peccata mundi, dona nobis pacem.

215 *Qui préside la célébration eucharistique ?*

En fait, c'est le Christ lui-même qui préside toute célébration eucharistique. L'→ ÉVÊQUE ou le → PRÊTRE le représente. [1348]

C'est la foi de l'→ ÉGLISE : le célébrant se tient à l'autel *in persona Christi capiti* (du latin, « en la personne du Christ-Tête »). Cela signifie que les → PRÊTRES n'agissent pas seulement à la place et sur mandat du Christ, mais qu'en raison de leur consécration, c'est le Christ, en tant que Tête de l'Église, qui agit par eux. → 249-254

216 *De quelle manière le Christ est-il là, quand l'eucharistie est célébrée ?*

Le Christ est mystérieusement, mais réellement présent dans le → SACREMENT de l'→ EUCHARISTIE. Chaque

→ L'homélie de la messe est réservée à l'évêque, au prêtre ou au diacre. En leur absence, lors de certaines liturgies, des laïcs peuvent être invités à prêcher.

SANCTUS (du latin, « saint ») : le Sanctus constitue une des plus anciennes prières de la messe. Son origine remonte au VIIIe siècle av. J.-C. (!) et il ne doit jamais être supprimé. Il reprend à la fois le chant des séraphins en Isaïe 6, 3, et l'exclamation du psaume 118, 25, que l'on emploie pour louer le Christ présent.

TRANSSUBSTANTIATION (du latin *trans,* « au-delà », et *substantia,* « la substance, la nature ») : des théologiens tentent d'expliquer par ce mot comment Jésus peut être présent dans l'eucharistie sous les apparences du pain et du vin : l'extérieur des « espèces » reste inchangé, tandis que la « substance » (soit ici la « nature ») du pain et du vin est changée en Corps et Sang du Christ par l'opération →

→ de l'Esprit-Saint au moment où sont prononcées les paroles consécratoires. Dans ce qui a l'aspect du pain et du vin, Jésus-Christ est réellement là, bien qu'invisible et caché, aussi longtemps que les *espèces* sont conservées.

AGNUS DEI (du latin, « agneau de Dieu ») : il s'agit de l'agneau de Dieu (Ex 12), par le sacrifice duquel le peuple d'Israël fut libéré de la servitude égyptienne. Jean-Baptiste a appliqué cette image à Jésus (Jn 1, 29 : *voici l'Agneau de Dieu)*. Par Jésus, qui est conduit comme un agneau à l'abattoir, nous sommes libérés de nos péchés, et nous obtenons la paix avec Dieu. Cette prière litanique de louange au Christ « Ô toi, l'Agneau de Dieu » fait partie de l'ordinaire de chaque messe depuis le VIIe siècle.

Chaque fois en effet que vous mangez ce pain et que vous buvez à cette coupe, vous annoncez la mort du Seigneur, jusqu'à ce qu'il vienne.

1re épître aux Corinthiens 11, 26

fois que l'→ ÉGLISE exécute la demande de Jésus : *Faites cela en mémoire de moi* (1 Co 11, 25), qu'elle rompt le pain et tend la coupe, c'est l'événement même du temps de Jésus qui se réalise aujourd'hui : le Christ s'offre vraiment à nous en sacrifice et nous obtenons vraiment de participer à son offrande. Le sacrifice que le Christ a offert une fois pour toutes sur la croix est rendu présent et actuel sur l'autel : il accomplit l'œuvre de notre rédemption. [1362-1367]

217 *Qu'est-ce qui se produit dans l'Église quand elle célèbre l'eucharistie ?*

Chaque fois que l'Église célèbre l'→ EUCHARISTIE, elle se trouve devant la source d'où elle jaillit et se régénère sans cesse : en « mangeant » le Corps du Christ, l'Église devient Corps du Christ (qui est un autre nom pour désigner l'Église). Dans l'offrande du Christ qui se donne à nous avec son âme et son Corps, il y a place

pour notre vie entière. Notre travail, nos souffrances et nos joies, nous pouvons tout unir à l'offrande du Christ. Quand nous nous offrons à Dieu de cette manière, nous sommes transformés : nous plaisons à Dieu et nous sommes pour les autres une sorte de bon pain nourrissant. [1368–1372, 1414]

Nous récriminons sans cesse contre l'→ ÉGLISE, comme si elle n'était qu'une réunion d'êtres humains plus ou moins bons. En réalité, l'Église est ce qui se forme chaque jour mystérieusement sur l'autel. Dieu se donne pour chacun de nous et il veut nous transformer par la → COMMUNION avec lui. Une fois transformés, nous devons transformer le monde. Tout le reste concernant ce qu'est l'Église est de second ordre. → 126, 171, 208

218 *Comment devons-nous honorer correctement le Seigneur présent sous le pain et le vin ?*

Parce que Dieu est réellement présent sous les espèces consacrées du pain et du vin, nous devons conserver ces saintes espèces avec le plus grand respect, et adorer notre Seigneur et Sauveur présent dans le Saint Sacrement. [1378–1381, 1418]

Si, après la célébration de l'→ EUCHARISTIE, il reste encore des hosties consacrées, on les garde dans des *ciboires* placés dans le → TABERNACLE. Comme le Saint-Sacrement y est présent, le tabernacle est, dans toutes les églises, le lieu qu'il faut respecter le plus. Nous faisons une génuflexion devant le tabernacle. Certes, celui qui marche vraiment à la suite du Christ le reconnaîtra dans les plus pauvres, et le servira à travers eux. Mais il devra aussi trouver du temps pour adorer le Seigneur en silence devant le tabernacle et lui offrir son amour.

219 *À quelle fréquence un catholique doit-il participer à une célébration eucharistique ?*

L'Église fait l'obligation à tout chrétien catholique de participer à la messe tous les dimanches et jours de fête. Celui qui recherche vraiment l'amitié de Jésus répond, aussi souvent qu'il le peut, à l'invitation personnelle de Jésus à son repas de fête. [1389, 1417]

TABERNACLE (du latin *tabernaculum*, « hutte, tente ») : s'inspirant de l'arche d'Alliance de l'Ancien Testament, l'Église catholique fit du tabernacle le lieu le plus précieux pour conserver le Saint-Sacrement (le Christ sous l'espèce du pain).

OSTENSOIR (du latin *ostendere*, « montrer ») : objet sacré destiné, en certaines occasions, à exposer le Saint-Sacrement, c'est-à-dire le Christ, pour que les fidèles l'adorent.

DOXOLOGIE (du grec *doxa*, « gloire ») : une doxologie est la conclusion solennelle d'une prière à la gloire de Dieu, comme, par exemple, la conclusion de la prière eucharistique : *Par lui, avec lui et en lui, à toi, Dieu le Père tout-puissant, dans l'unité du Saint-Esprit, tout honneur et toute gloire, pour les siècles des siècles.* →

À vrai dire, l'expression « obligation du dimanche » est aussi inadéquate pour un vrai chrétien que serait l'« obligation d'embrasser » pour un amoureux. Personne ne peut avoir une relation vivante avec Jésus, s'il ne va pas là où il nous attend. C'est pourquoi la messe est depuis toujours pour les chrétiens « le cœur du dimanche », et le rendez-vous le plus important de la semaine.

220 *Comment dois-je me préparer pour pouvoir recevoir l'eucharistie ?*

Celui qui veut recevoir l'→ EUCHARISTIE doit être catholique. S'il est conscient d'avoir commis un péché grave, il doit d'abord se confesser. Avant de s'approcher de l'autel, il faut se réconcilier avec son prochain. [1389, 1417]

Jusqu'à il y a quelques années, on avait coutume de ne rien manger pendant au moins trois heures avant la messe ; on voulait ainsi se préparer à la rencontre avec le Christ dans la → COMMUNION. Aujourd'hui, l'→ ÉGLISE recommande au moins une heure de jeûne. Un autre signe de respect est de bien s'habiller – car, finalement, c'est bien avec le Seigneur de l'univers que nous avons rendez-vous !

221 *Comment la communion me transforme-t-elle ?*

Chaque → COMMUNION m'unit plus profondément au Christ, fait de moi un membre vivant du Corps du Christ, renouvelle les grâces que j'ai reçues au baptême et à la → CONFIRMATION, et me rend fort dans le combat contre le péché. [1391–1397, 1416]

222 *Peut-on donner l'eucharistie à des non-catholiques ?*

La → COMMUNION exprime l'unité du Corps du Christ. Fait partie de l'→ ÉGLISE catholique celui qui est baptisé dans cette Église, qui partage sa foi, et qui vit en unité avec elle. Il serait contradictoire que l'Église invite à la communion des personnes ne partageant (pas encore) ni sa foi ni sa vie. La crédibilité du signe de l'→ EUCHARISTIE en pâtirait. [1398–1401]

→ Souvent, les doxologies s'adressent au Dieu trinitaire : *Gloire au Père, au Fils et au Saint-Esprit, comme il était au commencement, maintenant et toujours, pour les siècles des siècles,* formule par laquelle on termine généralement la prière chrétienne.

» Nous avons beaucoup de travail. Nos hôpitaux et nos mouroirs sont pleins partout. Quand nous avons commencé l'adoration quotidienne, notre amour du Christ devint beaucoup plus intime, notre amour des autres plus patient, notre amour des pauvres plus compatissant, et le nombre des vocations a doublé.

MÈRE TERESA

» Des chrétiens protestants peuvent avoir accès à la communion eucharistique « si la mort est imminente... s'ils ne trouvent pas un ministre de leur communauté qui puisse donner la communion... s'ils la demandent de leur plein gré : il faut alors qu'ils manifestent la foi catholique concernant ce sacrement et qu'ils se trouvent dans les dispositions requises. »

Codex Iuris Canonici (CIC), can. 844 § 4

Il est possible à des orthodoxes de demander, individuellement, à recevoir la → COMMUNION au cours d'une messe catholique, parce que les orthodoxes partagent la foi en l'eucharistie de l'Église catholique, bien que leur communauté ne vive pas encore en pleine unité avec elle. S'agissant de membres d'autres confessions chrétiennes, la communion peut leur être donnée en cas d'urgence grave, et s'ils ont une pleine foi en la présence eucharistique. L'objectif et le désir de tout le mouvement œcuménique est de parvenir à des célébrations eucharistiques communes entre chrétiens catholiques et protestants, toutefois, ce serait une erreur, et ce n'est donc pas permis actuellement, d'organiser ces célébrations de la Cène en commun, tant que l'on n'a pas constitué la réalité du Corps du Christ dans la foi *une* et dans l'Église *une*. Les autres assemblées œcuméniques où des chrétiens de différentes confessions prient les uns avec les autres sont une bonne chose, souhaitée par l'Église catholique.

223 *Dans quelle mesure l'eucharistie est-elle une anticipation de la vie éternelle ?*

Jésus a promis à ses disciples, et donc à nous aussi, d'être un jour assis à sa table. C'est pourquoi toute messe est « le souvenir de sa passion, où la grâce emplit notre âme, où nous est donné le gage de la vie à venir ». [1402-1405]

CHAPITRE II
Les sacrements de guérison

Le sacrement de pénitence et de réconciliation

224 *Pourquoi le Christ nous a-t-il donné le sacrement de pénitence-réconciliation et l'onction des malades ?*

Le Christ manifeste son amour en allant chercher ceux qui sont perdus, et en guérissant les malades. C'est pourquoi il nous a donné le → SACREMENT de pénitence et de réconciliation, par lequel nous sommes libérés du péché et fortifiés lorsque nous sommes faibles physiquement et moralement. [1420-1421] → 67

Seigneur, je ne mérite pas que tu entres sous mon toit ; mais dis seulement un mot et mon enfant sera guéri.

Matthieu 8, 8

C'est une variante de cette parole, adressée par le centurion romain à Jésus, que tout catholique récite avant d'aller communier : « Seigneur, je ne suis pas digne de te recevoir, mais dis seulement une parole et je serai guéri. »

Le Fils de l'homme est venu chercher et sauver ce qui était perdu.

Luc 19, 10

Aide-moi, Seigneur, à mieux te connaître et à mieux t'aimer afin que je puisse te suivre de manière plus résolue.

SAINT IGNACE D'ANTIOCHE (fin Ier siècle – déb. IIe siècle, père apostolique)

Si nous disons : « Nous n'avons pas de péché », nous nous abusons ; la vérité n'est pas en nous.

1re épître de Jean 1, 8

Le fils alors lui dit : « Père, j'ai péché contre le Ciel et envers toi. Je ne mérite plus d'être appelé ton fils. » Mais le père dit à ses serviteurs : « Vite, apportez la plus belle robe et l'en revêtez, mettez-lui un anneau au doigt et des chaussures aux pieds. »

Luc 15, 21-22

Ceux à qui vous remettrez les péchés, ils leur seront remis, ceux à qui vous les maintiendrez, ils leur seront retenus.

Jean 20, 23

Certains se sont désignés comme étant de mauvais criminels, car ils voyaient Dieu, ils se voyaient eux-mêmes – et voyaient la différence.

MÈRE TERESA

225 *Quels noms donne-t-on au sacrement de pénitence-réconciliation ?*

Il est appelé →SACREMENT de pénitence-réconciliation, du pardon, de la conversion, ou de « confession ». [1422–1424, 1486]

226 *Nous avons pourtant le baptême, qui réconcilie avec Dieu ; pourquoi avons-nous donc besoin d'un sacrement de réconciliation qui nous soit propre ?*

Le baptême arrache certes au pouvoir du péché et de la mort, et établit dans la vie nouvelle d'enfants de Dieu, mais il ne nous délivre pas de notre faiblesse humaine et de notre inclination au péché. C'est pourquoi nous avons besoin d'un lieu où, encore et encore, nous puissions être à nouveau réconciliés avec Dieu. Ce lieu, c'est la confession. [1425–1426]

Ce n'est pas à la mode de se confesser ; cela peut être difficile, et coûter beaucoup d'efforts au début. Mais c'est une des plus grandes grâces de notre vie, de pouvoir toujours repartir à nouveau – parce que, vraiment, ce sacrement renouvelle, décharge du poids des fautes et des hypothèques d'hier, lorsqu'il est accueilli dans l'amour, et plein d'une force nouvelle. Dieu est miséricordieux et son plus cher désir est que nous quémandions sa miséricorde. Celui qui s'est confessé ouvre une nouvelle page, toute blanche, du livre de sa vie. → 67–70

227 *Qui a institué le sacrement de pénitence-réconciliation ?*

Jésus lui-même a institué le sacrement de pénitence, quand il est apparu à ses →APÔTRES le soir de Pâques, et qu'il leur a dit : *Recevez l'Esprit-Saint ; tout homme à qui vous remettrez ses péchés, ils lui seront remis ; tout homme à qui vous maintiendrez ses péchés, ils lui seront maintenus* (Jn 20, 22 a-23). [1439, 1485]

Nulle part Jésus n'a mieux illustré le mouvement du sacrement de pénitence-réconciliation que dans la parabole dite de « l'enfant prodigue » (dont le centre est « le père miséricordieux ») : nous nous égarons, nous nous perdons, nous ne pouvons plus faire face à notre vie. Pourtant notre Père nous attend d'un grand désir, d'un désir infini même ; il nous pardonne quand nous rentrons ; il nous accueille toujours, à nouveau, il nous pardonne notre péché. Jésus lui-même a pardonné leurs péchés à beaucoup de personnes ; c'était plus important pour lui que d'accomplir des miracles. Il y voyait le plus grand signe de l'avènement du Royaume de Dieu, où toutes les blessures sont guéries, et toutes les larmes séchées. Jésus a transmis à ses → APÔTRES la force de l'Esprit-Saint par laquelle il pardonnait les péchés. Nous tombons dans les bras de notre Père du ciel quand nous allons trouver un → PRÊTRE pour nous confesser. → 314, 524

228 *Qui peut pardonner les péchés ?*

Seul Dieu peut pardonner les péchés. Seul Jésus, parce qu'il est le Fils de Dieu, pouvait dire : *tes péchés te sont pardonnés* (Mc 2, 5). Et c'est uniquement parce que Jésus leur en a donné le pouvoir que les → PRÊTRES peuvent pardonner les péchés à la place de Jésus. [1441–1442]

Certains disent : je vais directement à Dieu, et je n'ai pas besoin d'un prêtre ! Mais Dieu veut que cela se passe autrement. Il nous connaît. Nous nous donnons souvent de bonnes raisons pour nous justifier, et, facilement, nous passons nos fautes par pertes et profits. C'est pourquoi Dieu veut que nous lui disions nos péchés, et que nous les lui confessions face à face. D'où ce pouvoir qu'il a conféré aux prêtres : *Tout homme à qui vous remettrez ses péchés, ils lui seront remis, tout homme à qui vous maintiendrez ses péchés, ils lui seront maintenus* (Jn 20, 23).

229 *Qu'est-ce qui dispose au repentir ?*

Reconnaître sa faute personnelle suscite le désir de s'améliorer ; c'est ce qu'on appelle le repentir. Nous y parvenons quand nous voyons la contradiction entre l'amour de Dieu et notre péché. Alors, pleins de douleur face aux péchés commis, nous décidons de changer notre vie, et mettons toute notre espérance dans le secours du Seigneur. [1430–1433, 1490]

La réalité du péché est souvent refoulée. Certains croient même que l'on devrait simplement recourir à la psycholo-

Fais-nous revenir à toi, Seigneur, et nous reviendrons.

Lamentations 5, 21

Le repentir a sa source dans la reconnaissance de la vérité.

THOMAS STEARNS ELIOT (1888–1965, écrivain anglo-américain)

Il faut se relever tout de suite quand on tombe ! Ne jamais laisser le péché un instant dans son cœur !

SAINT CURÉ D'ARS

Qu'est-ce que le repentir ? C'est la grande tristesse d'être tels que nous sommes.

MARIE VON EBNER-ESCHENBACH (1830–1916, écrivain autrichien)

La pénitence est un second baptême, le baptême des larmes.

SAINT GRÉGOIRE DE NAZIANZE

gie pour lutter contre des sentiments de culpabilité. Mais il est important d'avoir une vraie conscience de sa faute. C'est comme en voiture : quand le compteur signale un dépassement de vitesse, ce n'est pas la faute du compteur, mais du conducteur. Plus nous nous approchons de Dieu qui est toute lumière, plus nos zones d'ombres nous apparaissent clairement. Mais Dieu n'est pas une lumière qui brûle, il est la lumière qui guérit. C'est pourquoi le repentir pousse à entrer dans la lumière, où nous nous rétablissons complètement. → 312

> Dieu a une si haute estime de la pénitence, que la moindre pénitence ici-bas, pourvu qu'elle soit sincère, lui fait oublier toute forme de péché, si bien que même aux démons, il leur pardonnerait tous leurs péchés, s'ils pouvaient se repentir.
>
> SAINT FRANÇOIS DE SALES

230 *Qu'est-ce que la pénitence ?*

La pénitence est la réparation d'une injustice commise. Je ne peux pas faire pénitence uniquement dans ma tête. Je dois la pratiquer en des actes d'amour et d'engagement au service des autres. En priant, en jeûnant, en soutenant les pauvres moralement et matériellement on fait aussi pénitence ! [1434–1439]

La pénitence est souvent mal comprise. Elle n'a rien à voir avec le mépris de soi, ou les faux scrupules. Il ne s'agit pas de se répéter sans arrêt que l'on est mauvais. La pénitence nous libère et nous encourage à repartir.

> Un signe de repentir sincère est d'éloigner l'occasion (mauvaise).
>
> SAINT BERNARD DE CLAIRVAUX

231 *Quelles sont les deux conditions fondamentales requises pour qu'un chrétien soit pardonné ?*

Pour que les péchés soient pardonnés, il faut que la personne se convertisse, et que le → PRÊTRE lui accorde au nom de Dieu l'absolution de ses péchés. [1448]

> Dieu sait tout. Surtout il sait qu'après vous être confessés vous allez recommencer à pécher. Néanmoins, il pardonne. Il va jusqu'à oublier exprès l'avenir, pour nous pardonner.
>
> SAINT CURÉ D'ARS

> La charité couvre la multitude des péchés.
>
> 1re épître de Pierre 4, 8

232 *Que dois-je faire pour me confesser ?*

Toute confession comporte l'examen de conscience, le repentir, la résolution, l'aveu, et la pénitence. [1450–1460; 1490–1492; 1494]

L'*examen de conscience* devrait se faire en profondeur, tout en ne pouvant jamais être complet. Sans véritable *repentir,* qui ne soit pas simplement formulé du bout des lèvres, personne ne peut être acquitté de son péché. La *résolution* de ne plus commettre ce péché à l'avenir est tout aussi indispensable. Le pécheur doit absolument *avouer* son péché au confesseur, s'en confesser donc. Enfin, une confession comporte aussi la *réparation* ou *pénitence,* que donne le confesseur pour que le pécheur répare le tort qu'il a causé.

233 *Quels péchés faut-il confesser ?*

Tous les péchés graves dont on se souvient après avoir examiné sa conscience et que l'on n'a pas encore confessés peuvent normalement être pardonnés dans la confession sacramentelle individuelle. [1457]

Certes on hésite souvent à aller se confesser, le fait de prendre sur soi est déjà un premier pas, pour retrouver une santé intérieure. Cela aide souvent de penser que même le → PAPE doit avoir le courage d'avouer ses fautes et ses faiblesses à un autre prêtre (donc à Dieu). Un → PRÊTRE peut aussi accorder l'absolution à un groupe de personnes, sans qu'elles se soient auparavant confessées individuellement (c'est ce qu'on appelle l'absolution collective), mais cela ne peut se faire qu'en des cas de nécessité grave (comme en cas de guerre, d'une attaque aérienne, ou par exemple si un groupe de personnes se trouve en danger de mort). → 315–320

Je suis bien plus punissable que vous ! N'hésitez pas à confesser vos péchés.

SAINT CURÉ D'ARS

ABSOLUTION (du latin *absolvere* « acquitter ») : l'absolution du prêtre est le pardon sacramentel d'un ou plusieurs péchés après la confession d'un pénitent. La formule d'absolution est celle-ci :

Que Dieu notre Père vous montre sa miséricorde; par la mort et la Résurrection de son Fils, il a réconcilié le monde avec lui et il a envoyé l'Esprit-Saint pour la rémission des péchés : par le ministère de l'Église, qu'il vous donne le pardon et la paix. Et moi, au nom du Père et du Fils et du Saint-Esprit, je vous pardonne tous vos péchés. Amen.

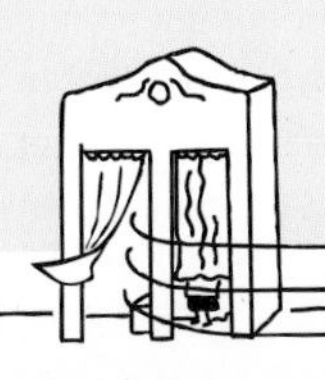

> Celui qui reçoit le plus de confidences est vraisemblablement le barman.
>
> PETER SELLERS (1925–1980, comédien britannique)

> Il n'est pas juste de penser que nous devions vivre comme si nous n'avions jamais besoin du pardon. Accepter notre faiblesse, mais cependant rester sur le chemin, ne pas capituler, au contraire aller de l'avant, et toujours nous convertir grâce au sacrement de la réconciliation pour repartir et ainsi grandir pour le Seigneur, tout cela mûrit dans notre communion avec Lui !
>
> BENOÎT XVI, 17 février 2007

234 *Quand faut-il confesser ses péchés graves ? Doit-on souvent se confesser ?*

Tout fidèle ayant atteint l'âge de raison doit confesser ses péchés graves. L'Église conseille vivement de le faire au moins une fois par an. De toute façon, si l'on a commis un péché grave, on est tenu de se confesser avant de recevoir la →COMMUNION. [1457]

Par âge de raison, l'Église entend l'âge où l'enfant peut faire usage de sa raison pour apprendre à discerner entre le bien et le mal. → 315–320

235 *Peut-on se confesser, même quand on n'a pas commis de péché grave ?*

Même lorsqu'on n'est pas tenu de se confesser, au sens strict du terme, la confession permet la guérison et conduit à une relation plus profonde avec le Seigneur. [1458]

À Taizé, ou lors de rassemblements de catholiques, ou aux Journées mondiales de la jeunesse – partout on voit des jeunes demander le sacrement de réconciliation. Les chrétiens qui prennent au sérieux la volonté de suivre le Christ y cherchent la joie d'un nouveau départ avec Dieu. Même les saints vont régulièrement se confesser, quand c'est possible. Ils en ont besoin pour grandir en humilité et en charité, et pour se laisser éclairer par la lumière bienfaisante de Dieu jusqu'au moindre recoin de leur âme.

236 *Pourquoi les prêtres sont-ils les seuls à pouvoir pardonner les péchés ?*

Personne ne peut pardonner les péchés, sauf ceux à qui Dieu a confié la mission et son pouvoir de pardonner les péchés en son nom. Les premiers à exercer ce ministère sont les → ÉVÊQUES, et ensuite les → PRÊTRES, qui sont les collaborateurs des évêques. [1461–1466, 1495]

→ 150, 228, 249–250

237 *Y a-t-il des péchés qu'un simple prêtre ne puisse pas pardonner ?*

Il existe des péchés par lesquels l'homme se détourne complètement de Dieu et s'expose à l'→ EXCOMMUNICATION en raison de la gravité de ses actes. Pour marquer la gravité de ces péchés, l'absolution ne peut être donnée que par l'→ ÉVÊQUE, ou, dans certains cas, uniquement par le → PAPE. Cependant, en cas de danger de mort, tout prêtre peut absoudre de tous les péchés et relever de l'excommunication. [1463]

Un catholique qui, par exemple, commet un meurtre, ou qui participe à un avortement, s'exclut de la communion sacramentelle. L'Église ne peut que constater cet état de fait. L'→ EXCOMMUNICATION appelle le pécheur à revenir sur le droit chemin.

238 *Un prêtre a-t-il le droit de répéter ce qu'il a appris lors d'une confession ?*

Non, en aucune circonstance. Il doit garder un secret absolu. Tout prêtre serait excommunié, s'il communiquait à d'autres quoi que ce soit de ce qu'il a entendu dans une confession. Même à la police, le prêtre ne peut rien dire ni rien signaler. [1467]

Il n'y a quasiment rien que les → PRÊTRES ne prennent plus au sérieux que le secret de la confession. Certains prêtres l'ont payé de leur vie ou ont été torturés pour lui rester fidèles. C'est pourquoi on peut parler ouvertement et sans réserve à un prêtre, on peut se confier à lui en

La franchise dont nous faisons preuve face à un frère n'a rien à voir avec la confession. Celle-ci se passe face au Seigneur du ciel et de la terre en présence d'un homme qui en a reçu la mission.

FRÈRE ROGER SCHUTZ

EXCOMMUNICATION
(du latin *ex*, « hors de », et *communicatio*, « partage ») : peine qui empêche la réception des sacrements.

Malgré toute la maladresse qu'elle peut parfois avoir, la confession est le lieu décisif où l'on retrouve la fraîcheur de l'Évangile, où l'on est régénéré. On y apprend à écarter d'un souffle ses remords, comme un enfant qui souffle sur le tourbillon d'une feuille d'automne. Nous y trouvons le bonheur de Dieu, l'aube d'une joie parfaite.

FRÈRE ROGER SCHUTZ

Aime Jésus ! Sois sans crainte ! Même si tu avais commis tous les péchés du monde, Jésus te répète ces paroles : beaucoup de péchés te sont pardonnés, parce que tu as beaucoup aimé.

SAINT PADRE PIO
(1887–1968, un des saints les plus populaires d'Italie)

Ainsi devait s'accomplir l'oracle d'Isaïe le prophète : « Il a pris nos infirmités et s'est chargé de nos maladies. »

Matthieu 8, 17

Le malade sent mieux les choses que tout autre.

REINHOLD SCHNEIDER
(1913–1958, écrivain allemand)

Jésus, qui avait entendu, leur dit : « Ce ne sont pas les gens bien portants qui ont besoin de médecin, mais les malades. Je ne suis pas venu appeler les justes, mais les pécheurs. »

Marc 2, 17

toute sérénité, car sa seule tâche à ce moment-là est d'être totalement « l'oreille de Dieu ».

239 *Quels sont les effets positifs du sacrement de réconciliation ?*

Le sacrement de réconciliation réconcilie avec Dieu. [1468–1470, 1496]

La seconde qui suit l'absolution est comme une douche après le sport, comme une bouffée d'air frais après un orage d'été, comme un réveil sous un soleil radieux, comme l'apesanteur du plongeur... Se réconcilier avec Dieu, c'est redevenir fils de Dieu, aimé, accueilli dans son amour : nous sommes à nouveau en accord avec Dieu.

Le sacrement de l'onction des malades

240 *Comment considérait-on la maladie dans l'Ancien Testament ?*

Dans l'→ANCIEN TESTAMENT, on ressentait souvent la maladie comme une lourde épreuve, contre laquelle on pouvait se révolter, mais dans laquelle on pouvait cependant percevoir la main de Dieu. L'idée apparaît déjà chez les prophètes que la souffrance n'est pas forcément une malédiction, ni la conséquence d'un péché personnel, mais que celui qui souffre peut le faire aussi pour autrui en supportant patiemment sa propre souffrance. [1502]

241 *Pourquoi Jésus a-t-il manifesté autant d'intérêt pour les malades ?*

Jésus est venu pour montrer l'amour de Dieu. Il est là lorsque nous nous sentons particulièrement menacés : quand notre vie est affaiblie par la maladie. Dieu veut la guérison de notre corps et de notre âme, il nous demande d'y croire et de reconnaître que le Royaume de Dieu arrive. [1503–1505]

Il faut parfois être malade pour prendre conscience que tous, nous avons besoin de Dieu – que nous soyons malades ou non d'ailleurs ! Nous n'avons de vie qu'en lui. C'est pourquoi les malades et les pécheurs ont un instinct particulier pour l'essentiel. Déjà dans le → NOUVEAU TESTAMENT, ce sont justement des malades qui cherchent à s'approcher de Jésus ; ils essayaient *de le toucher, parce qu'une force sortait de lui et les guérissait tous* (Lc 6, 19). → 91

242 *Pourquoi l'Église doit-elle s'occuper particulièrement des malades ?*

Jésus montre que le ciel souffre avec nous quand nous souffrons. Dieu veut même être reconnu dans *le plus petit de nos frères* (Mt 25, 40). C'est pourquoi Jésus a voulu que le souci des pauvres soit la mission centrale de ses disciples. Il les exhorte : *Guérissez les malades !* (Mt 8, 17), et il leur promet un pouvoir divin : *En mon nom, ils chasseront les démons... ils imposeront les mains aux malades, et les malades s'en trouveront bien* (Mc 16, 17-18). [1506–1510]

Une des caractéristiques les plus marquantes du christianisme fut toujours la place centrale réservée aux malades, aux vieillards, aux nécessiteux. Mère Teresa qui accueillait les mourants des rues de Calcutta ne fut qu'une chrétienne parmi tant d'autres à avoir vu le Christ à travers ceux que l'on rejette ou que l'on fuit. Si les chrétiens sont vraiment chrétiens, il émane d'eux un sens du réconfort, qui se traduit par des actes. Il est même donné à certains de guérir corporellement des malades, par la force de l'Esprit-Saint. (Charisme de guérison, → CHARISMES.)

243 *À qui est destiné le sacrement de l'onction des malades ?*

Tout fidèle se trouvant dans un état de santé grave peut recevoir le sacrement de l'onction des malades. [1514–1515, 1528–1529]

On peut recevoir l'onction des malades plusieurs fois dans sa vie. Il arrive même à des jeunes, et cela a du sens, de demander à recevoir le sacrement de l'onction des malades, si, par exemple, ils sont sur le point de subir une opération grave. En de telles occasions, beaucoup de chrétiens associent une confession à l'onction des malades ; ils veulent comparaître devant Dieu la conscience purifiée, au cas où ils ne se remettraient pas.

> Entre le pire des mondes chrétiens et le meilleur des mondes païens, je choisirais toujours le monde chrétien, parce qu'il fait une place à ceux qui n'en ont jamais eu dans un monde païen : aux infirmes et aux malades, aux vieillards et aux faibles, et ils eurent même mieux qu'une place : ils eurent l'amour envers ceux que, dans un monde païen et sans Dieu, on considérait, et considère encore, comme inutiles.
>
> HEINRICH BÖLL (1917–1985, écrivain allemand)

> Le souci des pauvres doit être une priorité : Il faut leur venir en aide comme s'ils étaient vraiment le Christ.
>
> SAINT BENOÎT DE NURSIE (vers 480– vers 547, fondateur de l'ordre des Bénédictins)

> Et nous faisons encore un serment que personne ne fait, car nous promettons d'être les dévoués serviteurs des malades de notre Seigneur.
>
> Règle de l'Ordre de saint Jean de Malte

Quelqu'un parmi vous est-il malade ? Qu'il appelle les presbytres de l'Église et qu'ils prient sur lui après l'avoir oint d'huile au nom du Seigneur.

Épître de saint Jacques 5, 13.14

Passerais-je un ravin de ténèbre, je ne crains aucun mal car tu es près de moi ; ton bâton, ta houlette sont là qui me consolent.

Psaume 23, 4

Qui mange ma chair et boit mon sang a la vie éternelle.

Jean 6, 54

Par cette onction sainte, que le Seigneur, en sa grande bonté, vous réconforte par la grâce de l'Esprit-Saint. Ainsi, vous ayant libéré de tous péchés, qu'Il vous sauve et vous relève.

Rite du sacrement des malades

244 *Comment est administrée l'onction des malades ?*

Le rite essentiel consiste dans l'onction d'huile bénite faite sur le front et les mains du malade. Il se célèbre, en général, dans une église, accompagné de prières. [1517-1519, 1531]

245 *Quels sont les effets de l'onction des malades ?*

L'onction des malades apporte réconfort, paix et courage, et unit profondément le malade, dans sa situation précaire et de souffrance, avec le Christ, notre Seigneur, qui a connu nos angoisses, et qui a porté nos douleurs en son corps. Chez certains, l'onction des malades opère une guérison corporelle. Mais si Dieu veut rappeler quelqu'un à lui, il lui donne, par l'onction des malades, la force d'affronter les luttes de l'âme et du corps pour se préparer au dernier passage. Dans tous les cas, l'onction des malades offre la grâce du pardon des péchés. [1520-1523, 1532]

Beaucoup de malades ont peur de ce sacrement et le repoussent jusqu'au dernier moment, parce qu'ils pensent que c'est une sorte de sentence de mort. C'est exactement le contraire : l'onction des malades est comme une assurance de vie. Tout chrétien accompagnant un malade devrait lui ôter tout sentiment de fausse peur. La plupart des malades en danger grave ont l'intuition à ce moment précis qu'il n'y a rien de plus important que de se configurer immédiatement et inconditionnellement à Celui qui a vaincu la mort, et qui est la vie : Jésus, notre Sauveur.

246 *Qui peut administrer l'onction des malades ?*

Seuls les → ÉVÊQUES et les → PRÊTRES sont les ministres de ce sacrement : le Christ agit par eux, en vertu de leur consécration. [1516, 1530]

247 *Qu'entend-on par viatique ?*

Par viatique, on entend la dernière → COMMUNION que l'on reçoit juste avant de mourir. [1524-1525]

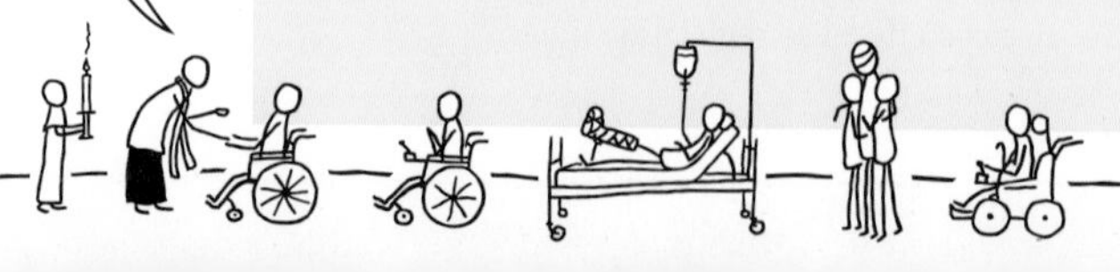

Il est rare que la → COMMUNION soit d'une nécessité plus vitale qu'au moment où l'homme est sur le point d'accomplir le passage qui achève sa vie terrestre : dans le monde à venir, sa vie se fera dans la communion avec le Christ.

CHAPITRE III

Les sacrements de communion et de mission

248 *Comment s'appellent les sacrements au service de la communion ?*

Celui qui est baptisé et confirmé peut recevoir deux → SACREMENTS qui lui confèrent une mission particulière dans l'Église, et un service auquel Dieu l'appelle : l'ordre et le mariage. [1533–1535]

Ces deux → SACREMENTS ont un point commun : ils sont destinés à autrui. Personne n'est consacré pour lui seul et personne ne se marie pour lui seul. Les sacrements de l'ordre et du mariage visent à édifier le peuple de Dieu, c'est-à-dire qu'ils sont le canal par lequel l'amour de Dieu irrigue le monde.

Le sacrement de l'ordre

249 *Quels sont les degrés du sacrement de l'ordre ?*

Le sacrement de l'ordre a trois degrés : → ÉVÊQUE (épiscopat), → PRÊTRE (presbytérat), → DIACRE (diaconat). [1554, 1593] → 140

250 *Que se passe-t-il lors de l'ordination épiscopale ?*

L'ordination épiscopale confère à un prêtre la plénitude du sacrement de l'ordre. Il est ordonné successeur des apôtres et entre dans le collège des évêques. Avec les autres → ÉVÊQUES et le → PAPE, il est dès lors responsable de toute l'Église. L'Église lui donne mission d'enseigner, de sanctifier et de gouverner. [1555–1559]

Le ministère épiscopal est le véritable ministère pastoral dans l'Église, car son origine remonte aux apôtres, les premiers témoins de Jésus, et il perpétue le ministère pastoral des apôtres institué par le Christ. Le → PAPE aussi

> La béatitude éternelle est un état où la contemplation est nourriture.
>
> SIMONE WEIL (1909–1943, philosophe et mystique française)

> L'ordination presbytérale n'est pas administrée pour le salut de l'individu, mais pour l'Église entière.
>
> SAINT THOMAS D'AQUIN

> Aussi le Christ est-il le seul vrai prêtre, les uns et les autres n'étant que ses ministres.
>
> SAINT THOMAS D'AQUIN

> Le prêtre poursuit sur terre l'œuvre de rédemption (du Christ).
>
> SAINT CURÉ D'ARS

> Quand je suis effrayé d'être ce que je suis pour vous, je me console d'être ce que je suis avec vous. Pour vous je suis évêque, avec vous je suis chrétien. L'un désigne la charge, l'autre la grâce, l'un le risque, l'autre le salut.
>
> SAINT AUGUSTIN

> Suivez votre évêque comme Jésus-Christ a suivi le Père, et le prêtre comme les apôtres. En ce qui concerne l'Église, que personne n'agisse sans évêque.
>
> SAINT IGNACE D'ANTIOCHE

est un → ÉVÊQUE, mais le premier d'entre eux, et la tête du collège des évêques. → 92, 137

251 *Quelle est l'importance de son évêque pour un chrétien catholique ?*

Un chrétien catholique se sait tenu d'obéir à son évêque. L'→ ÉVÊQUE est pour lui le représentant du Christ. En outre, l'évêque, qui exerce le ministère pastoral avec les prêtres et les → DIACRES, ses collaborateurs consacrés, est le principe visible et le fondement de l'église locale (diocèse). [1560–1561]

252 *Quel est l'effet de l'ordination presbytérale ?*

Par le ministère de l'évêque, l'homme qui est ordonné reçoit du Christ un don du Saint-Esprit, lui donnant une autorité sacramentelle, qui lui vient par l'→ ÉVÊQUE. [1538]

Être → PRÊTRE, cela ne revient pas seulement à prendre une fonction ou un ministère. Par le sacrement de l'ordre, un prêtre reçoit un pouvoir spécifique et une mission auprès de ses frères et sœurs dans la foi.
→ 150, 215, 228, 236

253 *Comment l'Église entend-elle le sacrement de l'ordre ?*

Les → PRÊTRES de l'Ancien Testament considéraient leur mission comme une médiation entre le ciel et la terre, entre Dieu et son peuple. Comme le Christ est l'unique *médiateur entre Dieu et les hommes* (1 Tm 2, 5), il a accompli ce sacerdoce et il l'a *achevé*. Après Jésus-Christ, il ne peut plus y avoir d'ordination presbytérale que *dans* le Christ, *dans* le sacrifice du Christ sur la croix, et *par* l'appel du Christ et la mission apostolique. [1539–1553, 1592]

Un prêtre catholique qui administre les → SACREMENTS n'agit pas de ses propres forces, ni en vertu d'une perfection morale (que malheureusement souvent il n'a pas), mais *in persona Christi*. Par son ordination, il jouit de la force du Christ qui transforme, qui guérit, qui sauve. Comme le prêtre ne détient rien de par lui-même, il est avant tout un *serviteur ou un ministre.* Tout vrai prêtre se reconnaît dans le fait qu'il s'étonne toujours humblement d'avoir eu la vocation. → 215

254 *Que se passe-t-il lors de l'ordination presbytérale ?*

Lors de l'ordination presbytérale, l'→ ÉVÊQUE appelle la force de Dieu sur le futur prêtre. Cette force lui imprime un caractère sacramentel indélébile, pour ne plus jamais le quitter. En tant que collaborateur de son évêque, le prêtre va annoncer la Parole de Dieu, administrer les → SACREMENTS et surtout célébrer l'→ EUCHARISTIE. [1562-1568]

Pendant la messe, l'ordination commence par l'appel nominatif des candidats. Après l'homélie de l'→ ÉVÊQUE, le futur prêtre promet obéissance à son évêque et à ses successeurs. L'ordination est véritablement réalisée par l'imposition des mains de l'évêque et la prière qui l'accompagne. → 215, 236, 259

255 *Que se passe-t-il lors de l'ordination diaconale ?*

Par l'ordination diaconale, un service spécial est confié à celui qui la reçoit dans le sacrement de l'ordre. Car le diacre représente le Christ, lui qui est venu *non pour être servi, mais pour servir et donner sa vie en rançon pour la multitude* (Mt 20, 28). Lors de la liturgie de l'ordination, on dit que, comme ministre de la Parole, de l'autel et de la charité, le → DIACRE se fera le serviteur de tous. [1569-1571]

Le premier portrait que nous ayons d'un → DIACRE est saint Étienne, martyr. Lorsque les → APÔTRES de la première Église de Jérusalem se virent submergés par les nombreuses tâches caritatives, ils convoquèrent sept hommes, « pour le service des repas », qu'ils consacrèrent ensuite. Celui qu'on appelait Étienne, « qui était plein de la grâce et de la puissance de Dieu », accomplissait des œuvres au service de la foi et des pauvres de la communauté. Après avoir été au long des siècles une étape du parcours vers l'ordination presbytérale, le diaconat est redevenu un ministère à part entière, pour des célibataires ou des mariés. D'une part, on veut ainsi mettre l'accent sur le service comme une caractéristique

DIACRE
Le diacre (du grec *diaconos,* « serviteur ») est le premier degré du sacrement de l'ordre dans l'Église catholique. Comme le nom l'indique, le diacre s'engage avant tout dans des tâches caritatives (diaconie), il lui appartient aussi d'enseigner, de faire la catéchèse, de proclamer l'Évangile, de prêcher à la messe, de célébrer des baptêmes et des mariages et d'assister dans les célébrations.

Les diacres, eux auss,i seront des hommes dignes, n'ayant qu'une parole, modérés dans l'usage du vin, fuyant les profits déshonnêtes... Les diacres doivent être maris d'une seule femme, savoir bien gouverner leurs enfants et leur propre maison.

1re épître à Timothée 3, 8.12

de l'Église, et, d'autre part, on veut, comme dans la première Église, adjoindre aux évêques un ordre destiné à les aider, et à accomplir au sein de l'Église des œuvres pastorales et sociales. L'ordination diaconale imprime, elle aussi, un caractère sacramentel irrévocable, et pour toute la vie. → 140

256 *Qui peut recevoir le sacrement de l'ordre ?*

Seul un homme baptisé, catholique, appelé par l'Église pour cette charge peut recevoir validement l'ordination comme →DIACRE, prêtre et →ÉVÊQUE. [1577–1578]

257 *Le fait que seuls des hommes puissent recevoir le sacrement de l'ordre est-il discriminatoire à l'égard des femmes ?*

Le fait que seuls des hommes puissent être ordonnés ne dévalorise pas la femme. Devant Dieu, l'homme et la femme ont égale dignité, mais ils ont des charges et des →CHARISMES différents. L'Église tient à cette pratique parce que, lors de l'institution du sacerdoce à la Cène, Jésus a choisi exclusivement *des hommes.* Le pape Jean-Paul II a déclaré en 1994 que « l'Église n'avait pas le pouvoir d'ordonner des femmes, et que tous les fidèles de l'Église devaient se tenir définitivement à ce décret ».

Personne dans l'Antiquité n'a, autant que Jésus, mis les femmes en valeur (ce qui, alors, tenait de la provocation), leur accordant son amitié et les prenant sous sa protection. Des femmes marchaient à la suite de Jésus et il tenait leur foi en haute estime. La première à être témoin de la Résurrection fut une femme, Marie Madeleine. C'est pourquoi on dit qu'elle est « la femme-apôtre parmi les apôtres ». Pourtant l'ordination sacerdotale et la charge pastorale ont toujours été transmises à des hommes. Des prêtres hommes devaient représenter Jésus pour l'assemblée ecclésiale. Le sacerdoce est un ministère particulier qui exige de l'homme qu'il exerce son rôle masculin de père. Il n'a rien d'une suprématie masculine sur les femmes. Les femmes jouent un rôle dans l'Église, comme nous le voyons à travers Marie, un rôle non moins central que celui des hommes, mais c'est un rôle féminin.

Personne n'aurait pu être un meilleur prêtre qu'elle (Marie) ne l'a été. Sans hésiter, elle pouvait dire : « Ceci est mon corps », parce que Jésus, qu'elle nous a donné, était vraiment son propre corps. Et pourtant Marie est restée l'humble servante du Seigneur, si bien que nous pouvons toujours nous adresser à elle comme à notre Mère. Elle est l'une de nous, et nous sommes toujours en union avec elle. Après la mort de son Fils, elle a continué à vivre sur terre pour fortifier les apôtres dans leur tâche, pour être une mère pour eux, jusqu'à ce que la jeune Église prenne forme.

MÈRE TERESA

Ève devint la mère de tous les vivants (Gn 3, 20). En tant que « mères de tous les vivants », les femmes ont des dons et des capacités particulières. Sans la manière qui leur est propre d'enseigner, d'évangéliser, de vivre la charité, la spiritualité et la pastorale, l'Église serait « amputée d'une moitié ». Quand des hommes d'Église utilisent le ministère du prêtre comme instrument de pouvoir, ou quand des femmes ne font pas profiter de leurs propres → CHARISMES, ils offensent l'amour et le Saint-Esprit de Jésus. → 64

258 *Pourquoi l'Église demande-t-elle que les prêtres et les évêques vivent en célibataires ?*

Jésus vécut en célibataire et voulut ainsi exprimer son amour sans partage pour Dieu, le Père. Adopter le même mode de vie que Jésus et vivre dans la → CHASTETÉ du célibat *en vue du Royaume des cieux* (Mt 19, 12) est depuis l'époque de Jésus un signe d'amour, du don sans partage au Seigneur et de la totale disponibilité au service. L'Église catholique romaine réclame cette pratique de ses → ÉVÊQUES et de ses prêtres ; les églises orientales, uniquement de leurs évêques. [1579–1580, 1599]

Le célibat, selon Benoît XVI, ne peut pas signifier « que l'on reste vide en amour, au contraire, il doit signifier que l'on se laisse saisir par la passion de Dieu ». Un prêtre, par son célibat, doit montrer que sa vie est féconde parce qu'il rend présente la paternité de Dieu et de Jésus. Le pape nous dit encore : « Le Christ a besoin de prêtres mûrs et courageux, capables d'exercer une véritable paternité spirituelle. »

259 *En quoi le sacerdoce commun des fidèles se distingue-t-il du sacerdoce ministériel ?*

Par le baptême, le Christ a fait de nous un Royaume *de prêtres pour son Dieu et Père* (Ap 1, 6). Par le sacerdoce commun, chaque chrétien est appelé, au nom de Dieu, à agir dans le monde, à lui

LE CÉLIBAT (du latin *caelebs*, « vivant seul ») : le célibat est l'engagement que prend une personne de vivre dans la chasteté et sans se marier « en vue du Royaume des Cieux ». Dans l'Église catholique, cette promesse est faite par les personnes qui appartiennent aux ordres réguliers (et font des vœux selon les règles de l'ordre) et au clergé.

L'Église catholique est-elle bien consciente du fait qu'elle entraînerait un bouleversement radical des valeurs [en supprimant le célibat] ? Le célibat des prêtres est une folie de l'Évangile dans laquelle il a gardé une vérité cachée. En cela, l'Église s'inscrit dans l'invisible, dans le Mystère du Christ.

FRÈRE ROGER SCHUTZ

Vous-mêmes, comme pierres vivantes, prêtez-vous à l'édification d'un édifice spirituel, pour un sacerdoce saint, en vue d'offrir des sacrifices spirituels agréables à Dieu par Jésus-Christ.

1re épître de Pierre 2, 5

Mais vous, vous êtes une race élue, un sacerdoce royal, une nation sainte, un peuple acquis, pour proclamer les louanges de Celui qui vous a appelés des ténèbres à son admirable lumière, vous qui jadis n'étiez pas un peuple et qui êtes maintenant le Peuple de Dieu, qui n'obteniez pas miséricorde et qui maintenant avez obtenu miséricorde.

1re épître de Pierre 2, 9.10

Je ferai de toi un grand peuple, je te bénirai, je magnifierai ton nom ; sois une bénédiction !

Genèse 12, 2

Comment décrire le bonheur du mariage que l'Église ménage ? Quel couple que celui de deux chrétiens unis par une seule espérance, un seul désir, une seule discipline, pour un même service... rien ne les sépare ni dans l'esprit ni dans la chair. Là où la chair est une, un est aussi l'esprit.

TERTULLIEN (160-220, écrivain chrétien de langue latine)

transmettre grâce et → BÉNÉDICTION. Lors de la Cène, et lors de l'envoi en mission des → APÔTRES, le Christ a cependant donné à certains une autorité sacramentelle pour le service des fidèles ; ces prêtres consacrés représentent le Christ, comme pasteurs de son peuple et tête de son corps, l'→ ÉGLISE. [1546-1553, 1592]

Le même mot, à savoir celui de « prêtre », prête souvent à confusion parce qu'il a deux sens apparentés, mais « différents sur le fond et pas seulement sur la forme » (concile Vatican II, *LG)*. Nous devrions d'abord être pleins de joie à l'idée que les baptisés sont tous des prêtres, parce qu'ils vivent en Jésus-Christ et qu'ils sont associés à ce qu'il est et ce qu'il fait. Pourquoi ne prions-nous pas en permanence pour que la → BÉNÉDICTION descende sur notre monde ? Par ailleurs, nous devons redécouvrir le don que Dieu fait à son Église de prêtres ordonnés, qui rendent présent le Seigneur au milieu de nous. → 138

Le sacrement du mariage

260 *Pourquoi Dieu a-t-il créé l'homme et la femme l'un pour l'autre ?*

Dieu a créé l'homme et la femme l'un pour l'autre, pour qu'ils ne soient plus *deux, mais une seule chair* (Mt 18, 6) : ainsi ils doivent vivre dans l'amour, être féconds et être les témoins d'un Dieu qui nous aime d'un amour infini. [1601-1605] → 64, 400, 417

261 *Comment le mariage devient-il sacrement ?*

Le → SACREMENT du mariage se réalise par une promesse que l'homme et la femme se font devant Dieu et l'Église. Dieu accueille et scelle ce consentement qui trouve son accomplissement dans l'union charnelle des époux. Le lien du mariage sacramentel engage jusqu'à la mort d'un des deux époux, parce qu'il est noué par Dieu lui-même. [1625-1631]

Le mariage sacramentel est un don réciproque que se font l'homme et la femme. Le prêtre ou le → DIACRE sont là, au nom de l'Église : ils expriment visiblement que le mariage est une réalité ecclésiale et appelle la → BÉNÉDICTION DE DIEU sur le couple. Un mariage ne peut se réaliser que s'il

y a un *consentement matrimonial*, c'est-à-dire si les futurs époux veulent ce mariage en toute liberté, sans crainte ni contrainte, s'il n'y a pas d'obstacle à leur union, dû à d'autres contingences, naturelles ou ecclésiales (un mariage préexistant, des vœux de célibat).

262 *Quelles sont les exigences du sacrement du mariage chrétien ?*

Trois éléments sont nécessaires au sacrement du mariage : 1. Que l'on dise oui en toute liberté. 2. Que l'on s'engage dans une relation exclusive et pour toute la vie. 3. Que l'on soit ouvert à l'accueil des enfants. Le plus important dans le mariage chrétien est cependant que les époux sachent qu'ils sont une image vivante de l'amour dont le Christ a aimé son Église. [1644–1654, 1664]

L'exigence d'unicité et d'indissolubilité du mariage s'oppose à la → POLYGAMIE que le christianisme considère comme une faute fondamentale contre l'amour et les droits de l'homme. Cette exigence s'oppose aussi à ce que l'on pourrait appeler « une polygamie successive », c'est-à-dire une succession de relations où l'on refuse de s'engager dans un grand oui unique sur lequel on ne reviendra pas. L'exigence de fidélité dans le mariage induit que l'on se lie pour la vie, et que l'on exclue toute relation extra-

Maris, aimez vos femmes comme le Christ a aimé l'Église : il s'est livré pour elle, afin de la sanctifier en la purifiant par le bain d'eau qu'une parole accompagne ; car il voulait se la présenter à lui-même toute resplendissante, sans tache ni ride ni rien de tel, mais sainte et immaculée. De la même façon les maris doivent aimer leurs femmes comme leurs propres corps. Aimer sa femme, c'est s'aimer soi-même.

Épître aux Éphésiens 5, 25-28

Les chrétiens n'aiment pas autrement que les autres, mais ils sont mieux aidés.

Anonyme

MONOGAMIE, POLYGAMIE
(du grec *monos,* « un », *poly,* « nombreux », et *gamos,* « mariage ») : le christianisme interdit la pluralité de mariages, en cela il a la même position que l'État qui lui aussi interdit la bigamie (du grec *bi,* « deux »).

conjugale. L'exigence d'ouverture à la fécondité signifie qu'un couple chrétien est prêt à accueillir les enfants que Dieu veut lui donner. Les couples sans enfants sont appelés par Dieu à une autre forme de « fécondité ». Si, au moment de la célébration, un de ces éléments est refusé, le mariage n'éxiste pas.

263 *Pourquoi le mariage est-il indissoluble ?*

Le mariage est indissoluble pour trois raisons. D'abord parce que se donner l'un à l'autre sans réserve est dans la nature même de l'amour. Ensuite, parce qu'il est à l'image de la fidélité de Dieu à l'égard de sa Création. Et

enfin il est indissoluble aussi parce qu'il est signe du don du Christ à son Église, qui est allé jusqu'à la mort sur la croix. [1605, 1612–1617, 1661]

À une époque où environ 50 % des couples divorcent, tout mariage qui dure est un grand signe, un signe de Dieu finalement. Sur notre terre où tant de choses sont *relatives,* il faut des hommes qui croient que Dieu seul est *absolu.* D'où l'importance de tout ce qui n'est pas relatif, comme dire *absolument* la vérité, ou être *absolument* fidèle. Rester d'une fidélité absolue dans le mariage témoigne moins d'une faculté humaine que de la fidélité de Dieu, qui est toujours là, même quand nous le trahis-

Un couple ouvert est un couple qui ne s'est jamais enfermé sur lui-même.

THEODOR WEISSENBORN (1933– , écrivain allemand)

L'amour trouve son accomplissement dans la fidélité.

SØREN KIERKEGAARD

sons de toutes sortes de manières, et que nous l'oublions. Se marier à l'église signifie que l'on se fie plus au secours de Dieu qu'en sa propre capacité d'aimer.

> Aimer quelqu'un, c'est le voir tel que Dieu l'a voulu.
>
> FEDOR DOSTOÏEVSKI

264 *Quelles menaces pèsent sur le mariage ?*

Ce qui menace vraiment les couples, c'est le péché ; ce qui les régénère, c'est le pardon ; ce qui les rend forts, c'est la prière et la confiance en la présence de Dieu. [1606-1608]

> Aimer quelqu'un, c'est le voir comme merveille unique invisible aux yeux des autres.
>
> FRANÇOIS MAURIAC

> Aimer, c'est aimer l'autre tel qu'il est, tel qu'il a été, et tel qu'il sera.
>
> MICHEL QUOIST (1921-1997, prêtre et écrivain français)

Le conflit entre hommes et femmes, qui, notamment au sein des couples, va parfois jusqu'à une haine réciproque, n'est pas le signe d'une incompatibilité des sexes ; il n'existe pas non plus de disposition génétique à l'infidélité, ou un obstacle qui soit spécifiquement psychique à des unions pour la vie. En fait, bien des couples sont menacés par une insuffisance de dialogue et d'attention portée à l'autre. À cela s'ajoutent des problèmes économiques et sociaux. Mais le premier rôle revient à la réalité du péché : jalousie, domination, agressivité, concupiscence, infidélité et autres facteurs destructeurs. C'est pourquoi il est essentiel que chaque couple pratique le pardon et la réconciliation, en recourant aussi au sacrement de réconciliation.

> Si nous sommes infidèles, lui reste fidèle, car il ne peut se renier lui-même.
>
> 2e épître à Timothée 2, 13

La haine allume des querelles, l'amour couvre toutes les offenses.

Proverbes 10, 12.

Nous sommes donc en ambassade pour le Christ ; c'est comme si Dieu exhortait par nous. Nous vous en supplions au nom du Christ : laissez-vous réconcilier avec Dieu.

2ᵉ épître aux Corinthiens 5, 20

De toute votre inquiétude, déchargez-vous sur lui, car il a soin de vous.

1ʳᵉ épître de Pierre 5, 7

265 *Le mariage est-il une vocation pour tous ?*

Tous ne sont pas appelés à se marier. Des célibataires peuvent aussi avoir une vie épanouie. À certains d'entre eux, Jésus indique un chemin particulier ; il les invite à vivre en célibataires « à cause du Royaume des Cieux ». [1618–1620]

Beaucoup de personnes célibataires souffrent de solitude, et la ressentent comme un manque ou un désavantage. Celui (ou celle) qui n'a pas le souci d'un conjoint ou d'une famille bénéficie de liberté et d'indépendance. Il a le temps de faire des choses intéressantes et importantes, qu'il ne ferait peut-être pas s'il était marié. Il est possible que Dieu lui demande de s'occuper de ceux qui sont délaissés de tous. Il n'est pas rare que Dieu appelle une telle personne à venir tout près de lui. C'est le cas lorsque l'on ressent en soi le désir de renoncer à un conjoint « à cause du Royaume des Cieux ». Cette vocation pour un chrétien n'équivaut jamais à un mépris du mariage ou de la sexualité. Le célibat volontaire ne peut se vivre que *dans* l'amour et *par* amour, comme signe fort que Dieu est plus important que tout. Le célibataire renonce à la relation sexuelle, mais pas à l'amour ; d'un cœur passionné, il va à la rencontre du Christ, l'époux qui vient (Mt 25, 6).

266 *Comment se célèbre le mariage chrétien ?*

Selon la règle, un mariage doit être célébré publiquement. Le prêtre ou le → DIACRE interroge les futurs époux au sujet de leur engagement. Les futurs époux se disent l'un à l'autre : « Je te promets de te rester fidèle dans le bonheur et les épreuves, dans la santé et dans la maladie, pour t'aimer tous les jours de ma vie. » Et chacun ajoute : « Je me donne à toi et je veux t'aimer fidèlement tout au long de notre vie. » Puis le célébrant bénit les alliances que se remettent ensuite les futurs époux. Enfin, le célébrant confirme que les époux sont unis par le lien du mariage et il leur donne la → BÉNÉDICTION nuptiale. [1621–1624, 1663]

Selon le rituel romain de la célébration du mariage, le célébrant interroge les futurs époux au sujet de la liberté, de la fidélité, de l'accueil et de l'éducation des enfants. Chacun répond séparément. *Le célébrant :* Vous allez vous engager l'un envers l'autre dans le mariage. Est-ce librement et sans contrainte ? *Les futurs époux* (séparément) : oui. *Le célébrant :* En vous engageant dans la voie du mariage, vous vous promettez amour mutuel et respect. Est-ce pour toute votre vie ? *Les futurs époux* (séparément) : oui. *Le célébrant :* Êtes-vous prêts à accueillir les enfants que Dieu vous donne, et à les éduquer selon l'Évangile du Christ et dans la foi de l'Église ? *Les futurs époux* (séparément) : oui. *Le célébrant :* Êtes-vous disposés à assumer ensemble votre mission de chrétiens dans le monde et dans l'Église ? *Les futurs époux* (séparément) : oui.

Où tu iras, j'irai, où tu demeureras, je demeurerai ; ton peuple sera mon peuple et ton Dieu sera mon Dieu. Là où tu mourras, je mourrai et là je serai ensevelie. Que le Seigneur me fasse ce mal et qu'il y ajoute encore cet autre, si ce n'est pas la mort qui nous sépare !

Ruth 1, 16-17

La différence de confession entre les conjoints ne constitue pas un obstacle insurmontable pour le mariage, lorsqu'ils parviennent à mettre en commun ce que chacun d'eux a reçu dans sa communauté, et à apprendre l'un de l'autre la façon dont chacun vit sa fidélité au Christ.

Catéchisme de l'Église catholique (CEC), 1634

267 *Que faut-il faire en cas de mariage entre catholique et chrétien non catholique ?*

Pour que le mariage soit licite, il faut demander une permission expresse de l'autorité ecclésiastique. Un mariage « mixte » réclame de la part des deux conjoints une grande fidélité au Christ, afin que le scandale rémanent de la division de la chrétienté ne se fasse pas sentir dans la petite cellule du couple, et qu'il ne conduise pas à un éventuel abandon de la pratique religieuse. [1633-1637]

268 *Est-ce qu'un chrétien catholique peut épouser quelqu'un d'une autre religion ?*

Contracter un mariage avec un conjoint pratiquant une autre → RELIGION peut être difficile pour un croyant catholique, en ce qui concerne sa propre vie de foi, et celle des enfants à venir. Par sens de sa responsabilité envers ses fidèles, l'Église catholique a instauré la procédure de l'empêchement de mariage en cas de « disparité de culte ». Pour qu'un tel mariage soit valide, l'Église requiert une → DISPENSE expresse de l'empêchement. Ce mariage n'est pas sacramentel. [1633-1637]

DISPENSE (du latin du Moyen Âge *dispensare,* « accorder des libertés ») : accorder une dispense dans le droit canon de l'Église catholique, c'est exempter d'une loi ecclésiale. Seul l'évêque ou le Saint-Siège est autorisé à accorder une dispense.

Que le soleil ne se couche pas sur votre colère ; il ne faut pas donner prise au diable.

Épître aux Éphésiens 4, 26-27

Certes l'amour s'expérimente dans la fidélité, mais il ne s'accomplit que dans le pardon.

WERNER BERGENGRUEN (1862–1964, écrivain germano-balte)

Les divorcés remariés, malgré leur situation, continuent d'appartenir à l'Église, qui les suit avec une attention spéciale, désirant qu'ils développent, autant que possible, un style de vie chrétien par la participation à la messe, mais sans recevoir la communion, par l'écoute de la Parole de Dieu, par l'adoration eucharistique et la prière, par la participation à la vie de la communauté, →

269 *Est-ce que des époux qui ne s'entendent plus ont le droit de se séparer ?*

L'Église a le plus grand respect pour la faculté qu'a la personne humaine de tenir une promesse et de contracter une alliance dans la fidélité pour la vie. L'Église sait aussi que chaque couple peut traverser des crises. Le dialogue, la prière (en commun), parfois un suivi psychologique peuvent aider à sortir d'une crise. Mais ce qui peut toujours raviver l'espérance, c'est le fait de se rappeler que lors d'un sacrement de mariage une troisième personne, le Christ, est toujours présente dans l'alliance. Cependant, celui pour qui le mariage est devenu insupportable, ou qui est exposé à des violences physiques ou morales, peut se séparer de son conjoint. On appelle cela une « séparation de corps », et l'Église doit en être informée. Dans le cas où la cohabitation est interrompue, le mariage reste quand même valide. [1629, 1649]

Il existe aussi des cas où la crise dans un couple remonte au fait qu'un des conjoints ou les deux n'étaient pas aptes au mariage quand il a été contracté, ou que leur consentement n'était pas plénier. Alors le mariage n'est pas valide au sens juridique du terme. Dans ces cas, une demande de reconnaissance de nullité du mariage peut être déposée auprès du tribunal ecclésiastique compétent. → 424

270 *Quelle est la position de l'Église à l'égard des divorcés remariés ?*

Elle les accueille selon ce que le Christ nous a enseigné sur l'amour. Celui qui divorce après un mariage à l'église et qui, du vivant de son conjoint, contracte une nouvelle union, a un comportement qui contrevient à ce précepte de l'indissolubilité du mariage proclamée par Jésus, précepte que l'Église ne peut pas abolir. Revenir sur sa promesse de fidélité est en contradiction avec l'→ EUCHARISTIE, dans laquelle l'Église célèbre justement le caractère irréversible de l'amour de Dieu. C'est pourquoi celui qui vit dans une situation aussi contradictoire ne peut accéder à la → COMMUNION. [1665, 2384]

Loin de là l'idée de traiter concrètement tous les cas de la même manière, dit le pape Benoît XVI. Il parle d'une « situation douloureuse » et invite les pasteurs à bien discerner les diverses situations, pour aider spirituellement et de la façon la plus appropriée les fidèles concernés (*Sacramentum Caritatis*, 29). → 424

271 *Que veut dire : la famille est une « petite Église » ?*

Ce que l'→ Église est en grand format, la famille l'est en petit : une image de l'amour divin dans la communauté humaine. Tout mariage trouve son accomplissement dans l'ouverture aux autres, aux enfants que Dieu donne, dans l'accueil mutuel, dans l'hospitalité, dans la vie au service des autres. [1655–1657]

Ce qui a fasciné le plus chez les chrétiens de la première Église, les adeptes de « nouvelle Voie », furent leurs « églises domestiques ». Souvent quelqu'un arrivait et croyait au Seigneur *avec tous les siens ; et beaucoup devenaient croyants et se faisaient baptiser* (Ac 18, 8). Des familles converties devenaient alors des îlots de vie chrétienne dans un monde incroyant, des lieux de prière, de partage et de cordiale hospitalité. Rome, Corinthe, Antioche, les grandes villes de l'Antiquité furent bientôt émaillées d'Églises domestiques, semblables à des points lumineux. De nos jours, les familles où le Christ est chez lui pourraient aussi devenir le grand ferment du renouveau de notre société. → 368

CHAPITRE IV
Les autres célébrations liturgiques

272 *Que sont les sacramentaux ?*

Les sacramentaux sont des signes sacrés ou des actes de piété porteurs de la bénédiction de l'Église. [1667–1672, 1677–1678]

L'eau bénite, la bénédiction de cloches ou d'un orgue, la bénédiction de maison ou de véhicule, la croix du Vendredi saint, les rameaux, le cierge pascal, les bénédictions lors de pèlerinages sont des sacramentaux typiques.

→ par le dialogue confiant avec un prêtre ou un guide spirituel, par le dévouement à la charité vécue et les œuvres de pénitence, par l'engagement dans l'éducation de leurs enfants.

BENOÎT XVI, *Sacramentum Caritatis*

Personne n'est sans famille en ce monde. L'Église est la maison et la famille de tous, en particulier de ceux qui souffrent et qui portent de lourds fardeaux.

JEAN-PAUL II, *Familiaris Consortio*

Si tu veux que quelqu'un devienne chrétien, fais-le habiter chez toi pendant un an.

SAINT JEAN CHRYSOSTOME

EXORCISME (du grec *exorkismos*, « expulser »). L'exorcisme est une prière en vertu de laquelle une personne est protégée du Malin ou libérée de son emprise.

Soyez sobres, veillez ! Votre partie adverse, le Diable, comme un lion rugissant, rôde, cherchant qui dévorer. Résistez-lui, fermes dans la foi !

1re épître de Pierre 5, 8-9

La piété populaire est une de nos forces, parce qu'elle exprime des prières qui sont ancrées au plus profond du cœur des hommes. Même des personnes qui sont un peu loin de l'Église, ou qui n'ont pas un très grand sens de la foi, peuvent être touchées par cette forme de prière. Il suffit de « clarifier » ces gestes, de « purifier » cette tradition, afin qu'ils s'inscrivent dans la vie actuelle de l'Église.

BENOÎT XVI, 22 février 2007

273 *Est-ce que l'Église pratique encore des exorcismes ?*

À chaque baptême, l'Église pratique ce qu'on appelle « le petit → EXORCISME », c'est une prière par laquelle le baptisé est soustrait à l'emprise du Malin (ou Diable) et rendu fort contre les puissances du mal vaincues par Jésus. Le grand exorcisme est une prière faite en vertu de l'autorité spirituelle que Jésus a confiée à son → ÉGLISE, par laquelle un chrétien baptisé est soustrait à l'emprise et à la puissance du Malin. Il n'est pratiqué que rarement, et après un examen des plus prudents. [1673]

Les → EXORCISMES que l'on voit dans les films d'Hollywood n'ont rien à voir avec les exorcismes pratiqués par Jésus et par l'Église. Les évangiles relatent souvent que Jésus expulsait des démons. Il avait autorité sur les puissances du mal, et il pouvait en libérer des possédés. Il donna à ses → APÔTRES *le pouvoir d'expulser les esprits mauvais et de guérir toute maladie et infirmité* (Mt 10, 1). L'Église ne fait pas autre chose quand un → PRÊTRE, mandaté pour cela, prononce la prière d'exorcisme sur une personne qui la demande. Un examen préalable a exclu que l'on est en présence d'un cas psychique (qui est du ressort d'un psychiatre). L'exorcisme vise à délivrer la personne d'une détresse mentale et à la libérer de l'emprise du Malin.

→ 90–91

274 *Quelle est l'importance de ce qu'on appelle « la dévotion populaire » ?*

La dévotion populaire qui se manifeste à travers la vénération de → RELIQUES, de processions, de pèlerinages ou autres, est révélatrice d'un aspect important de l'inculturation de la foi. Elle est bonne dans la mesure où elle se fait dans l'Église, qu'elle conduit au Christ et qu'elle ne vise pas à mériter le ciel par des œuvres plutôt que par la foi en la grâce de Dieu. [1674–1676]

275 *Peut-on vénérer des reliques ?*

Vénérer des → RELIQUES relève d'un besoin que les hommes ont naturellement de témoigner respect et dévotion à certains saints. On vénère convenablement les reliques des saints, si, dans le don de leur vie à Dieu, on loue l'action de Dieu lui-même. [1674]

276 *Quel est le sens des pèlerinages ?*

Celui qui fait un pèlerinage « prie » avec ses pieds, et il fait l'expérience avec tous ses sens que sa vie entière est un long chemin qui mène à Dieu. [1674]

RELIQUES (du latin *relictum*, « restes ») : les reliques sont des restes de corps de saints ou bien des objets ayant appartenu à des saints.

Déjà dans l'Ancien Testament, le peuple d'Israël se rendait en pèlerinage vers le Temple de Jérusalem. Les chrétiens ont repris cette tradition. C'est ainsi qu'au Moyen Âge en particulier on vit apparaître toutes sortes de pèlerinages vers les lieux saints, vers Jérusalem et vers → ROME, sur les tombeaux des apôtres et vers Saint-Jacques-de-Compostelle. On se mettait en marche pour diverses raisons, en général pour faire pénitence, et souvent on était motivé par cette idée fausse que des œuvres d'automortification obtenaient la justification devant Dieu. De nos

Quelle joie quand on m'a dit : « Allons à la maison du Seigneur ! » Enfin nos pieds s'arrêtent dans tes portes, Jérusalem.

Psaume 122, 1-2

> Les chemins de Dieu sont les chemins qu'il a lui-même empruntés et que nous devons suivre maintenant en sa compagnie.
>
> DIETRICH BONHOEFFER

> La Croix du Seigneur embrasse le monde. Son chemin de croix traverse les continents et les temps. Lors du chemin de croix, nous ne pouvons pas être de simples spectateurs. Nous aussi nous y participons et nous devons donc chercher notre place. Où sommes-nous ?
>
> BENOÎT XVI, 14 avril 2006

> **Ta Croix**
> La sagesse infinie a pensé de toute éternité à t'offrir cette croix comme précieux don. Cette croix, avant de te la donner, il l'a vue de son œil omniscient, il l'a pensée dans son intelligence divine, il l'a examinée avec sa douce justice, il l'a pénétrée de sa douce miséricorde. Ensuite, de ses mains, il l'a mesurée, pour voir →

jours, les pèlerinages connaissent un véritable renouveau. Des hommes et des femmes recherchent la paix et la force qui émanent de lieux saints. Ils en ont assez de vivre en solitaires, ils désirent sortir de la routine quotidienne, ils veulent se délester du superflu et se mettre en marche vers Dieu.

277 *Qu'est-ce qu'un chemin de croix ?*

Suivre Jésus portant sa croix jusqu'au calvaire, en le contemplant et en priant au long des quatorze stations, est une pratique très ancienne de la piété de l'→ Église, en particulier pendant le temps du Carême et de la Semaine sainte. [1674-1675]

Les quatorze stations du chemin de croix sont :

1. Jésus est condamné à mort.

2. Jésus est chargé de sa croix.

3. Jésus tombe pour la première fois.

4. Jésus rencontre sa mère.

5. Simon de Cyrène aide Jésus à porter sa croix.

6. Véronique essuie le visage de Jésus.

7. Jésus tombe pour la deuxième fois.

8. Jésus rencontre les femmes de Jérusalem.

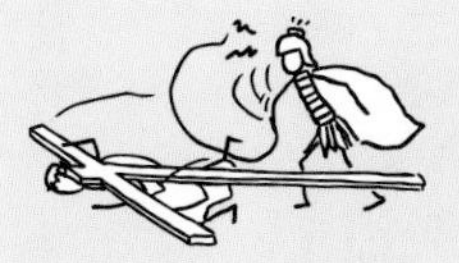

9. Jésus tombe pour la troisième fois.

10. Jésus est dépouillé de ses vêtements.

11. Jésus est mis en croix.

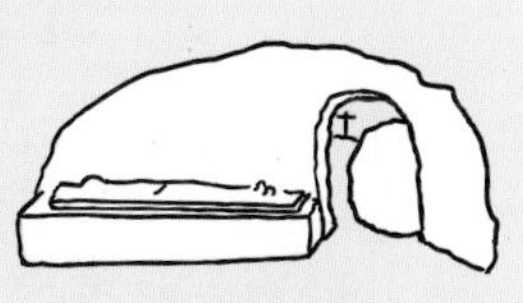

12. Jésus meurt sur la croix.

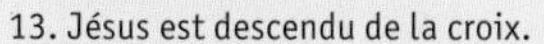

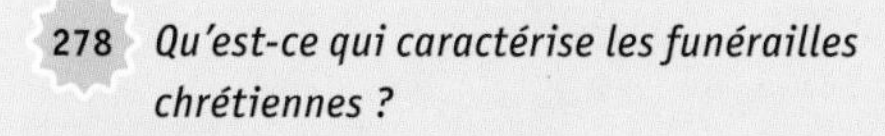

13. Jésus est descendu de la croix.

14. Jésus est enseveli.

278 *Qu'est-ce qui caractérise les funérailles chrétiennes ?*

Les funérailles chrétiennes sont un service que la communauté chrétienne rend à ses morts. Elles expriment le chagrin des proches du défunt, mais doivent toujours signifier le caractère pascal de la mort chrétienne. Nous mourons en Jésus-Christ, pour être capables de célébrer avec lui la fête de la Résurrection. [1686–1690]

→ si elle ne serait pas trop grande, il l'a soupesée pour voir si elle ne serait pas trop lourde. Puis il l'a bénie de son nom très saint, il l'a ointe de sa grâce, et pénétrée de sa consolation. Ensuite il a encore évalué ton courage, et la voici maintenant qui, du Ciel, vient vers toi, comme don du bon Dieu, comme don de son amour miséricordieux.

SAINT FRANÇOIS DE SALES

Par la mort nous ne sommes aucunement séparés les uns des autres, car nous suivons tous le même chemin, et nous nous retrouverons tous au même endroit.

SAINT SYMÉON LE THESSALONICIEN
(† 1429, théologien et mystique)

TROISIÈME PARTIE

3

La vie dans le Christ

QUESTIONS 279 – 468

Hors de moi, vous ne pouvez rien faire.

Jean 15, 5

Que rien ne te trouble, que rien ne t'effraie.
Tout passe, Dieu ne change pas.
La patience obtient tout.
Celui qui a Dieu, ne manque de rien ;
Dieu seul suffit.

SAINTE THÉRÈSE D'AVILA

Dieu créa l'homme à son image, à l'image de Dieu il le créa.

Genèse 1, 27

Là où Dieu disparaît, l'homme ne grandit pas. Au contraire : il perd sa dignité divine, il perd la lueur divine de son visage. Finalement, il s'avère n'être qu'un produit de l'évolution, dont on peut donc user et abuser. Ce qui se passe en ces temps-ci le confirme.

BENOÎT XVI, 15 août 2005

PREMIÈRE SECTION
Notre vocation sur terre, ce que nous voulons faire, et comment l'Esprit-Saint peut nous aider à le faire

279 *Pourquoi avons-nous besoin de la foi et des sacrements pour que notre vie soit bonne et juste ?*

Si nous ne pouvions compter que sur nous-mêmes, que sur nos propres forces, nous n'irions pas loin, malgré tous nos efforts pour être bon. Par notre foi, nous découvrons que nous sommes des enfants de Dieu, et que Dieu nous rend forts. Nous appelons « grâce » cette force que Dieu nous donne. C'est tout spécialement par des signes « sacrés », appelés « →SACREMENTS », que Dieu accorde la capacité de vraiment faire le bien que nous devons faire. [1691–1695]

Comme Dieu a vu notre misère, il nous a par son Fils *arrachés au pouvoir des ténèbres* (Col 1, 13). Il nous a donné la possibilité de faire un nouveau départ en union avec lui, et d'avancer sur le chemin de l'amour. → 172–178

CHAPITRE PREMIER
La dignité de la personne humaine

280 *Quel est, pour les chrétiens, le fondement de la dignité de la personne humaine ?*

Toute personne humaine a, dès sa conception dans le sein de sa mère, une dignité inaliénable, parce que, de toute éternité, Dieu l'a voulue, l'a aimée, l'a créée, l'a sauvée, et l'a destinée à la béatitude éternelle. [1699–1715]

Si l'on n'estimait une personne qu'en fonction de ses réussites et de ses compétences, alors, les faibles, les malades, les défavorisés ne jouiraient d'aucune estime. Les chrétiens croient que la dignité humaine a sa source en Dieu : il tient chaque personne humaine en estime et il l'aime comme si elle était son unique créature sur terre. Un tout petit enfant a une dignité infinie, parce que Dieu

> Dieu veut que nous soyons heureux. Mais où est la source de cette espérance ? Elle réside dans l'union avec Dieu, qui vit au fond de l'âme de chaque être humain.
>
> FRÈRE ROGER SCHUTZ

> Le bonheur n'est pas en nous, et il n'est pas non plus en dehors de nous. Le bonheur n'est qu'en Dieu. Et quand nous l'avons trouvé, alors il est partout.
>
> BLAISE PASCAL

a jeté son regard sur lui, et personne n'a le droit de lui détruire cette dignité. → 56–65

281 *Pourquoi aspirons-nous au bonheur ?*

Dieu a placé dans notre cœur un si grand désir de bonheur que rien ne peut le satisfaire, si ce n'est Dieu lui-même. Toutes les satisfactions terrestres ne peuvent donner qu'un avant-goût du bonheur éternel. Nous devons aller au-delà d'elles pour tendre vers Dieu. [1718–1719, 1725] → 1–3

282 *L'Écriture sainte indique-t-elle un chemin vers le bonheur ?*

Nous trouvons le bonheur en nous fiant aux paroles de Jésus dans les « Béatitudes ». [1716–1717]

L'Évangile est une promesse de bonheur pour tous les hommes qui veulent suivre les chemins de Dieu. C'est surtout dans les Béatitudes (Mt 5, 3-12) que Jésus a indiqué concrètement qu'une → BÉNÉDICTION éternelle est accordée à celui qui suit son mode de vie et qui, d'un cœur pur, recherche la paix.

283 *Que disent les Béatitudes ?*

Heureux les pauvres en esprit,
car le Royaume des Cieux est à eux.

Heureux les affligés,
car ils seront consolés.

Heureux les doux,
car ils posséderont la terre.

Heureux les affamés et assoiffés de la justice,
car ils seront rassasiés.

Heureux les miséricordieux,
car ils obtiendront miséricorde.

Heureux les cœurs purs,
car ils verront Dieu.

Heureux les artisans de paix,
car ils seront appelés fils de Dieu.

Heureux les persécutés pour la justice,
car le Royaume des Cieux est à eux.

Heureux êtes-vous quand on vous insultera, qu'on vous persécutera, et qu'on dira faussement contre vous toute sorte d'infamie à cause de moi.

Soyez dans la joie et l'allégresse, car votre récompense sera grande dans les cieux : c'est bien ainsi qu'on a persécuté les prophètes, vos devanciers. (Mt 5, 3-12.)

284 *Pourquoi les Béatitudes sont-elles si importantes ?*

Celui qui désire le Royaume des Cieux doit chercher la liste des priorités de Jésus : les Béatitudes. [1716-1717, 1725-1726]

Depuis Abraham, Dieu fait des promesses à son peuple. Jésus les reprend, leur donne une valeur éternelle et en fait son programme personnel : le Fils de Dieu se fait pauvre pour partager notre pauvreté, il est joyeux avec ceux qui sont dans la joie, il pleure avec ceux qui pleurent (Rm 12, 16) ; il ne recourt pas à la violence, au contraire, il tend l'autre joue (Mt 5, 39) ; il est miséricordieux, il suscite la paix, et montre ainsi le chemin sûr qui mène au ciel.

Car lui seul est le chemin qui vaut la peine d'être suivi,
La lumière à allumer,
La vie digne d'être vécue,
Et l'amour qui vaut la peine d'être aimé.

MÈRE TERESA

Vouloir tout ce que Dieu veut, et le vouloir toujours en toutes circonstances et sans réticences, c'est le Royaume de Dieu qui est tout en nous.

FRANÇOIS FÉNELON

> L'homme est si grand que rien sur terre ne peut lui suffire. Il n'est satisfait que s'il se tourne vers Dieu. Sors un poisson de l'eau : il ne pourra plus vivre. Voilà comment est l'homme sans Dieu.
>
> SAINT CURÉ D'ARS

> Nous le verrons tel qu'il est.
>
> 1re épître de Jean 3, 2

> Être libre, c'est disposer de soi-même.
>
> HENRI-DOMINIQUE LACORDAIRE (1802–1861, dominicain)

> La personne qui se remet entièrement dans les mains de Dieu ne se fait pas marionnette de Dieu, elle n'est ni austère ni conformiste, et elle ne perd pas non plus sa liberté. Ce n'est qu'en se confiant totalement à Dieu que l'on trouve la vraie liberté, l'immense liberté créatrice accomplissant le bien. L'homme qui se tourne vers Dieu, ne rapetisse pas, il grandit, car, par Dieu et avec Lui, il devient grand, il se divinise, en devenant vraiment lui-même.
>
> BENOÎT XVI, décembre 2005

285 *Qu'est-ce que la béatitude éternelle ?*

La béatitude éternelle, c'est voir Dieu, et c'est devenir participant de la béatitude divine. [1720-1724, 1729]

En Dieu, Père, Fils et Esprit est la vie, la joie, et la communion sans fin. Notre participation à cette vie est pour nous les hommes un bonheur inimaginable et infini. Ce bonheur est un pur don de la grâce de Dieu, car nous sommes incapables de nous le procurer par nous-mêmes, ni d'en saisir l'immensité. Dieu veut que, déjà au cours de notre vie sur terre, nous options pour le bonheur. Dieu donne la liberté de le choisir, de l'aimer par-dessus tout, de faire le bien, et d'éviter de faire le mal de toutes nos forces. → 52, 156–158

286 *Qu'est-ce que la liberté, et pourquoi est-elle là ?*

La liberté est un don de Dieu qui permet de déterminer soi-même ce que l'on veut faire. La liberté est le contraire du déterminisme. [1730–1733, 1743–1744]

Dieu nous a créés en hommes libres et il veut notre liberté, afin que, de tout notre cœur, nous options pour le bien, pour le « bien » suprême – donc pour Dieu. Plus nous faisons le bien, plus nous devenons libres. → 51

287 *Est-ce que « être libre » ne consiste pas justement à pouvoir opter pour le mal ?*

Le mal n'est enviable qu'en apparence, et opter pour le mal ne rend libre qu'en apparence. Le mal ne rend pas heureux, il nous prive du vrai bien ; il nous attache à du néant et finit par détruire toute notre liberté. [1730–1733, 1743–1744]

Cela se vérifie avec toutes les formes d'addiction : quelqu'un vend sa liberté à quelque chose qui lui paraît bon. En réalité, il en devient esclave. C'est quand on peut toujours dire oui au bien que l'on est le plus libre ; quand on ne subit aucune dépendance, aucune contrainte, aucune habitude empêchant de choisir et de faire ce qui est juste et bon. Se décider pour le bien, c'est toujours se décider en faveur de Dieu. → 51

288 *L'homme est-il responsable de tout ce qu'il fait ?*

L'homme est responsable de tous ses actes dans la mesure où il est conscient, libre et volontaire. [1734-1737, 1745-1746]

On ne peut imputer (totalement) la responsabilité de ses actes à quelqu'un s'il a agi sous la contrainte, par peur, par ignorance, sous influence d'une drogue, ou sous l'empire de mauvaises habitudes. Plus on connaît le bien, et plus on s'exerce à l'accomplir, plus on s'éloigne de l'esclavage du péché (Rm 6, 17 ; 1 Co 7, 22). Dieu rêve que les personnes libres se sentent responsables d'elles-mêmes, de leur entourage et de toute la terre. Mais tout l'amour miséricordieux de Dieu va aussi à ceux qui sont sous dépendance ; tous les jours il leur propose de se libérer et de marcher vers la liberté.

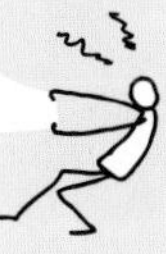

289 *Doit-on laisser l'homme user de son libre arbitre, même s'il opte pour le mal ?*

Exercer sa liberté est un droit fondamental de l'homme, fondé sur sa dignité de personne humaine. La liberté de l'individu ne peut lui être supprimée (ou diminuée) que lorsqu'il l'exerce au détriment de la liberté des autres. [1738, 1740]

La liberté ne serait pas une liberté, si elle ne comportait pas la liberté de choisir même l'erreur. Ce serait blesser la dignité d'une personne que de ne pas respecter sa liberté. Un des devoirs importants de l'État est de garantir les droits à la liberté de tous les citoyens (liberté de religion, de rassemblement et de réunion, liberté d'expression, au travail, etc.). La liberté de l'un s'arrête là où commence la liberté de l'autre. Cependant le respect de l'autre exige aussi d'agir avec amour, prudence, patience, envers ceux qui sont dans l'erreur et d'exprimer, autant que faire se peut, la vérité du Christ.

> L'homme bon est libre, même s'il est un esclave. Le méchant est esclave, même s'il est un roi.
>
> SAINT AUGUSTIN

> Le chemin qui mène au but commence le jour où tu assumes la pleine responsabilité de tes actes.
>
> DANTE ALIGHIERI (1265-1321, philosophe et poète italien)

> Les martyrs de l'Église primitive sont morts pour leur foi en Dieu qui s'est manifesté en Jésus-Christ et, par le fait même, ils sont morts aussi pour la liberté de conscience, et pour la liberté de professer sa propre foi – pour une profession de foi, qu'aucun État ne peut ravir. Le martyr ne peut ainsi professer sa foi qu'avec la grâce de Dieu éclairant la liberté de sa conscience. Une Église missionnaire qui se sent investie du devoir d'évangéliser toutes les nations doit absolument s'engager pour préserver le droit à la liberté de religion.
>
> BENOÎT XVI, 22 décembre 2005

Aussi bien n'avez-vous pas reçu un esprit d'esclaves pour retomber dans la crainte ; vous avez reçu un esprit de fils adoptifs qui nous fait nous écrier : Abba ! Père ! L'Esprit en personne se joint à notre esprit pour attester que nous sommes enfants de Dieu.

Épître aux Romains 8, 15-16

290 *Comment Dieu nous aide-t-il à devenir des hommes libres ?*

Le Christ veut que nous soyons *vraiment libres* (Ga 5, 1), et que nous soyons capables de nous aimer en frères et sœurs. C'est pourquoi il nous donne l'Esprit-Saint, qui rend libre et affranchi des puissances du monde et donne la force de vivre amour et responsabilité. [1739–1742, 1748]

Plus nous péchons et plus nous ne pensons qu'à nous, plus nous avons du mal à nous épanouir en êtres libres. En nous livrant au péché, nous ne parvenons plus à faire le bien et à vivre l'amour. L'Esprit-Saint vient dans nos cœurs pour nous donner un cœur plein d'amour pour Dieu et pour les hommes. Nous percevons l'Esprit-Saint comme une force qui conduit à la liberté intérieure, qui ouvre à l'amour, et nous change en instruments toujours plus aptes à accomplir le bien et l'amour. → 120, 310–311

291 *Comment une personne peut-elle discerner si son agir est bon ou mauvais ?*

L'homme est en mesure de distinguer les bonnes des mauvaises actions parce qu'il est doté d'une raison et d'une conscience, qui lui permettent de juger clairement. [1749–1754, 1757–1758]

Trois éléments peuvent nous guider à distinguer les bonnes des mauvaises actions :

1. *Ce que je fais* doit être bon ; une bonne intention ne suffit pas. Un cambriolage de banque est toujours grave, même si je le fais dans l'intention de donner de l'argent à des pauvres.
2. Même si ce que je fais est bon, toute mon action devient mauvaise, si je l'ai accomplie dans *une mauvaise intention*. Par exemple : si je raccompagne une vieille dame jusqu'à sa maison, c'est bien. Mais si je ne le fais que dans l'intention d'un futur cambriolage, tout ce que j'ai fait est une mauvaise action.
3. Les circonstances de l'action peuvent diminuer la responsabilité, mais ne changent rien au caractère de bonté ou de malice d'un acte. Frapper sa mère est toujours mal, même si sa mère n'a jamais montré beaucoup d'amour. → 295–297

292 *Est-il permis de faire le mal pour qu'il en résulte un bien ?*

Non, il n'est jamais permis de faire le mal, même pour viser un bien. Mais il peut arriver qu'il n'y ait pas d'autre solution, pour éviter un mal plus grand, que de choisir un moindre mal. [1755–1756, 1759–1761]

La fin ne justifie pas les moyens. Il est erroné d'utiliser des embryons dans la recherche sur les cellules souches, même si l'on peut ainsi faire avancer la médecine. Il est erroné de vouloir « aider » la victime d'un viol en la faisant avorter de son enfant.

293 *Pourquoi Dieu donne-t-il des passions et des émotions ?*

Les passions nous poussent, par des émotions fortes et des sentiments spécifiques, à faire ce qui est juste en

> En ce monde si rempli de libertés apparentes, qui détruisent l'environnement et l'homme, nous voulons ensemble, avec la force de l'Esprit, apprendre la vraie liberté, créer des écoles de liberté, montrer aux autres, par notre vie, que nous sommes libres, et comme il est beau d'être vraiment libre de la vraie liberté des enfants de Dieu.
>
> BENOÎT XVI, vigile de Pentecôte 2006

> La conscience est le centre le plus secret de l'homme, le sanctuaire où il est seul avec Dieu et où Sa voix se fait entendre.
>
> Concile Vatican II, *GS*, 16

> Celui qui veut faire le bien en vérité doit vouloir tout faire en vue du bien, ou vouloir tout supporter en vue du bien.
>
> SØREN KIERKEGAARD

> Il existe du bien sans mal, mais il n'existe rien de mauvais sans bien.
>
> SAINT THOMAS D'AQUIN

vue du bien, et à nous détourner du mal et du mauvais. [1762–1766, 1771–1772]

L'homme est ainsi créé par Dieu : il est capable d'aimer ou de mépriser, il est attiré par certaines choses et il en craint d'autres, il peut être plein de joie, de tristesse, de fureur. Au fond de son cœur, l'homme aime toujours le bien et hait le mal – ou ce qu'il considère comme tel.

> Sois patient en toutes choses, surtout avec toi-même.
>
> SAINT FRANÇOIS DE SALES

> La vertu, c'est ce que l'on fait avec passion ; le vice est ce que, par passion, on ne peut pas s'empêcher de faire.
>
> SAINT AUGUSTIN

294 *Est-on un pécheur quand on ressent de fortes passions en soi ?*

Non, les passions peuvent être très précieuses. Ce n'est que si elles sont mal ordonnées que les passions nous poussent au mal, alors qu'elles sont destinées à nous faire accomplir efficacement le bien. [1767–1770, 1773–1775]

Les passions qui sont ordonnées au bien deviennent des *vertus*. Elles sont alors le vecteur d'une vie combative à la recherche de l'amour et de la justice. On appelle *vice* toute passion dominatrice qui ravit à l'homme sa liberté et l'entraîne au mal.

295 *Qu'est-ce que la conscience ?*

La conscience est la voix intérieure présente au cœur de l'homme, qui lui enjoint absolument d'accomplir le bien

et d'éviter le mal. C'est la capacité de distinguer l'un de l'autre. Dieu parle à l'homme, au fond de sa conscience. [1776–1779]

La conscience est comparée à une voix intérieure dans laquelle Dieu se manifeste à l'homme. C'est Dieu que l'on perçoit dans sa conscience. Dire : « cela ne peut être en accord avec ma conscience ! » signifie pour un chrétien : « Je ne peux pas faire cela vis-à-vis de mon Créateur ! » Par fidélité à leur conscience, beaucoup ont subi la prison, voire la mort. → 120, 290–292, 312, 333

296 *Peut-on forcer quelqu'un à agir contre sa conscience ?*

Personne ne doit être forcé d'agir contre sa conscience, du moment qu'il agit dans les limites du bien commun. [1780–1782, 1798]

Celui qui méprise la conscience d'une personne, qui l'ignore, qui exerce la contrainte, blesse sa dignité : rien n'est plus humain que la capacité à distinguer le bien du mal, et de pouvoir faire un choix. Cela est vrai même lorsque, objectivement, une décision est erronée. Si la conscience a été bien formée, la voix intérieure parle conformément à ce qui est universellement raisonnable, juste et bon devant Dieu.

297 *Peut-on former sa conscience ?*

Oui, il faut même le faire. La conscience qui est présente au plus intime de toute personne dotée de raison peut être mal informée, voire étouffée. C'est pourquoi il faut l'éduquer pour en faire un instrument de jugement capable d'apprécier, avec toujours plus de finesse, la justesse des actes à poser. [1783–1788, 1799–1800]

La première école d'éducation de la conscience est l'autocritique. Nous, les hommes, nous avons tendance en effet à juger toujours à notre avantage. La deuxième école est de s'orienter sur le bien agir des autres. La conscience bien formée conduit l'homme à la liberté de faire le bien qu'il reconnaît comme juste. Avec l'aide de l'Esprit-Saint et de l'Écriture sainte, l'Église a, tout au long de son

» Tout ce qui se fait contre la conscience est péché.

SAINT THOMAS D'AQUIN

» Il est temps de faire quelque chose. Mais celui qui ose faire quelque chose doit bien être conscient qu'il entrera sûrement comme traître dans l'histoire. Si, cependant, il ne faisait rien, il serait un traître face à sa propre conscience.

COMTE CLAUS VON STAUFFENBERG
(1907–1944, exécuté peu de temps après l'attentat manqué du 20 juillet 1944 contre Hitler)

» Si nous nous sentons responsables, que nous avons honte ou que nous sommes effrayés parce que nous n'avons pas suivi la voix de notre conscience, cela démontre bien que quelqu'un est là, vis-à-vis duquel nous sommes responsables ; face auquel nous avons honte, et dont nous craignons les remontrances.

JOHN HENRY NEWMAN

histoire, rassemblé beaucoup de données sur l'agir moral juste ; elle a la mission d'enseigner les hommes et aussi de leur donner des directives. → 344

298 *Est-ce que celui qui agit mal, mais en toute bonne conscience, est coupable devant Dieu ?*

Non. Lorsqu'on a bien analysé les choses, et que l'on est parvenu à un jugement sûr, il convient de suivre sa voix intérieure en toutes circonstances, et même en prenant le risque de se tromper. [1790–1794, 1801–1802]

Dieu ne peut pas nous imputer les conséquences malheureuses d'une erreur involontaire du jugement de la conscience. Même s'il est vrai qu'il faut toujours suivre sa conscience, il ne faut cependant pas oublier qu'on a trop souvent falsifié des choses, assassiné, torturé, trompé en invoquant abusivement les droits de la conscience.

299 *Qu'entend-on par « vertu » ?*

Une vertu est une disposition intérieure, une habitude positive, une passion mise au service du bien. [1803, 1833]

Soyez parfaits comme votre Père céleste est parfait (Mt 5, 48). Cela veut dire que nous devons nous transformer pour avancer sur le chemin vers Dieu. Avec nos forces humaines nous ne le pouvons qu'un petit peu. Dieu renforce, par sa grâce, les *vertus humaines,* et, en outre, il nous donne les *vertus théologales,* qui permettent de s'approcher de Dieu et de vivre paisiblement dans sa lumière. → 293–294

300 *Pourquoi devons-nous faire un travail sur nous-mêmes ?*

Nous devons nous efforcer de pratiquer le bien avec facilité, librement, et dans la joie. En tout premier lieu, c'est une foi solide en Dieu qui nous y aide, mais aussi le fait de pratiquer *les vertus.* Ceci suppose de demander à Dieu de faire grandir en nous la capacité de mobiliser les forces de notre raison et de notre volonté pour tendre toujours plus résolument vers le bien et de

> Faire violence à la conscience des hommes revient à les blesser, à atteindre leur dignité d'un coup extrêmement grave. En ce sens, c'est pire que de les tuer.
>
> JEAN XXIII (1881–1963, le pape du concile Vatican II)

> Logiquement, tout ce qui a trait à la morale renvoie finalement à la théologie, et non à des contingences séculières.
>
> MAX HORKHEIMER (1895–1973, philosophe et sociologue allemand)

> N'aie pas peur que ta vie finisse un jour ! Crains plutôt d'oublier de la commencer correctement !
>
> JOHN HENRY NEWMAN

ne pas nous laisser aller à des passions désordonnées. [1804-1805, 1810-1811, 1834, 1839]

Les vertus principales sont : la prudence, la justice, la force et la tempérance. On les appelle aussi « vertus cardinales » (du latin *cardo,* « charnière », et *cardinalis,* « important »).

301 *Comment devient-on prudent ?*

On devient prudent en apprenant à distinguer l'essentiel de l'accessoire, à se fixer les bons objectifs, et à choisir les meilleurs moyens pour les atteindre. [1806, 1835]

La vertu de prudence guide toutes les autres vertus. Car la prudence est la capacité de discerner ce qui est juste. Si l'on veut mener une vie moralement bonne, il faut savoir ce qu'est le « véritable bien » et la valeur qu'il a. C'est comme le négociant de l'Évangile : après avoir trouvé une perle de grand prix, *il s'en est allé vendre tout ce qu'il possédait et l'a achetée* (Mt 13, 46). Il faut d'abord être prudent pour pouvoir ensuite mobiliser la justice, la force et la tempérance en vue du bien à accomplir.

302 *Comment agit-on en homme juste ?*

On pratique la justice en veillant à donner à Dieu et à autrui ce qui leur est dû. [1807, 1836]

L'expression qui caractérise la justice est « à chacun son dû ». L'avenir d'un enfant handicapé et celui d'un enfant surdoué doivent s'envisager différemment, de manière à respecter les droits de chacun. La justice s'efforce de rechercher l'équilibre, et veille à ce que tous reçoivent leur dû. La justice consiste aussi à donner à Dieu ce qui lui revient, c'est-à-dire notre amour et notre adoration.

303 *Que veut dire être fort ?*

Une fois qu'il a reconnu le bien, celui qui est fort intervient constamment pour le défendre, quand bien même il lui faudrait, en cas extrême, aller jusqu'au sacrifice de sa vie. [1809, 1837] → 295

> Bien vivre, c'est tout simplement aimer Dieu de tout son cœur, de toute son âme et de tout son agir. C'est lui conserver (par la tempérance) un amour total qu'aucun malheur ne puisse ébranler (ce qui relève de la force), qui n'obéit qu'à Lui seul (c'est la justice), et qui veille à discerner toutes choses de peur de se laisser surprendre par la ruse et le mensonge (et ceci est le propre de la prudence).
>
> SAINT AUGUSTIN

> La prudence a deux yeux ; un œil qui prévoit ce qu'il faut faire, et l'autre qui contrôle ensuite ce qu'on a fait.
>
> SAINT IGNACE DE LOYOLA

> La justice sans pitié est sans amour, la pitié sans justice est avilissante.
>
> FRIEDRICH VON BODELSCHWINGH (1831-1910, pasteur protestant allemand et théologien)

Proclame la Parole, insiste à temps et à contretemps.

2e épître à Timothée 4, 2

Le bonheur et le malheur sont au fort comme sa main droite et sa main gauche ; il se sert des deux.

SAINTE CATHERINE DE SIENNE

Car la grâce de Dieu, source de salut pour tous les hommes, s'est manifestée, nous enseignant à renoncer à l'impiété et aux convoitises de ce monde, pour vivre en ce siècle présent dans la réserve, la justice et la piété.

Épître à Tite 2, 11-12

Maintenant donc demeurent foi, espérance et charité, ces trois choses, mais la plus grande d'entre elles, c'est la charité.

1re épître aux Corinthiens 13, 13

Dieu est amour : celui qui demeure dans l'amour, demeure en Dieu et Dieu demeure en lui.

1re épître de Jean 4, 16

304 *Pourquoi est-ce une vertu que d'être modéré ?*

Garder la mesure ou pratiquer la tempérance est une vertu parce que la démesure dans tous les domaines s'avère être une force destructrice. [1809, 1838]

La personne qui manque de tempérance ou de modération se laisse aller à ses instincts, blesse les autres par ses désirs démesurés, et se fait mal à elle-même. Dans le → NOUVEAU TESTAMENT la tempérance est appelée « sobriété » ou « modération ».

305 *Quelles sont les trois vertus théologales ?*

Les vertus théologales sont la foi, l'espérance et la charité. On les appelle « théologales » parce qu'elles ont leur origine en Dieu, qu'elles se réfèrent directement à Dieu, et que, pour nous les hommes, elles sont le chemin par lequel nous parvenons directement à Dieu. [1812–1813, 1840]

306 *Pourquoi la foi, l'espérance et la charité sont-elles des vertus ?*

La foi, l'espérance et la charité sont aussi de véritables forces, accordées par Dieu, que l'on peut développer et entretenir avec la grâce de Dieu, *pour obtenir la vie en abondance* (Jn 10, 10). [1812–1813, 1840–1841]

307 *Qu'est-ce que la foi ?*

La foi est la vertu par laquelle nous croyons en Dieu, nous reconnaissons sa vérité, et nous nous attachons personnellement à lui. [1814–1816, 1842]

La foi est le chemin créé par Dieu qui conduit à la vérité, qui est Dieu lui-même. Parce que Jésus est *le chemin, la vérité, la vie* (Jn 14, 6), la foi ne peut pas être une simple attitude, une « croyance » en quelque chose. D'une part,

la foi contient des données précises : l'Église les professe dans le → CREDO (la profession de foi), et elle est chargée de les garder. La personne qui accueille le don de la foi, qui donc veut croire, se déclare pour cette foi conservée fidèlement à travers les âges et les cultures. D'autre part, croire, c'est aussi s'engager avec Dieu dans une relation confiante, de tout son cœur et son esprit, de toutes ses forces sensibles. Car *ce qui importe, c'est la foi agissant par la charité* (Ga 5, 6). Ce n'est pas à travers ses belles paroles que l'on voit si quelqu'un croit vraiment au Dieu d'amour, mais dans ses actes d'amour.

308 *Qu'est-ce que l'espérance ?*

L'espérance est la vertu par laquelle nous désirons fermement et durablement ce pour quoi nous sommes sur terre : louer Dieu, le servir et trouver notre accomplissement en Dieu, ce en quoi consiste notre vrai bonheur. Car c'est en Dieu qu'est notre demeure finale. [1817-1821, 1843]

Même si nous ne le voyons pas encore, l'espérance est la confiance en ce que Dieu a promis par sa Création, par les prophètes, mais surtout par Jésus-Christ. L'Esprit de Dieu

Qui dit : « Je le connais », alors qu'il ne garde pas ses commandements est un menteur, et la vérité n'est pas en lui.

1re épître de Jean 2, 4

Quiconque se déclarera pour moi devant les hommes, moi aussi, je me déclarerai pour lui devant mon Père qui est dans les cieux.

Matthieu 10, 32

nous est donné afin que nous espérions patiemment en ce qui est le vrai bien. → 1–3

309 *Qu'est-ce que la charité ?*

La charité est la vertu par laquelle nous pouvons nous donner totalement à Dieu, nous unir à lui, et aimer notre prochain comme nous-mêmes, sans réserve, par amour pour lui qui nous a aimés le premier. [1822–1829, 1844]

Jésus place la charité au-dessus de toutes les lois, avec toute sa vigueur. À juste titre, saint Augustin dit : « Aime, et fais ce que tu veux. » Mais ce n'est pas aussi simple qu'il y paraît ! La charité est la plus grande des énergies, et c'est pourquoi elle anime toutes nos autres vertus et les remplit de vie divine.

310 *Quels sont les sept dons du Saint-Esprit ?*

Les dons du Saint-Esprit sont : la sagesse, l'intelligence, le conseil, la force, la science, la piété et la crainte de Dieu. L'Esprit-Saint en « dote » les chrétiens : c'est-à-dire qu'il leur accorde certaines forces pour compléter leurs dispositions naturelles, et leur donne ainsi la possibilité de devenir des instruments spécifiques de Dieu en ce monde. [1830–1831, 1845]

Saint Paul écrit : *À l'un, c'est un discours de sagesse qui est donné par l'Esprit ; à tel autre, un discours de science, selon le même Esprit ; à un autre, la foi dans le même Esprit ; à tel autre, les dons de guérisons, dans l'unique Esprit ; à tel autre, la puissance d'opérer des miracles ; à tel autre, la prophétie ; à tel autre, le discernement des esprits ; à un autre, les diversités de langues, à tel autre, le don de les interpréter* (1 Co 12, 8-10). → 113–120

311 *Quels sont les fruits du Saint-Esprit ?*

Les → FRUITS DE L'ESPRIT sont : ***charité, joie, paix, patience, amabilité, bonté, douceur, mansuétude, fidélité, modestie, continence, chasteté*** **(Ga 5, 22-23). [1832]**

Cette énumération des → FRUITS DE L'ESPRIT montre à quoi parviennent ceux qui se laissent saisir, conduire, for-

> Espérer, c'est croire en l'aventure de l'amour, se fier aux hommes, faire le saut dans l'inconnu et s'en remettre entièrement à Dieu.
>
> SAINT AUGUSTIN

> Tu auras l'impression que ta place au ciel a été faite pour toi, et pour toi seul, car tu as été fait pour elle.
>
> C. S. LEWIS

> La charité est une vertu magnifique. Elle est à la fois le moyen et la fin, le mouvement et le terme, le chemin qui conduit à elle-même. Que faut-il donc faire pour aimer ? Il n'est besoin d'autres artifices que d'aimer tout simplement : comme on apprend à jouer du luth en jouant du luth, ou que l'on apprend à danser en dansant.
>
> SAINT FRANÇOIS DE SALES

> Pour ceux qui aiment, Dieu change tout en bien ; même leurs erreurs et leurs fautes, Dieu les leur transforme en bien.
>
> SAINT AUGUSTIN

mer par Dieu. Les fruits du Saint-Esprit montrent que Dieu joue vraiment un rôle dans la vie des chrétiens. → 120

312 *Comment sait-on que l'on a péché ?*

Une personne sait qu'elle a péché par sa conscience qui l'accuse, et l'incite à avouer ses fautes devant Dieu. [1797, 1848] → 229, 295–298

313 *Pourquoi un pécheur doit-il s'adresser à Dieu et lui demander son pardon ?*

Tout péché détruit, masque ou dénie le bien. Or, le Dieu de toute bonté est l'auteur de tout bien. C'est pourquoi tout péché est (aussi) un péché contre Dieu, et il faut renouer le contact avec Dieu pour remettre de l'ordre dans nos vies. [1847] → 224–239

314 *Comment savons-nous que Dieu est miséricordieux ?*

Dans bien des passages de l'Écriture sainte, Dieu se révèle comme étant le Miséricordieux ; il le fait en particulier dans la parabole du père miséricordieux (de « l'enfant prodigue », Lc 15), qui va à la rencontre de son fils perdu, et l'accueille sans condition, pour célébrer la fête joyeuse des retrouvailles et de la réconciliation avec lui. [1846, 1870]

Déjà dans l'→ ANCIEN TESTAMENT, Dieu dit par la bouche du prophète Ézéchiel : *Je ne prends pas plaisir à la mort du méchant, mais à la conversion du méchant qui change de conduite pour avoir la vie* (Ez 33, 11). Jésus est envoyé aux brebis perdues de la maison d'Israël (Mt 15, 24), et il sait que *ce ne sont pas les gens bien portants qui ont besoin de médecin, mais les malades* (Mt 9, 12). C'est pourquoi il mange avec des collecteurs d'impôts et des pécheurs, avant de désigner sa mort même, vers la fin de sa vie terrestre, comme étant une initiative de l'amour miséricordieux de Dieu : *Ceci est mon sang, le sang de l'alliance, qui va être répandu pour une multitude en rémission des péchés* (Mt 26, 28). → 227, 524

En vérité, en vérité, je vous le dis, celui qui croit en moi, fera, lui aussi, les œuvres que je fais ; et il en fera même de plus grandes, parce que je vais vers le Père.

Jean 14, 12

Tirez votre force de votre joie d'être avec Jésus. Soyez heureux et en paix. Acceptez tout ce qu'il vous donne. Et donnez tout ce qu'il prend, avec un grand sourire.

MÈRE TERESA à des collaborateurs

Si nous disons : « Nous n'avons pas de péché », nous nous abusons, la vérité n'est pas en nous.

1re épître de Jean 1, 8

Si nous confessons nos péchés, lui, fidèle et juste, pardonnera nos péchés et nous purifiera de toute iniquité.

1re épître de Jean 1, 9

Ne doutez jamais de la miséricorde divine.

SAINT BENOÎT DE NURSIE

Certains disent : « J'ai fait bien trop de mal, le Bon Dieu ne peut pas me pardonner. » C'est une erreur grossière. C'est mettre une limite à la miséricorde divine, alors qu'elle n'en a pas : elle est illimitée. Rien n'offense plus le Bon Dieu que de douter de sa miséricorde.

SAINT CURÉ D'ARS

Si notre cœur venait à nous condamner, Dieu est plus grand que notre cœur, et il connaît tout.

1re épître de Jean 3, 20

En dehors de la miséricorde divine, il n'y a pas d'autre source d'espérance pour les hommes.

JEAN-PAUL II

Seul celui qui a réfléchi sérieusement au poids de la croix peut comprendre le poids du péché.

ANSELME DE CANTERBURY

315 *Mais, au fait, qu'est-ce qu'un péché ?*

Un péché est une parole, un acte, ou un désir par lequel une personne offense consciemment et volontairement l'ordre vrai des choses prévu par l'amour de Dieu. [1849-1851, 1871-1872]

Pécher, c'est bien plus qu'enfreindre une loi quelconque édictée par des hommes. Le péché se dresse librement et consciemment contre l'amour de Dieu et ignore Dieu. Le péché est ainsi « amour de soi jusqu'au mépris de Dieu » (saint Augustin), et dans les cas extrêmes, la créature pécheresse dit : « Je veux être comme Dieu » (voir Gn 3, 5). Le péché remplit de culpabilité, blesse, me détruit par ses conséquences, mais aussi, empoisonne l'entourage et lui porte atteinte. C'est dans la proximité de Dieu que l'on peut reconnaître son péché et sa gravité.

→ 67, 224-239

316 *Comment peut-on distinguer les péchés graves (péchés mortels) des péchés moins graves (péchés véniels) ?*

Le péché grave détruit dans le cœur d'une personne la puissance divine de l'amour de Dieu, sans lequel il ne peut y avoir de béatitude éternelle. C'est pourquoi on l'appelle aussi péché mortel. Le péché grave est une rupture avec Dieu ; le péché véniel, lui, n'endommage que la qualité de la relation avec Dieu.
[1852-1861, 1874]

Un péché grave coupe l'homme de Dieu. Un tel péché existe, s'il affecte une valeur importante, si donc il se dresse contre la vie ou contre Dieu même (par exemple le meurtre, le blasphème contre Dieu, l'adultère, etc.), et s'il est commis avec pleine connaissance et entier consentement. Le péché véniel concerne des valeurs qui viennent après les premières citées (l'honneur, la vérité, la propriété, etc.), ou est commis sans pleine connaissance de leur portée, et sans entier consentement.
De tels péchés troublent la relation avec Dieu, mais ne la rompent pas.

317 *Comment est-on libéré d'un péché grave et relié à nouveau à Dieu ?*

Pour guérir la rupture avec Dieu, produite par un péché grave, un chrétien catholique doit se laisser réconcilier avec Dieu par le sacrement de pénitence-réconciliation. [1856] → 224–239

318 *Qu'est-ce qu'un vice ?*

Le vice est une habitude négative, qui étouffe et obscurcit la conscience, qui ouvre la personne au mal et l'incline de manière habituelle au péché. [1865–1867]

Le vice des hommes peut être rattaché aux péchés capitaux : l'orgueil, l'avarice, l'envie, la colère, la luxure, la gourmandise, la paresse (ou acédie).

319 *Sommes-nous responsables des péchés des autres ?*

Non. Nous ne sommes pas responsables des péchés des autres. Sauf lorsque nous sommes coupables de les avoir entraînés au péché, d'y avoir coopéré, ou de les avoir encouragés à pécher, ou d'avoir omis de les prévenir à temps ou de les en empêcher. [1868]

320 *Existe-t-il des structures de péché ?*

Les structures de péché existent seulement au sens figuré. Le péché est toujours le fait d'une personne individuelle qui adhère au mal sciemment et volontairement. [1869]

Cependant, il y a des structures sociales et des institutions qui sont si contraires aux commandements de Dieu, qu'on les qualifie de « structures de péché » – elles sont à vrai dire le résultat de péchés personnels.

Je viens de fabriquer une cendre précieuse : j'ai brûlé un billet de cinq cents francs. Oh, c'est moins grave que si j'avais commis un péché véniel !

SAINT CURÉ D'ARS

Si dans l'Église il n'y avait le pardon des péchés, il n'y aurait pas d'espérance en la vie éternelle et en l'éternelle libération. Rendons grâce à Dieu d'avoir fait un tel cadeau à son Église.

SAINT AUGUSTIN

La vertu tout comme le vice sont donc en notre pouvoir. Car là où l'agir est en notre pouvoir, le mauvais agir y est aussi, et là où est le non, il y a aussi le oui.

ARISTOTE
(382–322 av. J.-C., avec Platon, un des plus grands philosophes de l'Antiquité)

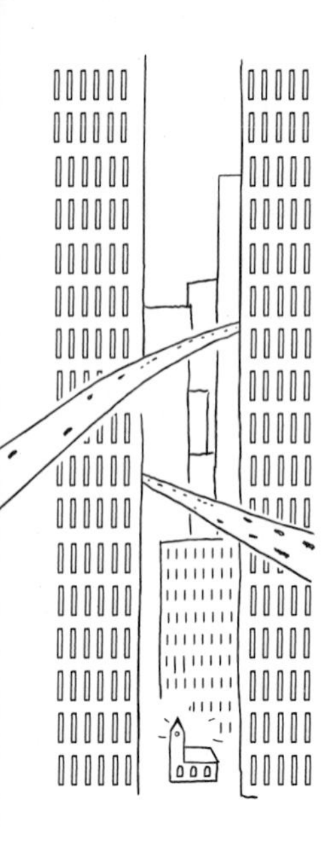

CHAPITRE II

La communauté humaine

321 *Est-ce qu'un chrétien peut être un pur individualiste ?*

Non, un chrétien ne peut jamais être un pur individualiste, car, de par sa nature même, il est fait pour une vie sociale. [1877–1880, 1890–1891]

Tout homme a une mère et un père ; il reçoit l'aide d'autrui, et il a le devoir d'aider autrui et de mettre ses talents au service de tous. Comme l'homme est « à l'image » de Dieu, il est, en quelque sorte, le reflet de Dieu qui, en soi, n'est pas solitaire, mais trinitaire (et donc : vie, amour, dialogue, et échange). En fait, c'est l'amour, le commandement central pour tous les chrétiens, par lequel, au plus profond de nous-mêmes, nous sommes unis les uns aux autres, et fondamentalement destinés à vivre les uns pour les autres : *Tu aimeras ton prochain comme toi-même* (Mt 22, 39).

Le grand don que l'homme puisse avoir sous le ciel, c'est de pouvoir bien vivre avec ceux avec lesquels il est.

BIENHEUREUX ÉGIDE D'ASSISE (?-1262,un des plus proches compagnons de saint François)

322 *Qu'est-ce qui est le plus important, la société ou la personne ?*

Devant Dieu chacun compte d'abord en tant que personne, ensuite seulement en tant que membre de la société. [1881, 1892]

La société ne peut jamais compter davantage que l'individu. On ne doit jamais considérer les hommes comme des moyens en vue d'une fin sociale. Cependant certaines sociétés telles que la famille ou l'État sont nécessaires à la personne ; elles correspondent même à sa nature.

323 *Comment la personne peut-elle s'intégrer à la société, afin de s'épanouir librement ?*

La personne ne peut s'épanouir librement dans la société que si le « principe de subsidiarité » est respecté. [1883-1885, 1894]

La → DOCTRINE SOCIALE DE L'ÉGLISE a élaboré le principe de subsidiarité : ce qu'une personne peut faire par elle-même ne doit pas être fait par une autorité supérieure. Selon celui-ci, une instance supérieure ne peut pas ravir à la personne ses capacités. Une société d'ordre supérieur ne doit pas assumer des fonctions qui reviennent à une société d'ordre inférieur, la privant de ses compétences. Son rôle est plutôt d'intervenir « subsidiairement », de la secourir donc en cas de nécessité.

324 *Sur quels principes une société repose-t-elle ?*

Toute société repose sur un ordre de valeurs, fondé sur la justice et la charité. [1886-1889, 1895-1896]

Aucune société ne peut tenir longtemps si elle ne repose pas sur une hiérarchie de valeurs garantissant un ordre juste des rapports humains et promouvant la justice. Ainsi la personne ne doit jamais être considérée comme un pur moyen en vue du but de l'agir social. Toute société doit constamment refuser les structures injustes. En fin de compte, il n'y a que la charité qui parvienne à cela, elle est le plus grand commandement social. Elle respecte l'autre. Elle exige la justice. Elle seule peut faire obstacle aux rapports sociaux iniques. → 449

325 *Quel est le fondement de l'autorité dans la société ?*

Toute société a besoin que son ordre, sa cohésion, son développement soient exigés et assurés par une auto-

» Même si tu ne crains pas de tomber tout seul, comment peux-tu avoir la prétention de te relever tout seul ? Regarde : à deux, on peut faire mieux que tout seul.

SAINT JEAN DE LA CROIX

» Chacun de nous est le fruit d'une pensée de Dieu. Chacun est voulu, chacun est aimé, chacun a sa place.

BENOÎT XVI lors de son investiture

LA DOCTRINE SOCIALE DE L'ÉGLISE
Enseignement de l'Église sur l'organisation de la vie sociale et sur le respect de la justice individuelle et sociale. Ses quatre grands principes sont : la personne humaine, le bien commun, la solidarité, la subsidiarité.

» La justice d'aujourd'hui est la charité d'hier ; la charité d'aujourd'hui est la justice de demain.

BIENHEUREUX ÉTIENNE-MICHEL GILLET (1758-1792, prêtre et martyr)

L'Église apprécie le système démocratique, comme système qui assure la participation des citoyens aux choix politiques et garantit aux gouvernés la possibilité de choisir et de contrôler leurs gouvernants, ou de les remplacer de manière pacifique, lorsque cela s'avère opportun.

JEAN-PAUL II, *Centesimus Annus*

Il n'y a pas de société sans une instance suprême.

ARISTOTE

BIEN COMMUN
Le bien commun est le bien qui est commun à tous. Il comprend « l'ensemble des conditions sociales qui permettent tant au groupe qu'à chacun de leurs membres d'atteindre leur perfection, d'une façon plus totale et plus aisée » (*GS*, 26).

Il faut obéir à Dieu plutôt qu'aux hommes.

Actes des apôtres 5, 29

rité légitime. Ce besoin d'une autorité qui la régisse est dans la nature humaine créée par Dieu. [1897–1902, 1918–1919, 1922]

Bien sûr, personne ne peut s'arroger le droit d'exercer une autorité dans la société, s'il n'a pas été légitimement investi de cette autorité. Celui qui gouverne et qui veille au respect de la constitution doit être soumis à la décision des citoyens. L'Église n'impose pas telle ou telle forme de gouvernement, mais déclare simplement qu'elle ne doit pas être contraire au → BIEN COMMUN.

326 *Quand l'autorité s'exerce-t-elle de manière légitime ?*

Une autorité agit de manière légitime quand elle œuvre au service du → BIEN COMMUN, et que, pour l'atteindre, elle emploie des moyens justes. [1903–1904, 1921]

Les citoyens doivent pouvoir se fier au fait qu'ils vivent dans un « État de droit » dont les lois sont moralement admissibles pour tous. Personne n'est obligé d'obéir à des lois arbitraires ou injustes ou qui sont contraires à l'ordre moral naturel. Sinon on a le droit, voire même parfois le devoir, de s'y opposer.

327 *Comment se réalise le bien commun ?*

Le → BIEN COMMUN se réalise là où les droits fondamentaux de la personne sont respectés, et là où les personnes peuvent s'épanouir librement spirituellement et religieusement. Le bien commun suppose que les personnes puissent vivre en toute liberté, en paix, et en sécurité. À notre époque de mondialisation le bien commun prend une dimension universelle pour sauvegarder les droits et les devoirs de l'humanité tout entière. [1907–1912, 1925, 1927]

Le → BIEN COMMUN est respecté quand on met au centre des préoccupations le bien de chaque individu et celui des plus petites cellules sociales (par exemple la famille). L'individu comme la plus petite unité sociale ont besoin d'être soutenus et protégés par les institutions politiques.

328 *Comment la personne peut-elle contribuer à la mise en œuvre du bien commun ?*

Œuvrer au → BIEN COMMUN signifie assumer une responsabilité pour les autres. [1913-1917, 1926]

Le → BIEN COMMUN doit être l'affaire de tous. Ainsi, il convient d'abord de s'engager et d'assumer des responsabilités dans son proche milieu – famille, voisinage, profession. Il est important d'assumer aussi des responsabilités sociales et politiques. Pour autant, toute personne responsable détient un pouvoir, et risque toujours d'en abuser. C'est pourquoi elle est invitée à une conversion sans cesse renouvelée, afin d'exercer son souci des autres dans un constant esprit de justice et de charité.

329 *Comment s'obtient la justice sociale dans une société ?*

La justice sociale s'obtient lorsque la dignité inaliénable de chaque personne est respectée : cela implique que ses droits soient reconnus et respectés, et qu'elle puisse participer activement à la vie politique, économique et culturelle de la société. [1928-1933, 1943-1944]

À la base de toute justice il y a le respect de la dignité inaliénable de la personne, dont la défense nous est confiée par le Créateur, et dont tous les hommes et femmes en toutes périodes de l'histoire sont les débiteurs au sens strict du terme (Jean-Paul II, *Sollicitudo Rei Socialis* de 1987). De la dignité de la personne découlent directement les droits de l'homme, qu'aucun État ne peut abolir ni modifier. Des États ou des dirigeants qui piétinent ces droits sont des régimes illégitimes et ils perdent leur autorité. Quant à la perfection à laquelle aspire la société humaine, elle ne s'obtient pas d'abord par des lois, mais par la pratique de l'amour du prochain, quand tous, sans aucune exception, « considèrent autrui comme un autre soi-même » (*GS*, 27, 1). → 280

À tous les hommes, il faut accorder justice et humanité.

Concile Vatican II, *Dignitatis Humanae (DH)*

L'ordre des choses doit être subordonné à l'ordre des personnes, et non l'inverse.

Concile Vatican II, *GS*

Personne ne peut prétendre comme Caïn qu'il n'est pas responsable de son frère.

JEAN-PAUL II

Respectez la bonne réputation de vos ennemis.

SAINT CURÉ D'ARS

Dans la mesure où vous l'avez fait à l'un de ces plus petits de mes frères, c'est à moi que vous l'avez fait.

Matthieu 25, 40

Toutes les sciences et tous les arts recherchent un très grand bien, mais le plus important de tous est la science politique : son but suprême est la justice ; celle-ci consiste à réaliser le bien commun.

ARISTOTE

Vous les chrétiens, vous avez en garde un document comportant assez de dynamite pour faire voler en éclats la civilisation entière, pour mettre le monde sans dessus dessous, pour apporter la paix à ce monde déchiré par les guerres. Mais vous le traitez comme s'il n'était qu'un simple ouvrage de bonne littérature, un point c'est tout.

MAHATMA GANDHI
(1869–1948, guide spirituel du mouvement indépendantiste indien, fondateur du mouvement politique de la non-violence)

L'homme ne peut pas vénérer Dieu et en même temps mépriser son prochain. L'un et l'autre sont inconciliables.

MAHATMA GANDHI

330 *Dans quelle mesure tous les hommes sont-ils égaux devant Dieu ?*

Devant Dieu tous les hommes sont égaux, dans la mesure où tous ont le même Créateur, où tous, créés à l'image du Dieu unique, sont dotés d'une même âme raisonnable, et ont tous le même Sauveur. [1934–1935, 1945]

Parce que tous les hommes sont égaux devant Dieu, chacun, en tant que personne, jouit d'une égale dignité et chacun doit disposer des mêmes droits. C'est pourquoi toute forme de discrimination sociale, raciste, sexiste, culturelle ou religieuse d'une personne est une injustice inacceptable.

331 *Pourquoi y a-t-il cependant des inégalités entre les hommes ?*

Tous les hommes jouissent d'une égale dignité, mais tous ne se trouvent pas dans des conditions de vie

égales. Les inégalités dont la société humaine est la cause sont en contradiction avec l'Évangile. Dieu a pourvu les hommes de talents différents, comme pour nous inviter à partager les uns avec les autres : dans la charité, l'un doit donner à l'autre ce qui lui manque. [1936–1938, 1946–1947]

Il existe une inégalité entre les hommes qui ne vient pas de Dieu, mais de conditions économiques et sociales, surtout de l'inégale répartition mondiale des matières premières, des biens et des capitaux. Dieu attend de nous que nous fassions disparaître du monde tout ce qui est en contradiction ouverte avec l'Évangile, et qui méprise la dignité humaine. Mais il existe cependant aussi une inégalité entre les hommes, qui correspond au plan de Dieu : inégalité de talents, de conditions au départ, de capacités. Dieu veut ainsi nous indiquer qu'être homme signifie être là pour l'autre, pour l'aimer, pour partager, pour permettre la vie. → 61

332 *En quoi se manifeste la solidarité des chrétiens avec autrui ?*

Les chrétiens s'engagent en faveur de structures sociales justes, de manière à ce que tous les hommes aient accès aux biens matériels et spirituels de notre terre. Les chrétiens veillent aussi au respect de la dignité des hommes dans le travail, ce qui implique que celui-ci soit rémunéré équitablement : transmettre la foi est aussi un acte de solidarité envers tous les hommes. [1939–1942, 1948]

On reconnaît les chrétiens à leur pratique de la solidarité. En effet, être solidaire n'est pas seulement un acte que la raison exige. Jésus-Christ, notre Seigneur, s'est lui-même totalement identifié avec les pauvres et les plus petits (Mt 25, 40). Leur refuser la solidarité, c'est rejeter le Christ.

333 *Existe-t-il une loi morale naturelle accessible à tous ?*

Si les hommes doivent faire le bien et éviter le mal, c'est parce que ce qui est bien et mal est inscrit de manière claire et certaine dans leur cœur. Effectivement,

Dieu dit : « J'ai voulu qu'ils eussent besoin les uns des autres et qu'ils fussent mes ministres pour la distribution des grâces et des libéralités qu'ils ont reçues de moi. »

SAINTE CATHERINE DE SIENNE

Rien n'est vraiment à nous, jusqu'à ce que nous le partagions.

C. S. LEWIS

Aimez les pauvres et ne leur tournez pas le dos, car lorsque vous tournez le dos aux pauvres, vous tournez le dos au Christ. Il s'est fait lui-même affamé, nu, sans patrie, afin que vous ayez l'occasion, et moi aussi, de l'aimer.

MÈRE TERESA

Que celui qui a deux tuniques partage avec celui qui n'en a pas, et que celui qui a de quoi manger fasse de même.

Luc 3, 11

tout homme peut fondamentalement discerner par sa raison cette loi morale en quelque sorte « naturelle ». [1949–1960, 1975, 1978–1979]

La → LOI MORALE NATURELLE est valide pour tous. Elle indique à chacun ses droits fondamentaux et ses devoirs, et constitue ainsi la base du vivre ensemble dans la famille, la société et l'État. L'homme a besoin de l'aide de Dieu et de sa → RÉVÉLATION, pour rester sur le droit chemin, car, à cause de son péché et de sa faiblesse, il perçoit souvent la loi naturelle de manière floue.

334 *Quel est le rapport entre la loi naturelle et la Loi de l'Ancien Testament ?*

La Loi de l'Ancien Testament, ou Loi ancienne, exprime des vérités naturellement accessibles à la raison, qui furent révélées et authentifiées comme étant la Loi de Dieu. [1961–1963, 1981]

335 *Quelle est l'importance de la Loi de l'Ancien Testament ?*

Dans « la Loi ancienne » (la Thora), résumée essentiellement dans les dix commandements (le → DÉCALOGUE), Dieu manifeste sa volonté au peuple d'Israël ; observer la Thora est pour Israël le chemin du salut. Les chrétiens savent que la Loi leur indique ce qu'il faut faire. Mais ils savent aussi que ce n'est pas « la Loi » qui sauve. [1963–1964, 1981–1982]

Par expérience, chacun sent qu'il lui est comme « recommandé » de faire le bien. Mais il nous manque souvent la force pour l'accomplir, c'est trop difficile, on se sent « faible » (voir Rm 8, 3 et Rm 7, 14-25). On voit ce « qu'il faut faire, c'est-à-dire la Loi ancienne », mais on se sent livré au péché. Et c'est justement cette connaissance de la Loi ancienne qui nous montre à quel point nous avons besoin d'une force intérieure pour l'accomplir. C'est pourquoi la Loi de l'Ancien Testament, si bonne et importante soit-elle, n'est là que pour nous préparer à vivre de la foi en Dieu, notre Sauveur, tel qu'il est révélé dans l'Évangile.

→ 349

PRINCIPE DE SOLIDARITÉ
(du latin *in solidum*, « pour l'ensemble ») : principe de la Doctrine sociale de l'Église, qui repose sur l'exigence de fraternité entre les hommes, et qui vise à instaurer une « civilisation de l'amour » (Jean-Paul II).

LOI MORALE NATURELLE
« Toutes les civilisations et cultures ont de nombreux et divers principes éthiques en commun qui sont l'expression de la même nature humaine voulue par le Créateur, et que la sagesse morale de l'humanité appelle droit naturel » (Benoît XVI, *Caritas in Veritate*).

Le Créateur a inscrit au fond de notre être même la « loi naturelle », qui est le reflet de son plan créateur dans notre cœur, comme indicateur et mesure pour notre existence.

BENOÎT XVI, 27 mai 2006

336 *Que dit Jésus de la Loi ancienne ?*

***N'allez pas croire que je sois venu abolir la Loi et les prophètes : je ne suis pas venu abolir, mais accomplir* (Mt 5, 17). [1965-1972, 1977, 1983-1985]**

Jésus vécut en croyant juif entièrement selon les conceptions et les prescriptions de son temps. Mais, à travers une série de réflexions, il s'est écarté d'une interprétation de la Loi à la lettre et purement formelle.

337 *Comment sommes-nous sauvés ?*

Aucun homme ne peut se sauver par lui-même. En effet, le salut est libération du péché et, par-delà la « zone de la mort », participation à une vie sans fin dans le face-à-face avec Dieu. Les chrétiens croient qu'ils sont sauvés par Dieu, qui, pour cela, a envoyé son Fils Jésus-Christ dans le monde et répandu son Esprit. [1987-1995, 2017-2020]

Paul constate : *Tous ont péché et sont privés de la gloire de Dieu* (Rm 3, 23). Devant Dieu, justice et bonté absolues, le péché ne peut avoir aucune existence. Mais si le péché n'existe que pour le néant, que devient alors le pécheur ? Dieu, dans son amour, a trouvé un chemin, par lequel il détruit le péché, mais sauve le pécheur. Il le rend à nouveau « comme il faut », c'est-à-dire *juste.* C'est pourquoi le salut s'appelle aussi depuis toujours *justification.* Nous ne devenons pas justes par nos propres forces. Personne ne peut se pardonner à lui-même ses péchés, ni se soustraire à la mort. Il faut donc que Dieu agisse en notre faveur, il le fait par pure miséricorde, et non parce que nous pourrions le mériter. Par le baptême, Dieu nous offre *la justice de Dieu par la foi en Jésus-Christ* (Rm 3, 22). Par la puissance de l'Esprit qui est infusé dans nos cœurs, nous prenons part à la mort et à la résurrection du Christ : nous mourons au péché, et nous naissons à une vie nouvelle en Dieu. Nous venant de Dieu, la foi, l'espérance et la charité nous saisissent et nous rendent capables de vivre dans la lumière et de nous conformer à la volonté de Dieu.

La Loi ancienne est prophétie et pédagogie des réalités à venir.

SAINT IRÉNÉE DE LYON

Dieu a écrit sur les tables de la Loi ce que les hommes ne lisaient pas dans leurs cœurs.

SAINT AUGUSTIN

Car je vous le dis en vérité : avant que ne passent le ciel et la terre, pas un i, pas un point sur l'i, ne passera de la Loi, que tout ne soit réalisé. Celui qui violera l'un de ces moindres préceptes, et enseignera aux autres à faire de même, sera tenu pour moindre dans le Royaume des Cieux ; au contraire, celui qui les exécutera et les enseignera, celui-là sera tenu pour grand dans le Royaume des Cieux.

Matthieu 5, 18-19

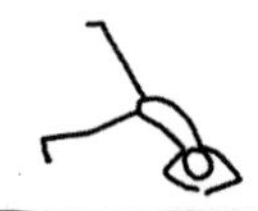

338 *Qu'est-ce que la grâce ?*

Par la grâce, nous entendons la sollicitude gratuite et aimante de Dieu, sa bonté secourable, la force de la vie qui vient de lui. Par la Croix et la Résurrection, Dieu se donne à nous de tout son amour, et se communique à nous gratuitement. La grâce, c'est tout ce que Dieu nous donne, sans le moindre mérite de notre part. [1996–1998, 2005, 2021]

« La grâce, dit le pape Benoît XVI, c'est être regardé par Dieu, c'est être touché par son amour pour nous. La grâce n'est pas une chose, c'est Dieu lui-même qui se communique aux hommes. Ce qu'il donne n'est rien de moins que lui-même. Dans la grâce, nous sommes en Dieu. »

339 *Quelle est l'œuvre de la grâce sur nous ?*

La grâce nous introduit dans l'intimité de la vie de la Sainte Trinité, dans l'échange d'amour entre le Père, le Fils et le Saint-Esprit. Elle nous rend capables de vivre dans l'amour de Dieu et d'agir en vertu de cet amour. [1999–2000, 2003–2004, 2023–2024]

La grâce nous vient d'en haut, elle est infusée dans notre âme, et elle ne s'explique pas par des causes « naturelles » (on l'appelle *grâce surnaturelle*). Elle nous fait devenir (*surtout la grâce du baptême*) enfants de Dieu et héritiers du Ciel (c'est la grâce sanctifiante ou déifiante). Elle nous dispose à faire durablement le bien *(la grâce habituelle)*. Elle nous aide à discerner, à vouloir et à faire tout ce qui mène au bien, à Dieu, et au Ciel (la grâce actuelle). Elle est accordée en particulier dans les → SACREMENTS, qui, selon la volonté de notre Seigneur, sont le lieu par excellence de la rencontre avec Dieu *(la grâce sacramentelle)*. La grâce se manifeste aussi à travers des dons spécifiques accordés à certaines personnes (les → CHARISMES), ou des forces spécifiques qui accompagnent l'état du mariage, de l'ordre, de la vie religieuse *(les grâces d'état)*.

JUSTIFICATION
C'est une donnée centrale de la « doctrine sur la grâce ». Elle signifie le rétablissement de la juste relation entre Dieu et l'homme. Comme Jésus-Christ est capable de cette juste relation (la « justice »), nous ne pouvons revenir à Dieu que « justifiés » par le Christ, c'est-à-dire en entrant dans sa relation parfaite avec Dieu. Croire c'est donc accueillir la justice de Jésus en soi-même et dans sa vie.

Car c'est bien par la grâce que vous êtes sauvés, moyennant la foi. Ce salut ne vient pas de vous, il est un don de Dieu. Il ne vient pas des œuvres, car nul ne doit pouvoir se glorifier.

Épître aux Éphésiens 2, 8-9

Dieu ne donne jamais moins que lui-même.

SAINT AUGUSTIN

Tout est grâce.

SAINTE THÉRÈSE DE LISIEUX

340 *Quel rapport y a-t-il entre la grâce et notre liberté ?*

La grâce divine vient à la rencontre de l'homme en le laissant libre, elle le suscite et réclame qu'il réponde en toute liberté. La grâce ne contraint pas. L'amour de Dieu veut notre libre assentiment. [2001-2002, 2022]

On peut toujours dire non à l'offre de la grâce. La grâce n'est cependant pas extérieure, ni étrangère à l'homme, elle est en fait ce à quoi il aspire au plus profond de sa liberté. En nous touchant par sa grâce, Dieu précède notre libre réponse.

341 *Peut-on mériter le Ciel par de bonnes œuvres ?*

Non. Personne ne peut se gagner le Ciel simplement par ses propres forces. Être sauvé est pur don de la grâce divine, même si cela exige la libre coopération de l'homme. [2006-2011, 2025-2027]

Même si c'est par la grâce et la foi que nous sommes sauvés, il n'en reste pas moins que l'amour, suscité en nous par l'action de Dieu, doit se manifester à travers nos bonnes œuvres.

Qu'as-tu que tu n'aies reçu ?

1re épître aux Corinthiens 4, 7

Mon passé ne me préoccupe pas ; il est dans la miséricorde divine. Mon avenir ne me préoccupe pas non plus ; il est dans la providence divine. Ce qui me préoccupe et m'anime, c'est l'aujourd'hui, qui est dans la grâce de Dieu et dans le don de mon cœur et de ma volonté.

SAINT FRANÇOIS DE SALES

Marie dit alors : « Je suis la servante du Seigneur, qu'il m'advienne selon ta parole. »

Luc 1, 38

On ne choisit pas soi-même sa vocation, on la reçoit, et l'on doit s'efforcer de la reconnaître. On doit prêter son oreille à la voix de Dieu, pour percevoir un signe de sa volonté. Et une fois que l'on a reconnu Sa volonté, il faut la faire toujours, quelle qu'elle soit, et quoi qu'elle coûte.

CHARLES DE FOUCAULD

Le Seigneur ne nous demande pas de grandes actions, mais que simplement nous nous donnions à lui et le remercions. Il n'a pas besoin de nos œuvres, mais uniquement de notre amour.

SAINTE THÉRÈSE DE LISIEUX

La sainteté n'est pas un luxe pour quelques hommes, c'est tout simplement un devoir pour toi et moi.

MÈRE TERESA

342 *Allons-nous tous devenir des « saints » ?*

Oui. Le but de notre vie est de nous unir à Dieu dans l'amour, d'être totalement en conformité avec les désirs de Dieu. Nous devons permettre à Dieu « de vivre sa vie en nous » (Mère Teresa). C'est cela être « saint ». [2012–2016, 2028–2029]

Toute personne se pose la question : qui suis-je, pourquoi suis-je là, et quel est mon devenir ? La foi répond : c'est dans la → SAINTETÉ que l'homme devient ce pour quoi Dieu l'a créé. C'est dans la sainteté que l'homme parvient à la véritable harmonie avec lui-même et le Créateur. Mais la sainteté n'est pas une perfection qui se fait d'elle-même, c'est s'unir à l'amour qui s'est fait homme, c'est-à-dire le Christ. Celui qui recherche cette vie nouvelle se trouve lui-même, et devient saint.

CHAPITRE III
L'Église

343 *Comment l'Église aide-t-elle à mener une vie moralement bonne et responsable ?*

C'est en Église que nous sommes baptisés. C'est en Église que nous recevons la foi, conservée dans son intégralité à travers tous les siècles. C'est en Église que nous entendons la Parole vivante de Dieu et que nous apprenons comment vivre si nous voulons plaire à Dieu. Par les → SACREMENTS que Jésus a confiés à ses disciples, l'Église fait grandir, fortifie et console. Dans l'Église, les saints nous éclairent de leur flamme. En l'Église, l'→ EUCHARISTIE est célébrée : le sacrifice du Christ y est chaque fois rendu présent, afin que nous nous unissions à lui, que nous devenions son Corps, et que nous vivions de sa force. Malgré toutes les faiblesses humaines de l'Église, personne ne peut être chrétien en restant en dehors d'elle. [2030–2031, 2047]

344 *Pourquoi l'Église intervient-elle dans des questions morales et dans des questions concernant la conduite de chacun ?*

Croire est un chemin. Ce n'est qu'en se référant aux indications de l'Évangile, que l'on peut savoir comment rester sur ce chemin, c'est-à-dire agir selon la justice et vivre selon le bien. Le → MAGISTÈRE de l'Église doit rappeler aux hommes les exigences de la loi morale naturelle. [2032-2040, 2049-2051]

La vérité n'est pas à double sens. Ce qui est juste pour l'humanité ne peut pas être faux pour un chrétien. Ce qui est juste pour un chrétien ne peut pas être faux pour l'humanité. C'est pourquoi il incombe à l'Église d'intervenir de manière générale sur tout ce qui concerne la morale.

345 *Quels sont les « cinq commandements de l'Église » ?*

1. Participer à la messe les dimanches et jours de fête. Cesser tout travail et toute activité qui nuirait au caractère sacré de ces jours. 2. Se confesser au moins une fois l'an. 3. Recevoir le sacrement de l'→ EUCHARISTIE au moins à Pâques. 4. S'abstenir de manger de la viande (le mercredi des Cendres et les vendredis de Carême) et jeûner aux jours fixés (mercredi des Cendres et vendredi saint). 5. Subvenir aux besoins matériels de l'Église. [2042-2043]

346 *À quoi servent les commandements de l'Église, et à quoi nous engagent-ils ?*

Les « cinq commandements de l'Église » servent à nous rappeler par leurs exigences minimales que l'on ne peut pas être chrétien sans s'efforcer de vivre selon la morale, sans participer concrètement à la vie sacramentelle de l'Église, sans vivre en solidarité avec elle. Ils sont obligatoires pour tout catholique. [2041, 2048]

> Aimer le Christ et aimer l'Église, c'est la même chose.
>
> FRÈRE ROGER SCHUTZ

> Aujourd'hui, l'Église me donne Jésus. C'est-à-dire tout. Que saurais-je de lui, du lien qui m'unit à lui, sans l'Église ?
>
> CARDINAL HENRI DE LUBAC (1896-1991, théologien français)

> Vous voulez parvenir à la foi, mais vous n'en connaissez pas le chemin ? Apprenez de ceux qui, avant vous, ont douté comme vous. Imitez leur façon d'agir, faites tout ce que la foi demande, comme si vous étiez déjà croyant. Assistez à la messe, utilisez de l'eau bénite, etc., cela sans aucun doute vous donnera un cœur simple et vous conduira à la foi.
>
> BLAISE PASCAL

DOUBLE MORALE fait allusion à une morale publique ou privée, qui se pratique de manières différentes selon les circonstances. Extérieurement la personne défend des objectifs et des attitudes conformes à des valeurs qu'en privé elle ne respecte pas. *Petits enfants, n'aimons ni de mots ni de langue, mais en actes et en vérité* (1 Jn 3, 18).

Le monde est plein de gens qui prêchent l'eau et boivent du vin.

GIOVANNI GUARESCHI (1908–1968, l'auteur italien de *Don Camillo et Peppone)*

Mais à l'exemple du Saint qui vous a appelés, devenez saints, vous aussi dans toute votre conduite, selon qu'il est écrit : vous serez saints, parce que moi, je suis saint.

1re épître de Pierre 1, 15-16

Le Christ ne veut pas des admirateurs mais des « suiveurs ».

SØREN KIERKEGAARD

347 *Pourquoi est-ce grave, pour un chrétien, d'être accusé d'avoir une « double morale » ?*

La première condition de l'évangélisation est que la vie soit en accord avec l'Évangile. Avoir une → MORALE « DOUBLE », c'est donc trahir la mission qu'ont les chrétiens d'être « sel de la terre et lumière du monde ». [2044–2046]

Paul rappelait à la communauté de Corinthe : *Vous êtes manifestement une lettre du Christ remise à nos soins, écrite non avec de l'encre, mais avec l'Esprit du Dieu vivant, non sur des tables de pierre, mais sur des tables de chair, sur les cœurs* (2 Co 3, 2). Les chrétiens sont par leur vie même, plus que par leurs dires, la « lettre de recommandation » (2 Co 3, 2) du Christ au monde. Ainsi les ravages des contre-témoignages sont d'autant plus dévastateurs que ce sont des → PRÊTRES ou des religieux qui s'en prennent à des enfants. Ils ne commettent pas seulement des crimes innommables sur leurs victimes. Ils font douter beaucoup de personnes de l'espérance en Dieu et éteignent chez bon nombre la lueur de la foi.

DEUXIÈME SECTION
Les dix commandements

348 *Maître, que dois-je faire de bon pour posséder la vie éternelle ? (Mt 19, 16.)*

Jésus répond : *Si tu veux entrer dans la vie, observe les commandements* (Mt 19, 16), et il ajoute : *Viens, et suis-moi !* (Mt 19, 21.) [2052–2054, 2075–2076]

Être chrétien, c'est plus que mener une vie correcte qui observe les commandements. Être chrétien, c'est entretenir une relation vivante avec Jésus. Un chrétien se lie profondément et personnellement avec son Seigneur, et poursuit avec lui le chemin qui conduit à la vraie vie.

349 *Quels sont les « dix commandements » ?*

1. **Je suis le Seigneur, ton Dieu. Tu n'auras pas d'autres dieux que Moi.**
2. **Tu ne prononceras pas le nom du Seigneur ton Dieu à faux.**
3. **Souviens-toi du jour du →SABBAT pour le sanctifier.**
4. **Honore ton père et ta mère.**
5. **Tu ne commettras pas de meurtre.**
6. **Tu ne commettras pas d'adultère.**
7. **Tu ne commettras pas de vol.**
8. **Tu ne témoigneras pas faussement contre ton prochain.**
9. **Tu ne convoiteras pas la femme de ton prochain.**
10. **Tu ne convoiteras rien de ce qui est à ton prochain.**

> La plupart des gens ne devinent pas ce que Dieu pourrait faire d'eux s'ils se mettaient à sa disposition.
>
> SAINT IGNACE DE LOYOLA

Cette formulation des dix commandements ne se trouve pas textuellement dans l'Écriture sainte ; elle se réfère à deux sources bibliques : Exode 20, 2-7 et Deutéronome 5, 6-21.
Depuis toujours l'Église a fait une synthèse des deux sources et proposé cette forme catéchétique aux croyants.

350 *Les dix commandements sont-ils rassemblés par hasard ?*

Non. Les dix commandements forment une unité. Un commandement en implique un autre. On ne peut pas écarter arbitrairement l'un ou l'autre commandement. Si l'on transgresse l'un, on enfreint l'ensemble de la Loi. [2069, 2079]

La particularité des dix commandements, c'est qu'ils concernent la vie de l'homme dans son ensemble. Nous les hommes, nous avons en effet des devoirs envers Dieu (commandements 1 à 3), et envers ceux avec qui nous

DÉCALOGUE (« dix paroles », du grec *deca,* « dix », et *logos,* « parole »). Les dix commandements sont le résumé primordial des règles fondamentales concernant le comportement humain dans l'Ancien Testament. Les juifs, comme les chrétiens, orientent leur comportement selon ce texte fondamental.

Les dix commandements ne sont nullement des devoirs imposés arbitrairement par un Seigneur tyrannique... Aujourd'hui et pour toujours ils sont les seuls à garantir l'avenir de la famille humaine. Ils préservent l'homme de la puissance destructrice de l'égoïsme, de la haine et du mensonge. Ils lui montrent toutes les fausses idoles qui le réduisent à l'esclavage : l'amour de soi excluant Dieu, la volonté de puissance, et la recherche du plaisir, qui renversent l'ordre juste et qui avilissent notre dignité humaine et celle de notre prochain.

JEAN-PAUL II,
au Sinaï, le 26 février 2002

Quant à nous, aimons (Dieu) puisque lui nous a aimés le premier.

1re épître de Jean 4, 19

vivons (commandements 4 à 10). Nous sommes des êtres religieux et des êtres sociaux.

351 *Les dix commandements ne sont-ils pas dépassés ?*

Non, le message des dix commandements n'est pas lié à un contexte historique. Ils expriment les devoirs fondamentaux et immuables de l'homme envers Dieu et envers son prochain, et leur obligation vaut toujours et partout. [2070-2072]

Les dix commandements sont des commandements de la raison, et ils font partie aussi de ce que Dieu a → RÉVÉLÉ comme étant obligatoire. Ils sont si foncièrement obligatoires que personne ne peut se dispenser d'observer ces commandements.

CHAPITRE PREMIER
Tu aimeras le Seigneur ton Dieu, de tout ton cœur, de toute ton âme et de toutes tes forces

LE PREMIER COMMANDEMENT
Je suis le Seigneur ton Dieu.
Tu n'auras pas d'autres dieux que Moi.

352 *Que signifie : Je suis le Seigneur ton Dieu (Ex 20, 2) ?*

Parce que le Tout-Puissant s'est montré à nous comme étant notre Seigneur et notre Dieu, nous ne devons rien placer au-dessus de lui, ne rien considérer comme plus important, et n'accorder à rien, ni à personne, la priorité sur lui. Connaître Dieu, le servir et l'adorer, telle doit être la priorité absolue de notre vie. [2083-2094, 2133-2134]

Dieu attend que nous lui donnions toute notre *foi,* que nous placions toute notre espérance en lui, et que nous tendions vers lui de tout notre *amour.* Le commandement de l'amour de Dieu est le plus important de tous les commandements, et la clé de tous les autres. C'est pourquoi il est en tête de tous.

353 *Pourquoi adorons-nous Dieu ?*

Nous adorons Dieu parce qu'il existe, et qu'en le respectant et en l'adorant nous répondons comme il convient à sa Révélation et à sa présence. *C'est le Seigneur ton Dieu que tu adoreras, et à lui seul tu rendras un culte* (Mt 4, 10). [2095–2105, 2135–2136]

L'adoration de Dieu sert aussi l'homme, car elle le libère de l'assujettissement aux puissances de ce monde. Partout où l'on n'adore plus Dieu, où l'on ne le considère plus comme le Maître de la vie et de la mort, d'autres s'engouffrent à sa place et mettent les droits de l'homme en danger. → 485

354 *Peut-on forcer quelqu'un à croire ?*

Non. On ne peut obliger personne à croire, même pas ses propres enfants ; de même qu'on ne peut, non plus, empêcher quiconque de croire. Toute personne doit pouvoir décider de croire en toute liberté. Mais les chrétiens sont appelés, par leur parole et leur exemple, à aider les autres à trouver le chemin de la foi. [2104–2109, 2137]

Le pape Jean-Paul II dit : « L'évangélisation et le témoignage en faveur du Christ ne vont pas à l'encontre de la liberté, quand ils se font dans le respect des consciences... La foi implique l'assentiment libre de la personne, mais elle doit être proposée » (encyclique *Redemptoris Missio*, 1990, 8).

355 *Que veut dire : Tu ne dois pas avoir d'autres dieux que moi ?*

Ce commandement interdit :

- **D'adorer d'autres dieux et idoles, ou d'adorer quelqu'un sur terre comme une idole, ou d'idolâtrer une réalité matérielle (l'argent, l'influence, le succès, la beauté, la jeunesse, etc.).**
- **D'être superstitieux, c'est-à-dire qu'au lieu de croire en la puissance de Dieu, en sa Providence, en sa →BÉNÉDICTION, on se soumet à des pratiques ésotériques, magiques, ou occultes, ou que l'on se livre à la divination (prédiction de l'avenir) ou au spiritisme.**

> Quand Dieu grandit, l'homme ne rapetisse pas : l'homme grandit aussi et le monde s'éclaire.
>
> BENOÎT XVI, 11 septembre 2006

> L'homme ne peut pas subsister sans adorer quelque chose.
>
> FEDOR DOSTOÏEVSKI

> Nous n'imposons notre foi à personne. Cette forme de prosélytisme est contraire au christianisme. La foi n'arrive que dans la liberté. Mais, la liberté de l'homme, nous l'appelons à s'ouvrir à Dieu, à le chercher, à l'écouter.
>
> BENOÎT XVI, 10 septembre 2006

PROSÉLYTISME (du grec *proserchomai*, « venir à ») : c'est exploiter la faiblesse physique ou intellectuelle de l'autre, pour l'attirer à croire comme soi.

SUPERSTITION
C'est penser de manière irrationnelle que certains mots prononcés, certains gestes, événements ou objets puissent posséder ou émettre des énergies magiques.

SACRILÈGE
(du latin *sacrilegium,* « vol d'objet sacré ») : c'est le vol, la dégradation ou la profanation de quelque chose de sacré.

Loué soit le Seigneur qui m'a sauvée !
SAINTE THÉRÈSE D'AVILA

ÉSOTERISME
(du grec *esoterikos,* « de l'intérieur », ce qui est intérieur de l'homme, et que seul un petit nombre d'initiés peuvent comprendre) : depuis le XIXe siècle, on désigne par ésotérisme toutes sortes de doctrines et de pratiques spirituelles, par lesquelles l'homme est amené à trouver une prétendue « vraie connaissance » qui est cachée en lui depuis toujours. La Révélation, au contraire, par laquelle Dieu se montre à l'homme de l'extérieur, n'a rien à voir avec la pensée ésotérique.

- **De défier Dieu en paroles ou en actes.**
- **De commettre un →SACRILÈGE.**
- **D'acquérir un pouvoir spirituel par la corruption ainsi que profaner le sacré en en faisant un commerce (simonie). [2110–2128, 2138–2140]**

356 *L'ésotérisme est-il compatible avec la foi chrétienne ?*

Non. L'→ÉSOTÉRISME passe à côté de la vérité de Dieu. Dieu est une personne ; il est l'amour et l'origine de la vie, non une froide énergie cosmique. L'homme est voulu et créé par Dieu, mais il n'est pas divin lui-même, il est une créature blessée par le péché, et qui pour échapper à la mort définitive a besoin d'être sauvée. Alors que beaucoup d'adeptes de l'ésotérisme croient que l'homme peut se sauver par lui-même, les chrétiens croient que seul Jésus-Christ et la grâce de Dieu les sauvent. La nature et le cosmos ne peuvent pas, non plus, nous sauver (→PANTHÉISME). Seul le Créateur, dans tout son amour pour nous, lui qui est infiniment plus grand et au-delà de tout, peut nous sauver. [2110–2128]

Beaucoup de personnes aujourd'hui, pour leur santé, font du yoga, ou prennent part à des cours de méditation transcendantale (→ MÉDITATION), pour expérimenter le silence ou se centrer sur elles-mêmes, ou pour se sentir autrement dans leur corps. Ces techniques ne sont pas toujours innocentes. Parfois elles véhiculent une doctrine étrangère au christianisme : l'→ ÉSOTÉRISME. Une personne raisonnable ne doit pas se laisser tenter par une vision irrationnelle du monde, où grouillent des fantômes, des gnomes et des esprits angéliques (ésotériques), où l'on croit à la magie, et où des « initiés » détiennent une science secrète, inaccessible à la « masse ignorante ». Déjà dans l'Ancien Israël, on pointait les croyances aux idoles et aux esprits, courantes chez les peuples environnants. Dieu seul est le Seigneur ; il n'y a pas d'autre Dieu que lui. Il n'y a pas non plus de technique (magique) par laquelle on puisse s'approprier « le divin », imposer ses vues à l'univers, et se sauver soi-même. Bien des pratiques relevant de l'ésotérisme sont, d'un point de vue chrétien, de la → SUPERSTITION ou de l'→ OCCULTISME.

357 *L'athéisme est-il toujours un péché contre le premier commandement ?*

L'→ ATHÉISME n'est pas un péché, si la personne n'a jamais entendu parler de Dieu, ou bien si, en son âme et conscience, elle a examiné la question de Dieu, mais ne parvient pas à croire. [2127-2128]

Il est difficile de distinguer le « je ne peux pas croire » du « je ne veux pas croire ». L'attitude qui consiste à rejeter la foi, sans l'approfondir et parce qu'on pense simplement qu'elle est sans importance, est souvent plus grave qu'un athéisme réfléchi. → 5

358 *Pourquoi l'Ancien Testament interdisait-il toutes représentations de Dieu, et pourquoi nous, les chrétiens, n'observons-nous plus cette règle aujourd'hui ?*

Pour protéger le mystère de Dieu, et se démarquer des images des cultes païens, le premier commandement déclarait : *Tu ne te feras aucune image* [de Dieu] (Ex 20, 4). Mais comme Dieu, en Jésus-Christ, a pris un visage

PANTHÉISME (du grec *pan*, « tout », *theos*, « Dieu », *logos*, « doctrine ») : conception du monde selon laquelle rien n'existe en dehors de Dieu, tout ce qui existe est Dieu, et Dieu est la somme de tout ce qui existe. Cette doctrine métaphysique n'est pas conciliable avec le christianisme.

OCCULTISME (du latin *occultus*, « caché, secret » ; doctrine secrète, souvent employée dans le même sens qu'ésotérisme) : désigne des doctrines ou des pratiques qui confèrent à l'homme un pouvoir sur son destin, sur la matière ou sur son entourage. Les pratiques occultes sont par exemple : le pendule, la boule de cristal, l'astrologie, la voyance, etc.

ATHÉISME (du grec *theos*, « Dieu ») : doctrine qui nie l'existence de Dieu. Concept général désignant les nombreuses formes théoriques et pratiques de négation de l'existence de Dieu.

AGNOSTICISME (du grec *gnosis,* « connaissance ») : doctrine selon laquelle on ne peut pas connaître Dieu. L'agnostique laisse la question de Dieu ouverte, parce que l'on ne peut pas se prononcer sur l'existence de Dieu, ou que l'on ne peut pas la percevoir avec certitude.

TRANSCENDANCE (du latin *transcendere,* « surpasser ») : ce qui dépasse un ordre de réalités perceptibles par les sens ; l'au-delà.

ICÔNE (du grec *eîkôn,* « image ») : une icône est une image du culte de l'Église orientale, que l'on « écrit » avec beaucoup de vénération dans la prière et le jeûne. Elle doit susciter une relation mystique entre celui qui la contemple et le modèle représenté (le Christ, des anges, des saints).

... il nous suffit de contempler le visage de Jésus ! À son visage, nous voyons vraiment qui est Dieu et comment est Dieu.

BENOÎT XVI, audience générale du 6 septembre 2006

humain, le christianisme a supprimé cette interdiction des images. Dans l'Église orientale, les →ICÔNES sont même considérées comme sacrées. [2129–2132, 2141]

Le judaïsme et l'islam d'aujourd'hui, comme les patriarches d'Israël, pensent que Dieu surpasse tout (→TRANSCENDANCE), et qu'il est infiniment plus grand que tout ici-bas, et c'est pourquoi ils interdisent toute représentation de Dieu. Dans le christianisme, l'interdiction d'images, par référence au Christ, s'est assouplie dès le IVe siècle, et fut supprimée au deuxième concile de Nicée (787). Par son incarnation, Dieu n'est plus « non représentable » : depuis Jésus, nous pouvons nous faire une image de ce qu'il est : *Qui m'a vu, a vu le Père* (Jn 14, 9). → 9

LE DEUXIÈME COMMANDEMENT

Tu ne prononceras pas le nom du Seigneur ton Dieu à faux.

359 *Pourquoi Dieu veut-il que nous sanctifiions son nom ?*

Appeler quelqu'un par son nom est un signe de confiance. Comme Dieu nous a révélé son Nom, il s'est

TRISTAN

fait connaître et, à travers ce Nom, nous permet d'avoir accès à lui. Dieu est toute vérité. Celui qui prononce le Nom de la Vérité, tout en l'utilisant pour un mensonge, commet un péché grave.
[2142–2149, 2150–2155, 2160–2162, 2163–2164]

On ne doit pas prononcer le nom de Dieu avec irrespect. Car nous ne le connaissons que parce que Dieu nous l'a confié. Le nom est la clé qui ouvre le cœur du Tout-Puissant. C'est pourquoi il est grave de blasphémer le Nom de Dieu, de jurer et de faire de fausses promesses en son nom. Le deuxième commandement est donc aussi un commandement qui protège le « sacré » en général. Des lieux, des choses, des noms et des personnes qui ont été touchés par Dieu sont « sacrés ». La sensibilité pour le « sacré » s'appelle respect, ou vénération. → 31

360 *Que signifie le signe de croix ?*

En faisant le signe de croix, nous nous plaçons sous la protection de la Sainte Trinité. [2157, 2166]

Au début de la journée, au début d'une prière, mais aussi avant d'entreprendre certaines choses importantes, le chrétien fait son signe de croix en disant « au nom du Père, du Fils et du Saint-Esprit ». Invoquer les trois Personnes divines par leur nom sanctifie ce que nous entreprenons. Cela nous accorde une → BÉNÉDICTION, et nous fortifie dans nos difficultés et nos tentations.

361 *Quelle est l'importance, pour les chrétiens, du nom reçu au baptême ?*

Au baptême, le chrétien reçoit un nom « au nom du Père, du Fils et du Saint-Esprit ». Le nom et le visage rendent la personne unique devant Dieu. ***Ne crains pas, car je t'ai appelé par ton nom : tu es à moi*** **(Is 43, 1). [2158]**

Les chrétiens respectent le nom d'une personne car il est étroitement lié à l'identité et la dignité de celle-ci. Depuis

> Le respect est la question centrale du monde.
>
> GOETHE (1749–1832, poète allemand)

> Béni soit le nom du Seigneur, dès maintenant et à jamais.
>
> Psaume 113, 2

> N'ayons pas honte de confesser le crucifié, signons-nous le front avec confiance, faisons le signe de croix sur tout, sur le pain que nous mangeons, sur le verre que nous buvons ! Faisons-le en allant et en venant, avant de dormir, en nous couchant et en nous levant, en marchant et en nous reposant !
>
> SAINT CYRILLE DE JÉRUSALEM (313-386, docteur de l'Église)

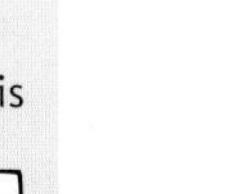

Son nom, je ne l'effacerai pas du livre de vie, mais j'en répondrai devant mon Père et devant ses anges.

Apocalypse 3, 5

toujours les chrétiens cherchent pour leur enfant un prénom de saint. Ils le font en espérant que son saint patron soit un modèle pour l'enfant, et un intercesseur auprès de Dieu. → 201

LE TROISIÈME COMMANDEMENT
Souviens-toi du jour du sabbat
pour le sanctifier.

Tu te souviendras du jour du sabbat pour le sanctifier... Tu ne feras aucun ouvrage, toi, ni ton fils, ni ta fille, ni ton serviteur, ni ta servante, ni tes bêtes, ni l'étranger qui est dans tes portes.

Exode 20, 8.10

362 *Pourquoi célèbre-t-on le sabbat en Israël ?*

Pour le peuple d'Israël, le →SABBAT est un grand signe de mémoire par lequel on se souvient de Dieu, le Créateur et le Libérateur. [2168–2172, 2189]

Le → SABBAT fait d'abord mémoire du septième jour de la Création. L'Écriture dit que *Dieu a chômé et repris haleine* (Ex 31, 17), c'est en quelque sorte l'autorisation pour tous les hommes d'interrompre leur travail et de reprendre haleine. Même les esclaves avaient le droit de respecter le sabbat. Celui-ci rappelle aussi l'autre grand signe dont il fait mémoire : la libération d'Israël de la servitude d'Égypte : *Tu te souviendras que tu as été esclave au pays d'Égypte* (Dt 5, 15). Le sabbat est une fête de la liberté humaine ; le jour du sabbat, on peut « souffler ». Ce jour-là, il n'y a plus dans le monde ni esclave ni maître. Dans le judaïsme traditionnel, ce jour de liberté et de repos est vécu aussi comme un avant-goût du monde à venir. → 47

SABBAT (en hébreu, « repos ») : c'est le jour de repos des juifs, en souvenir du septième jour de la Création, de l'exode d'Égypte. Il commence le vendredi soir et finit le samedi soir. Le judaïsme orthodoxe le pratique en respectant une quantité de règles en vue de garder le repos de ce jour.

363 *Comment Jésus se comporte-t-il par rapport au sabbat ?*

Jésus reconnaît la sainteté du →SABBAT, mais, en même temps, avec grande autorité, il prend des libertés avec le sabbat ; il déclare : *Le sabbat est fait pour l'homme, et non l'homme pour le sabbat* (Mc 2, 27). [2173]

Comme Jésus s'arroge le droit de guérir le jour du sabbat et de mettre la compassion au centre de la pratique du commandement du sabbat, ses contemporains juifs s'interrogent : ou bien Jésus est le Messie envoyé de Dieu,

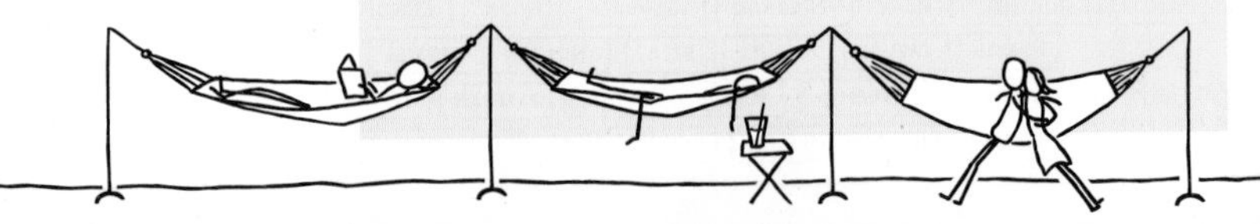

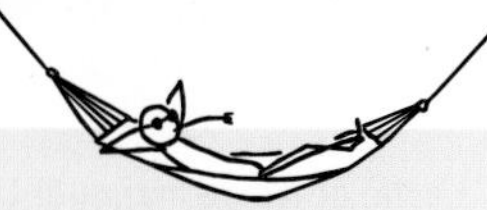

et alors *il est le maître du sabbat* (Mc 2, 28), ou bien il n'est qu'un simple être humain et son comportement par rapport au sabbat est un péché contre la Loi

364 *Pourquoi les chrétiens remplacent-ils le sabbat par le dimanche ?*

Les chrétiens ont remplacé la célébration du →SABBAT par la célébration du dimanche, parce que c'est un dimanche que Jésus-Christ est ressuscité des morts. Mais le « jour du Seigneur » comporte des éléments du sabbat juif. [2174–2176, 2190–2191]

Ainsi le dimanche des chrétiens comporte trois éléments essentiels : 1. Il rappelle la création du monde et inscrit dans l'actualité l'éclat festif de la bonté divine. 2. Il rappelle le « huitième jour de la création » et la nouvelle création qui a été inaugurée en Jésus-Christ. (Comme le dit une oraison de la vigile pascale : « Toi qui as fait merveille en créant l'homme, et plus grande merveille encore en le rachetant. ») 3. Il reprend le motif du repos, non pas seulement pour sanctifier l'interruption du travail, mais pour annoncer dès à présent le repos éternel de l'homme en Dieu.

365 *Comment les chrétiens font-ils du dimanche « le jour du Seigneur » ?*

Un chrétien catholique va à la messe le dimanche (ou le samedi soir). Il cesse toutes les activités qui l'empêchent de rendre le culte à Dieu ou qui troublent la joie, le repos ou la détente propres au jour du Seigneur. [2177–2186, 2192–2193]

Comme le dimanche est Pâques célébrée chaque semaine, depuis toujours, les chrétiens se rassemblent ce jour-là pour célébrer leur Sauveur, le remercier, s'unir à lui et être en communion avec tous ceux qui sont sauvés. C'est donc un devoir pour tout catholique de « sanctifier » le dimanche et les autres jours de fête fixés par l'Église. On n'en est exempté que par des devoirs familiaux urgents à accomplir ou d'importantes charges sociales. Comme la participation à l'→ EUCHARISTIE dominicale est fondamentale pour toute vie chrétienne, l'Église considère comme

> Si les païens l'appelle jour du soleil, nous aussi nous aimons le dire, car aujourd'hui s'est levée la lumière du monde, aujourd'hui est apparue la lumière de la justice dont les rayons apportent le salut.
>
> SAINT JÉRÔME

> C'est la différence entre l'animal et l'homme : ce dernier a des habits du dimanche !
>
> MARTIN LUTHER

> Sans le dimanche, nous ne pouvons pas vivre.
>
> Les martyrs chrétiens de Abitène furent exécutés en 304 par l'empereur Dioclétien parce qu'ils s'étaient opposés à son interdiction de célébrer la messe du dimanche.

> Jadis on disait : « Donnez un dimanche à votre âme ! » Maintenant on dit : « Donnez une âme au dimanche ! »
>
> PETER ROSEGGER (1843–1918, écrivain autrichien)

péché grave de manquer la messe du dimanche, sans raison sérieuse. → 219, 345

> Que nous coûte le dimanche ? Se poser cette question, c'est déjà porter le coup de grâce au dimanche. Le dimanche est en effet le dimanche par le fait qu'il ne coûte rien, et que d'un point de vue économique il ne rapporte rien. La question concernant ce que coûte sa protection en tant que jour férié suppose en effet que, par la pensée, on a déjà changé le dimanche en jour ouvrable.
>
> ROBERT SPAEMANN (1927– , philosophe allemand)

366 *Pourquoi est-ce important que l'État garde le dimanche comme jour de fête ?*

Le dimanche sert vraiment le bien de la société, parce qu'il est un signe de résistance à l'emprise totale du monde du travail sur l'homme. [2188, 2192–2193]

Dans les pays où le christianisme prédomine, les chrétiens n'exigent pas seulement que l'État protège le dimanche, ils veillent aussi à ne pas imposer à autrui un travail qu'eux-mêmes ne veulent pas accomplir le dimanche. Chacun doit pouvoir participer à la « reprise de souffle » de la création.

CHAPITRE II
Tu aimeras ton prochain comme toi-même

> Honore ton père et ta mère afin que se prolongent tes jours sur la terre que te donne le Seigneur ton Dieu.
>
> Exode 20, 12

LE QUATRIÈME COMMANDEMENT
Honore ton père et ta mère.

367 *À qui se rapporte le quatrième commandement et qu'exige-t-il de nous ?*

Le quatrième commandement se rapporte en premier lieu à nos parents biologiques, mais aussi à tous ceux à qui nous devons la vie, le bien-être, la sécurité et la foi. [2196–2200, 2247–2248]

> La vie des parents est le livre que lisent les enfants.
>
> SAINT AUGUSTIN

L'amour, la gratitude et le respect dus à nos parents doivent aussi régler nos relations avec les personnes qui ont des responsabilités sur nous. Nous sommes tenus de respecter tous ceux que Dieu, pour notre bien, a revêtus de son autorité : nos parents et nos beaux-parents, les personnes âgées de notre famille et nos grands-parents, nos éducateurs, nos professeurs, nos employeurs, nos élus. Nous avons des devoirs envers tous, selon le quatrième commandement. Ce commandement, dans un sens plus large, nous renvoie aussi à nos devoirs de citoyens envers l'État. → 325

368 *Quelle place a la famille dans le plan de Dieu ?*

Un homme et une femme mariés forment avec leurs enfants une famille. Dieu veut que de l'amour des parents naissent des enfants, dans la mesure du possible. Les enfants qui sont confiés à la protection et à la sollicitude de leurs parents ont la même dignité que leurs parents. [2201-2206, 2249]

Dieu, dans l'intimité de son être, est communion. La famille humaine est l'image originelle de la communion des personnes. La famille est l'école par excellence de la vie relationnelle. Les enfants ne grandissent nulle part mieux que dans une famille unie, entourés d'affection et d'amour, de respect et de responsabilité réciproques. C'est aussi la foi qui grandit au sein de la famille ; selon l'enseignement de l'Église, la famille est une petite Église, « une Église domestique », communauté de foi, d'espérance et de charité, qui, par son rayonnement, doit être évangélisatrice. → 271

La famille est un bien nécessaire pour les peuples de la terre, un fondement indispensable pour la société humaine et un grand trésor pour les couples durant toute leur vie. Elle est un bien irremplaçable pour les enfants qui doivent être le fruit de l'amour et de la grande générosité de leurs parents.

BENOÎT XVI, 8 juillet 2006

La tuberculose et le cancer ne sont pas les maladies les plus graves. Je crois qu'il est bien plus grave de n'avoir pas été désiré, et de n'être pas aimé.

MÈRE TERESA

Seul le roc de l'amour total et irrévocable entre les époux est en mesure d'être la base de l'édification d'une société où tous les hommes se sentent chez eux.

BENOÎT XVI, 11 mai 2006

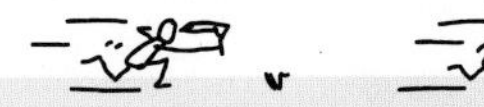

369 *Pourquoi les familles sont-elles irremplaçables ?*

Tout enfant naît d'un père et d'une mère, et a besoin de la chaleur et de la protection d'une famille pour grandir heureux et en sécurité. [2207–2208]

La famille est la cellule de base de la société humaine. Les valeurs et les principes qui l'habitent se déploient plus largement dans une vie sociale où sont vécus de véritables liens de solidarité. → 516

> Une famille qui prie ensemble reste ensemble.
>
> MÈRE TERESA

370 *Pourquoi l'État doit-il assurer la protection et la promotion des familles ?*

Le bien-être et l'avenir d'un État dépendent du fait que la famille, qui en est la cellule la plus petite, puisse vivre et s'épanouir. [2209–2213, 2250]

La famille étant la cellule originelle de la société, aucun État n'a le droit de la gouverner, ni de lui supprimer son droit d'exister. Aucun État n'a le droit de définir la famille autrement que conformément à sa mission dans le plan de la Création. Aucun État n'a le droit de lui ravir ses fonctions élémentaires, en particulier en matière d'éducation des enfants. Au contraire, tout État a le devoir de soutenir et d'aider les familles, et de s'assurer que leurs besoins matériels sont satisfaits.

> Les jeunes doivent respecter les plus âgés, et les plus âgés doivent aimer les jeunes.
>
> SAINT BENOÎT DE NURSIE

> Si la famille est en ordre, l'État aussi sera en ordre ; si l'État est en ordre, la grande société humaine vivra en paix.
>
> LÜ BU WE
> (vers 300 av. J.-C.-236 av. J.-C., philosophe chinois)

371 *Comment un enfant respecte-t-il ses parents ?*

Un enfant respecte et honore ses parents en leur témoignant amour et reconnaissance. [2214–2220, 2251]

Les enfants doivent être reconnaissants envers leurs parents, d'abord parce que leur vie est née de leur amour. Cette gratitude se traduit, tout au long de la vie, par une relation d'amour, de respect, de responsabilité et d'obéissance bien comprise. Si leurs parents se trouvent dans une situation d'indigence, de maladie ou de vieillesse, les enfants doivent en prendre soin avec affection.

> De tout cœur honore ton père et n'oublie jamais ce qu'a souffert ta mère. Souviens-toi qu'ils t'ont donné le jour : que leur offriras-tu en échange de ce qu'ils ont fait pour toi ?
>
> Ecclésiastique 7, 27-28

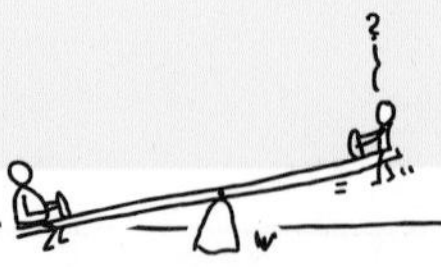

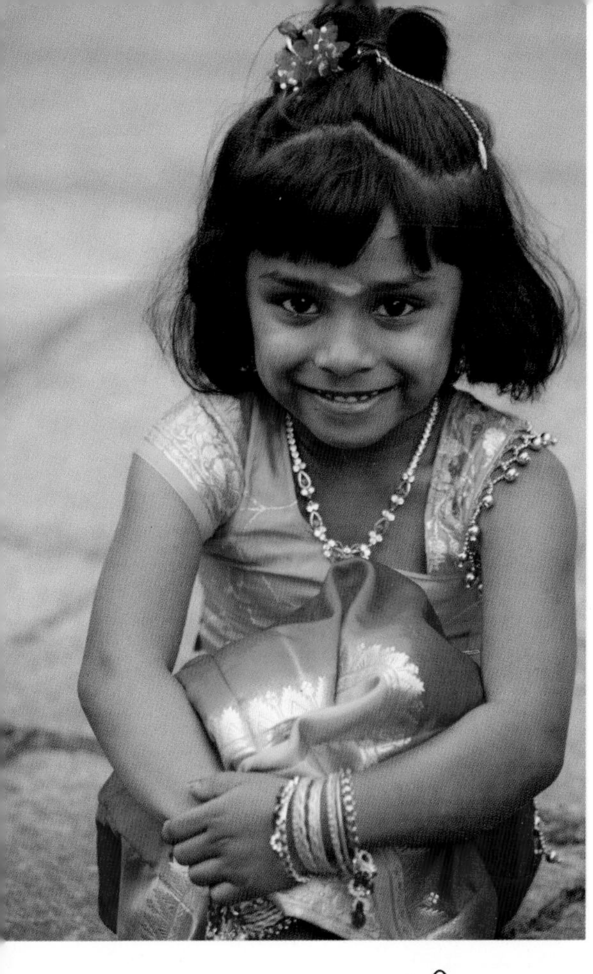

On lui présentait des petits enfants pour qu'il les touchât, mais les disciples les rabrouèrent. Ce que voyant, Jésus se fâcha et leur dit : « Laissez les petits enfants venir à moi ; ne les empêchez pas, car c'est à leurs pareils qu'appartient le Royaume de Dieu. »

Marc 10, 13-14

Notre grand bonheur avec les enfants, c'est qu'avec chacun on recommence tout à nouveau, et qu'à chaque fois on refait le monde.

G. K. CHESTERTON

Il y a deux choses que les enfants doivent recevoir de leurs parents : des racines et des ailes.

GOETHE

372 *Comment les parents respectent-ils leurs enfants ?*

Dieu a confié des enfants aux parents pour qu'ils soient des exemples solides et droits, pour qu'ils les aiment, les respectent et fassent tout pour que leurs enfants s'épanouissent physiquement et spirituellement. [2221-2231]

Les enfants sont un don de Dieu, et non la propriété des parents. Avant d'être enfants de leurs parents, ils sont d'abord enfants de Dieu. Le plus beau devoir des parents est de leur faire connaître la Bonne Nouvelle et de leur communiquer la foi chrétienne. → 374

Parents, n'exaspérez pas vos enfants, de peur qu'ils ne se découragent.

Épître aux Colossiens 3, 21

Que l'amour fraternel vous lie d'affection entre vous, chacun regardant les autres comme plus méritants, d'un zèle sans nonchalance, dans la ferveur de l'esprit, au service du Seigneur.

Épître aux Romains 12, 10-11

Et vous, que le Seigneur vous fasse croître et abonder dans l'amour que vous avez les uns envers les autres et envers tous, comme nous-mêmes envers vous : qu'il affermisse ainsi vos cœurs irréprochables en sainteté devant Dieu, notre Père, lors de l'Avènement de notre Seigneur Jésus avec tous ses saints.

1re épître aux Thessaloniciens 3, 12-13

373 *Comment vivre la foi au sein d'une famille ?*

Une famille chrétienne devrait être une mini-→ ÉGLISE. Tous ses membres sont invités à s'aider mutuellement à grandir dans la foi et à rivaliser de zèle envers Dieu. Tous devraient prier ensemble, les uns pour les autres, et vivre ensemble l'amour du prochain. [2226–2227]

Les parents ont la responsabilité de transmettre leur foi à leurs enfants et de les faire baptiser. Ils sont au service de leurs enfants en étant des témoins de leur foi ; ce qui veut dire qu'il est important qu'ils fassent sentir à leurs enfants combien il est précieux et agréable de vivre dans la présence et la proximité du Bon Dieu. Mais un jour les parents devront être attentifs à la foi de leurs enfants, entendre Dieu parler à travers eux, car la foi des jeunes est souvent empreinte d'une grande ferveur et de don à Dieu, et « parce que le Seigneur révèle souvent à un jeune ce qu'il y a de meilleur » (saint Benoît de Nursie, *Regula*, chap. 3, 3).

374 *Pourquoi Dieu est-il plus important que la famille ?*

Personne ne peut vivre sans relation avec autrui. Pour quelqu'un, la relation la plus importante est celle qu'il entretient avec Dieu. Elle passe avant toutes les relations humaines, même avant les liens familiaux. [2232–2233]

Les enfants n'appartiennent pas à leurs parents ni les parents à leurs enfants. Toute personne appartient directement à Dieu, elle n'a de lien absolu et pour toujours qu'avec Dieu. C'est ainsi qu'il faut comprendre le sens de la Parole de Jésus à ceux qu'il appelle : *Qui aime son père ou sa mère plus que moi n'est pas digne de moi. Qui aime son fils ou sa fille plus que moi n'est pas digne de moi* (Mt 10, 37). C'est pourquoi les parents remettront leur enfant avec confiance dans les mains de Dieu, si le Seigneur l'appelle à lui donner sa vie comme → PRÊTRE ou comme religieux (ou religieuse). → 145

375 *Comment l'autorité doit-elle s'exercer ?*

Ceux qui exercent une autorité doivent toujours l'exercer comme un service en suivant l'exemple de Jésus. Ils ne doivent jamais l'exercer de manière arbitraire. [2234-2237, 2254]

Jésus nous a montré une fois pour toutes comment doit s'exercer l'autorité. Lui qui détenait l'autorité suprême s'est fait serviteur et a pris la dernière place : *Il a lavé les pieds de ses disciples* (Jn 13, 1-20). Les parents, les professeurs, les éducateurs et les élus détiennent leur autorité de Dieu ; leur rôle n'est pas de dominer ceux qui leur sont confiés, mais d'exercer et de comprendre leur responsabilité éducative ou politique comme un service. → 325

376 *Quels sont les devoirs des citoyens envers l'État ?*

Tout citoyen a le devoir de collaborer loyalement avec les autorités de son pays et de contribuer au bien commun avec un esprit de vérité, de justice, de liberté et de solidarité. [2238-2246]

Un chrétien doit aussi aimer sa patrie, la défendre si nécessaire de diverses manières et se mettre volontiers au service des pouvoirs civils. Il a le devoir de voter et de ne pas se soustraire au juste paiement de ses impôts. Cependant, tout citoyen d'un État démocratique est un être libre, ayant des droits fondamentaux : il a le droit de critiquer, de manière constructive, le gouvernement et les pouvoirs civils. L'État est là pour l'homme et non l'homme pour l'État.

377 *Quand doit-on refuser d'obéir à l'État ?*

Personne n'est tenu de suivre des prescriptions d'un gouvernement, si elles sont contraires à la Loi de Dieu. [2242-2246, 2256-2257]

L'→ APÔTRE Pierre a appelé à une obéissance relative aux pouvoirs civils, quand il a dit : *Il faut obéir à Dieu plutôt qu'aux hommes* (Ac 5, 29). Un chrétien est obligé en conscience de refuser d'obéir et de résister à des lois racistes, sexistes ou contre le droit à la vie.

Celui qui voudra devenir grand parmi vous sera votre serviteur... C'est ainsi que le Fils de l'homme n'est pas venu pour être servi mais pour servir et donner sa vie en rançon pour une multitude.

Matthieu 20, 27-28

Je suis albanaise de naissance et de nationalité indienne. Je suis une religieuse catholique. En vertu de ma mission, j'appartiens au monde entier, mais mon cœur n'appartient qu'à Jésus.

MÈRE TERESA

Rendez donc à César ce qui est à César, et à Dieu ce qui est à Dieu.

Matthieu 22, 21

Vous avez entendu qu'il a été dit aux ancêtres : « Tu ne tueras pas » ; et si quelqu'un tue, il en répondra au tribunal. Eh bien ! moi je vous dis : quiconque se fâche contre son frère en répondra au tribunal.

Matthieu 5, 21-22

Au début il y eut quelques glissements subtils dans la philosophie générale. On a commencé par propager l'idée, à la base du mouvement proeuthanasie, qu'il existe des situations dans la vie qui ne méritent plus d'être vécues. Les premières personnes visées furent les malades atteints de maladies graves, puis on a fait entrer peu à peu dans cette catégorie les personnes socialement improductives, les indésirables sur le plan idéologique, les indésirables en raison de leur race. Mais il faut bien reconnaître que →

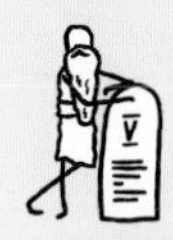

LE CINQUIÈME COMMANDEMENT
Tu ne commettras pas de meurtre.

378 *Pourquoi n'a-t-on pas le droit d'attenter à sa propre vie ni à celle d'un autre ?*

Dieu, seul, est le maître de la vie et de la mort. Sauf en cas de légitime défense, il n'est permis à personne de tuer un autre homme. [2258–2262, 2318–2320]

Porter atteinte à la vie humaine est un outrage à Dieu. La vie humaine est *sacrée,* c'est-à-dire qu'elle appartient à Dieu, elle est sa propriété. Même notre propre vie ne nous est que *confiée.* Dieu nous l'a donnée, lui seul peut nous la reprendre. Le livre de l'Exode dit textuellement : *Tu ne tueras pas !* (Ex 20, 13.)

379 *Quels actes sont interdits par le cinquième commandement ?*

L'homicide et la coopération à celui-ci sont interdits. L'assassinat en situation de guerre est interdit. L'avortement direct d'un être humain est interdit dès sa conception. Le suicide, l'automutilation ou l'autodestruction sont interdits. L'euthanasie, c'est-à-dire le meurtre de personnes handicapées, malades ou mourantes est aussi interdite. [2268–2283, 2322–2325]

On essaie souvent aujourd'hui de contourner l'interdit du meurtre en avançant des arguments qui sont humanistes en apparence. Mais ni l'euthanasie ni l'avortement ne sont des solutions humanistes. C'est pourquoi l'Église est d'une très grande clarté sur ces sujets. Celui qui prend part à un avortement, qui incite autrui à le pratiquer, ou le lui conseille, est excommunié – ceci est valable dans tous les autres cas d'atteinte à la vie humaine. Si un malade mental se suicide, sa responsabilité est cependant diminuée ; elle est souvent considérée comme nulle.

→ 288

380 *En cas de légitime défense peut-on risquer de tuer quelqu'un ?*

Tout homme qui agresse la vie d'autrui doit être empêché de le faire, même si cela doit entraîner sa mort. [2263-2265, 2321]

La légitime défense n'est pas seulement un droit, elle peut être un devoir grave pour celui qui est responsable de la vie d'autrui. Elle ne doit cependant pas recourir à des moyens disproportionnés ou à une violence démesurée.

381 *Pourquoi l'Église est-elle contre la peine de mort ?*

L'Église s'engage contre la peine de mort, parce qu'elle la considère à la fois cruelle et inutile (Jean-Paul II, Saint Louis, 27 janvier 1999). [2266-2267]

Un État a fondamentalement le droit d'infliger une peine proportionnée à la gravité du délit. Dans *Evangelium vitae* (1995), le pape ne dit pas que le recours à la peine de mort est à tous points de vue inacceptable et illégitime. Mais il considère que supprimer la vie à un criminel est une punition extrême que l'État ne doit infliger qu'en cas « d'absolue nécessité » : ce qui suppose qu'il n'y a pas d'autre moyen de protéger la société humaine qu'en tuant le coupable. Or, dit Jean-Paul II, ces cas d'absolue nécessité (justifiant la peine de mort) « sont désormais très rares, sinon même pratiquement inexistants ».

382 *La pratique de « l'aide active à mourir » est-elle permise ?*

Provoquer activement la mort d'une personne est toujours une faute contre le commandement *tu ne tueras pas* (Ex 20, 13). En revanche, accompagner une personne lors de son passage vers la mort est un devoir d'humanité. [2278-2279]

Les notions d'*euthanasie active* et d'*euthanasie passive* brouillent souvent les débats. En réalité, toute la question est de savoir si on tue une personne mourante ou si on la prend en charge pour qu'elle meure dignement. « Assister activement » une personne en provoquant sa mort est une

→ l'attitude vis-à-vis des malades incurables ne fut qu'un bien infime prétexte cachant l'objectif réel d'un changement total de mentalité.

LEO ALEXANDER (1905-1985, médecin juif américain, à propos des crimes d'euthanasie des nazis)

Toute peine infligée par un État doit satisfaire quatre conditions pour être juste et appropriée :

1. Elle doit réparer le désordre introduit par le délit.
2. Elle doit avoir pour but de défendre l'ordre public et la sécurité des personnes.
3. Elle doit permettre d'amender le coupable.
4. Elle doit être proportionnée à la gravité du délit.

Les hommes ne doivent pas mourir par la main d'un autre, mais dans la main d'un autre.

HORST KÖHLER, ancien président de l'Allemagne fédérale

> Les soins palliatifs, et non l'euthanasie, sont la réponse qui respecte la dignité humaine. Ils consistent à mobiliser toutes les forces de l'imagination et de la solidarité face au problème énorme qui se présente à nous lorsqu'il n'y a plus aucune autre issue. Quand la mort n'est plus considérée comme faisant partie de la vie, c'est la civilisation de la mort provoquée qui commence.

ROBERT SPAEMANN

offense au cinquième commandement, mais accompagner une personne dans sa fin de vie, c'est obéir au commandement de l'amour du prochain. Il s'agit ici, lorsque la mort d'un patient est considérée comme imminente, de cesser toutes procédures médicales extraordinaires, onéreuses, disproportionnées avec les résultats attendus ; cette décision doit être prise par le patient s'il en a la capacité, sinon par un ayant-droit légal qui respecte la volonté du patient. En revanche, les soins ordinaires dus à une personne en fin de vie ne peuvent être interrompus, c'est un précepte de l'amour du prochain et de la miséricorde. Cependant, il peut être légitime et conforme à la dignité humaine d'administrer des analgésiques au patient, même au risque d'abréger ses jours, la mort n'étant ici voulue ni comme fin ni comme moyen. → 393

> Quand un être humain n'est plus en sécurité dans le sein de sa mère, où est-on encore en sécurité dans ce monde ?

PHIL BOSMANS
(1922– , prêtre et écrivain belge)

> Les chrétiens se marient et ils ont des enfants, comme les autres, mais ils ne font pas périr des nouveau-nés.

Épître à Diognète, IIIe siècle

> L'avortement et l'infanticide sont des crimes abominables.

Concile Vatican II, *GS*, 51

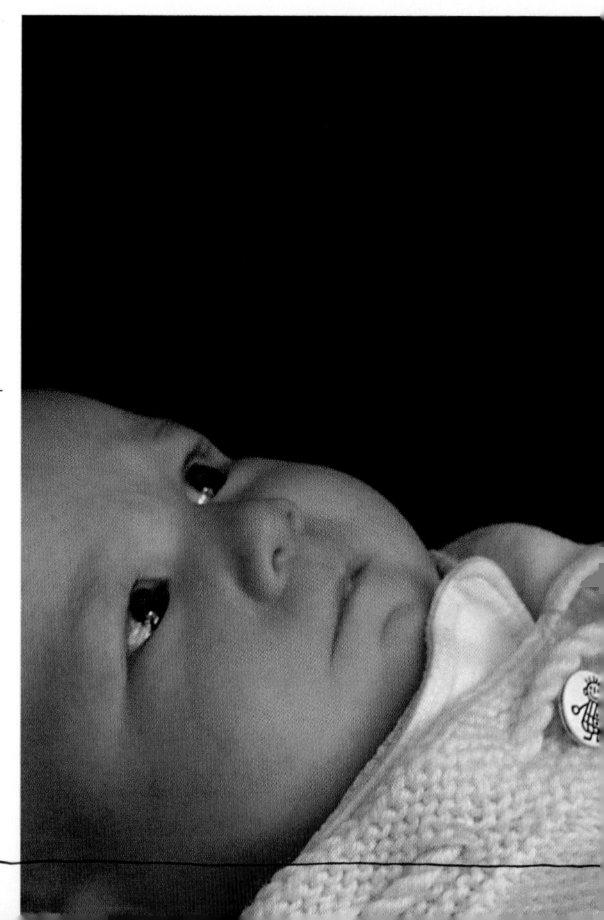

383 *Pourquoi l'avortement d'un embryon, dans tous les moments de son existence, n'est-il pas moralement recevable ?*

La vie, qui est un don de Dieu, est la propriété directe de Dieu. Depuis le premier instant de la conception, elle est *sacrée,* et elle doit être soustraite à toute intervention humaine. *Avant même de te modeler au ventre maternel, je t'ai connu ; avant même que tu sois sorti du sein, je t'ai consacré* (Jr 1, 5). [2270-2274, 2322]

Dieu seul est le maître de la vie et de la mort. « Ma » vie ne m'appartient pas. Tout enfant a, dès sa conception, le droit de vivre. Depuis le tout premier moment, l'être humain non encore né est une personne en elle-même, ayant des droits qu'aucune personne extérieure ne peut lui ravir, ni l'État, ni un médecin, ni même sa mère. Si l'Église s'exprime avec autant de clarté sur ce sujet, ce n'est pas par manque de compassion, elle veut plutôt pointer le tort irréparable fait à l'enfant innocent, à ses parents et à la société entière. Protéger la vie de l'innocent est un devoir éminent qui incombe à un État. S'il se dérobe à ce devoir, il détruit les fondements de l'État de droit. → 237, 379

384 *Peut-on avorter d'un enfant handicapé ?*

Non. L'avortement d'un enfant handicapé est toujours un crime grave même si l'on se donne comme raison de le faire d'épargner à cet enfant des souffrances futures. → 280

385 *La recherche sur les embryons vivants et sur les cellules souches embryonnaires est-elle permise ?*

Non. Les embryons doivent être traités comme des personnes, parce que la vie humaine commence dès la fécondation de l'ovule par le spermatozoïde. [2275, 2323]

Exploiter les embryons comme un matériau biologique, les produire et utiliser leurs cellules à des fins scientifiques est absolument immoral. En revanche, les recherches sur les cellules souches adultes méritent un autre jugement, étant donné qu'elles ne sont pas des êtres humains en devenir. Les interventions médicales sur l'embryon ne

» Tout ce que l'on doit savoir sur l'avortement est formulé dans le cinquième commandement.

CARDINAL CHRISTOPH SCHÖNBORN

» Tu ne tueras pas l'embryon par l'avortement et tu ne feras pas périr un nouveau-né.

Didaché 2, 2

» Seigneur, donne-nous le courage de protéger toute vie innocente. Car l'enfant est le plus grand cadeau que Dieu fait à la famille, à un peuple, au monde.

MÈRE TERESA, quand elle a reçu le prix Nobel de la paix, en 1979.

» Le diagnostic d'un handicap de l'enfant ne doit pas être une raison d'interruption de la grossesse... Car la vie d'une personne handicapée est tout aussi précieuse et aimée de Dieu, et aussi parce que sur terre on ne peut jamais non plus garantir pour quiconque que sa vie ne soit pas un jour amoindrie physiquement, moralement et spirituellement.

BENOÎT XVI, 28 septembre 2006

Si quelqu'un doit scandaliser l'un de ces petits qui croient en moi, il serait préférable pour lui de se voir suspendre autour du cou une de ces meules que tournent les ânes et d'être englouti en pleine mer.

Matthieu 18, 6

Si tu t'aimes toi-même, tu aimes tous les hommes comme toi-même. Tant qu'il y a un seul homme que tu aimes moins que toi, c'est que tu ne t'es jamais vraiment aimé toi-même.

MAÎTRE ECKHART

Dieu nous aime infiniment plus que nous ne nous aimons nous-mêmes.

SAINTE THÉRÈSE D'AVILA

Ou bien ne savez-vous pas que votre corps est un temple du Saint-Esprit, qui est en vous, et que vous tenez de Dieu ? Et que vous ne vous appartenez pas ?

1re épître aux Corinthiens 6, 19

peuvent être licites que lorsqu'elles visent à la guérison, qu'elles garantissent le respect de la vie et de l'intégrité de l'enfant et ne comportent pas de risques disproportionnés. → 292

386 *Pourquoi le cinquième commandement protège-t-il l'intégrité d'une personne ?*

Le droit à la vie et la dignité d'une personne sont un tout. Ils sont inséparables. Le commandement protège aussi la vie spirituelle. [2284–2287, 2326]

Le commandement *tu ne tueras pas* concerne autant l'intégrité spirituelle que l'intégrité corporelle de la personne. Inciter et entraîner autrui à faire le mal, souvent par la violence, est un péché grave, en particulier lorsque cela se fait en vertu d'une autorité. Cela est d'une gravité particulière lorsque des adultes assujettissent des enfants. Il ne s'agit pas seulement ici des abus sexuels, mais aussi de toute incitation intellectuelle faite par des parents, des → PRÊTRES, des professeurs ou des éducateurs pour détourner des valeurs morales.

387 *Comment considérons-nous notre corps ?*

Selon le cinquième commandement, il n'est pas permis de faire violence à son propre corps. Jésus nous invite expressément à nous accepter tels que nous sommes et à nous aimer nous-mêmes : *Tu aimeras ton prochain comme toi-même* (Mt 22, 39).

Les personnes qui mutilent ou détruisent leur corps le font souvent en réaction au sentiment de manque d'amour ou d'abandon. Nous leur devons en premier lieu tout notre amour. Mais, mis à part le cas particulier du don d'organe, il doit être clair que l'homme ne dispose pas du droit de détruire le corps qui lui a été donné par Dieu. → 379

388 *Quelle importance a la santé ?*

La santé est un bien précieux, mais ce n'est pas une valeur absolue. Nous avons à remercier Dieu pour le corps qu'il nous a donné et à en prendre soin, sans pour autant pratiquer le *culte du corps*. [2288–2290]

Les pouvoirs publics ont le devoir de veiller à la santé des citoyens, de créer les conditions permettant de leur garantir la nourriture, un habitat salubre et une couverture sociale et médicale.

Ils ont pour dieu leur ventre et mettent leur gloire dans leur honte ; ils n'apprécient que les choses de la terre.

Épître aux Philippiens 3, 19

389 *Pourquoi est-ce un péché de se droguer ?*

L'usage de stupéfiants détruit la santé et est donc contraire à la vie que Dieu nous a donnée par amour pour nous. [2290–2291]

Toute dépendance de drogues légales (l'alcool, les médicaments, le tabac), et à fortiori de drogues illégales, détruit la santé de ceux qui en sont esclaves alors qu'ils se croient libres, et met en danger la santé d'autrui. La dégradation par l'usage de stupéfiants, de même que les abus de nourriture et de boisson, la dépravation sexuelle, ou les excès de vitesse, tout cela entraîne une perte de la dignité humaine, nuit à la liberté d'autrui et offense donc Dieu. → 286

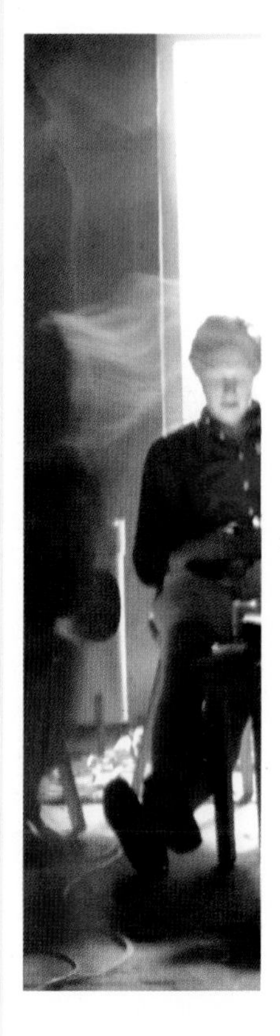

390 *La recherche scientifique sur les personnes est-elle permise ?*

Les expérimentations scientifiques, psychologiques ou médicales sur les personnes vivantes ne sont autorisées que lorsque les résultats attendus sont au service de la santé de l'être humain, et qu'il n'y a pas d'autre moyen pour les obtenir. Quoi qu'il en soit, elles doivent être soumises au consentement de la personne concernée. [2292–2295]

Le risque de l'expérimentation doit être limité. Utiliser des êtres humains contre leur gré pour la recherche est un crime. Le sort de la résistante polonaise, le Dr Wanda Poltawska, qui était une proche de Jean-Paul II, rappelle les enjeux de l'expérimentation d'hier et d'aujourd'hui. Sous le nazisme, Wanda Poltawska fut victime des expérimentations criminelles perpétrées dans le camp de concentration de Ravensbrück. Plus tard, cette grande psychiatre milita pour un changement de l'éthique médicale et devint membre fondateur de l'Académie pontificale pour la vie.

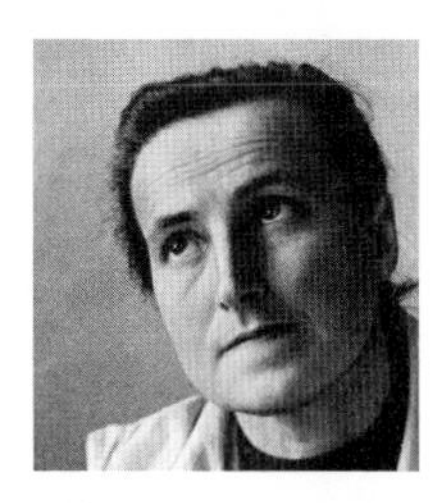

On nous faisait sortir l'une après l'autre, épuisées, impuissantes. Devant la porte de la salle d'opération, on nous anesthésiait par intraveineuse dans le couloir du Dr Schidlausky. Une pensée me vint à l'esprit juste avant de m'endormir, mais je n'ai plus jamais pu l'exprimer : « Mais nous ne sommes tout de même pas des cobayes. » Non, nous n'étions pas des cobayes, nous étions des êtres humains !

WANDA POLTAWSKA

Souvent des chrétiens ont renié l'Évangile en cédant à la logique de la violence. Ils ont porté atteinte aux droits de tribus et de peuples au mépris de leurs cultures et leurs traditions religieuses : « Accorde-nous ta patience et ta miséricorde ! Pardonne-nous ! »

JEAN-PAUL II, Repentance de l'Église en l'an 2000

391 *Pourquoi les dons d'organes sont-ils importants ?*

Les dons d'organes peuvent prolonger la vie de malades ou améliorer leur confort de vie. C'est pourquoi ils sont un véritable service rendu au prochain. Cependant, les donneurs doivent être libres de le rendre. [2296]

Il faut s'assurer que, de son vivant, le donneur ait bien donné son consentement libre et éclairé et qu'on ne provoque pas sa mort afin de lui prélever un organe. Certains prélèvements d'organes se font sur des vivants, comme le don de moelle osseuse ou d'un rein. Les autres prélèvements supposent que l'on soit pleinement certain de la mort cérébrale du donneur.

392 *Quelles sont les pratiques qui sont des atteintes à l'intégrité corporelle de la personne humaine ?*

Ce sont les violences, les enlèvements, les prises d'otages, le terrorisme, la torture, le viol, la stérilisation directe, de même que les amputations arbitraires et les mutilations. [2297-2298]

Rien ne justifie ces fautes fondamentales contre la justice, l'amour du prochain et la dignité humaine, pas même lorsqu'elles sont demandées par une autorité gouvernementale. Consciente des fautes commises par des chrétiens au cours de l'histoire, l'Église lutte aujourd'hui contre toutes les violences corporelles et psychiques, en particulier contre la torture.

393 *Comment les chrétiens accompagnent-ils les mourants ?*

Les chrétiens ne laissent pas une personne mourir dans la solitude. Ils l'aident à vivre ses derniers instants dans la confiance en Dieu, dans la dignité et la paix. Ils prient avec elle et veillent à ce qu'elle reçoive les →SACREMENTS en temps opportun. [2299]

394 *Comment les chrétiens traitent-ils le corps des défunts ?*

Les chrétiens traitent le corps d'un défunt avec respect et charité, conscients que Dieu a appelé celui-ci à ressusciter avec son corps. [2300-2301]

Il est de tradition dans la culture chrétienne d'enterrer le défunt dignement, de fleurir et d'entretenir sa tombe. Aujourd'hui, l'Église accepte d'autres formes de sépulture (comme l'incinération), à condition qu'elles ne se fassent pas en signe d'opposition à la foi en la résurrection des corps.

395 *Qu'est-ce que la paix ?*

La paix est fruit de la justice et signe d'une charité active. Quand règne la paix, « toute créature peut parvenir en bon ordre à la tranquillité » (saint Thomas d'Aquin). La paix terrestre est image de la paix du Christ, qui a réconcilié le ciel et la terre. [2304-2305]

La paix est davantage que l'absence de guerre et qu'un équilibre savamment dosé de forces adverses (« l'équilibre de la terreur »). En paix, chacun peut vivre en sécurité, profiter des biens qu'il a justement acquis et communiquer librement. En paix, la dignité et la liberté d'expression des individus et des peuples sont respectées et coexistent dans une solidarité fraternelle.

→ 66, 283-284, 327

396 *Est-il important de savoir contrôler sa colère ?*

Saint Paul dit : *Emportez-vous, mais ne commettez pas le péché : que le soleil ne se couche pas sur votre colère* (Ep 4, 26). [2302-2304]

La colère est d'abord une réaction naturelle que l'on éprouve face à une injustice. Mais quand la colère se change en haine qui veut du mal au prochain, cette émotion normale se transforme alors en un manque grave de charité. Toute colère non contrôlée, en particulier avec des idées de vengeance, va à l'encontre de la paix et détruit « la tranquillité de l'ordre ».

Aimer une personne, c'est lui dire : « Tu ne mourras pas. »

GABRIEL MARCEL (1889-1973, philosophe français)

Le développement – un nom nouveau pour la paix.

PAUL VI, *Populorum Progressio*

Le jour anniversaire du Seigneur est le jour anniversaire de la paix.

SAINT LÉON LE GRAND

Je remarque que tout change chaque fois que des personnes essaient de vivre l'Évangile comme Jésus nous l'enseigne : l'agressivité, la peur et la tristesse font alors place à la paix et à la joie.

BAUDOUIN, roi des Belges (1930-1993)

Heureux, les artisans de paix.

Matthieu 5, 9

Il est notre paix.

Épître aux Éphésiens 2, 14

Le fruit de la justice sera la paix, et l'effet de la justice, repos et sécurité à jamais.

Isaïe 32, 17

Vous avez entendu qu'il a été dit : « Tu aimeras ton prochain et tu haïras ton ennemi. » Eh bien ! Moi je vous dis : « Aimez vos ennemis, et priez pour vos persécuteurs. »

Matthieu 5, 43-44

397 *Que pense Jésus de la non-violence ?*

Jésus valorise beaucoup l'action non violente. Il exhorte ainsi ses disciples : *Je vous dis de ne pas tenir tête au méchant, au contraire, quelqu'un te donne-t-il un soufflet sur la joue droite, tends-lui encore l'autre* (Mt 5, 39). [2311]

À Pierre qui veut le défendre par la force, Jésus dit : *Rentre le glaive dans le fourreau* (Jn 18, 11). Jésus n'appelle pas à prendre les armes. Il se tait devant Pilate. Son chemin est de se ranger aux côtés des victimes, d'aller jusqu'à la croix, de sauver le monde par amour et de récompenser les artisans de paix. C'est pourquoi l'Église respecte aussi les hommes, qui, par objection de conscience, refusent de prendre part au service armé, mais acceptent un service civique. → 283–284

398 *Les chrétiens doivent-ils être pacifistes ?*

L'Église lutte pour la paix, mais elle ne prône pas un pacifisme radical. On ne peut dénier aux citoyens ni aux

gouvernants le droit fondamental de se défendre légitimement par les armes. Mais la guerre n'est moralement justifiable qu'en dernier recours. [2308]

L'Église dit un non sans équivoque à la guerre. Les chrétiens doivent tout faire pour éviter que les guerres n'éclatent en étant contre la course aux armements, en luttant contre toute forme de discrimination raciste, ethnique et religieuse, et en contribuant à mettre fin à toute injustice commerciale et sociale. C'est ainsi qu'ils veulent consolider la paix. → 283–284

399 *Quand peut-on consentir à l'emploi de la force militaire ?*

Le recours à la force militaire n'est admissible qu'en cas de légitime défense. Pour qu'une guerre soit « juste », il faut qu'elle réponde aux critères suivants : 1. Qu'elle soit conduite par une autorité responsable ; 2. Que le motif soit juste ; 3. Que l'intention soit juste ; 4. Que la guerre soit le dernier recours possible ; 5. Que les moyens mis en œuvre soient proportionnés à l'agression ; 6. Que le succès soit envisageable. [2307–2309]

LE SIXIÈME COMMANDEMENT
Tu ne commettras pas d'adultère.

400 *Pourquoi Dieu a-t-il créé l'être humain, homme et femme ?*

Dieu créa l'homme et la femme l'un pour l'autre et pour qu'ils s'aiment. Il mit en eux le désir érotique et la faculté d'éprouver le plaisir. Il les créa afin qu'ils transmettent la vie. [2331–2333, 2335, 2392]

Ils forgeront leurs épées pour en faire des socs et leurs lances pour en faire des serpes. On ne lèvera plus l'épée nation contre nation, on n'apprendra plus à faire la guerre.

Michée 4, 3

Je crois que l'amélioration des conditions de vie des pays pauvres est une meilleure stratégie que le financement des armes. On ne gagnera pas le combat contre le terrorisme par des actions militaires.

MUHAMMAD YUNUS, quand il reçut le prix Nobel de la paix en 2006.

Évaluations du nombre des victimes des guerres
Elles ne sont toujours qu'approximatives. Selon divers historiens, les guerres firent, au XVIe siècle, environ 1,5 million de victimes ; au XVIIe siècle, 6 millions de victimes et au XVIIIe siècle environ 6,5 millions de victimes.
Au XIXe siècle, il y eut 40 millions de morts à cause des guerres ; →

→ et au XXe siècle, 180 millions de personnes trouvèrent la mort dans les guerres et leurs dommages collatéraux.

Dieu dit : « Il n'est pas bon que l'homme soit seul. Il faut que je lui fasse une aide qui lui soit assortie. » C'est pourquoi l'homme quitte son père et sa mère et s'attache à sa femme, et ils deviennent une seule chair.

Genèse 2, 18.24

Il n'y a plus ni Juif, ni Grec, ni esclave, ni homme libre, il n'y a ni homme ni femme, car tous vous ne faites qu'un dans le Christ Jésus.

Épître aux Galates 3, 28

Le christianisme a tiré les femmes d'un état qui ressemblait à l'esclavage.

MADAME DE STAËL (1766–1817, écrivain français)

Le caractère sexuel d'homme ou de femme affecte toute la nature de la personne ; chacun a une sensibilité différente, une façon différente d'aimer, une vocation différente en ce qui concerne les enfants, un parcours de foi différent. Dieu a ainsi créé l'homme et la femme différents, afin qu'ils vivent l'un pour l'autre et qu'ils se complètent dans l'amour. C'est pourquoi l'homme et la femme s'attirent sexuellement et spirituellement. Quand un homme et une femme s'aiment et s'unissent, ils s'expriment sensuellement leur amour de la façon la plus intense. De même que l'amour divin est créateur et fécond, de même aussi l'amour humain peut être fécond et procréateur et donner la vie à des enfants.
→ 64, 260, 416–417

401 *L'un des deux sexes est-il supérieur à l'autre ?*

Non, Dieu a donné aux hommes et aux femmes une égale dignité personnelle. [2331, 2335]

Les hommes et les femmes sont créés à l'image de Dieu et sauvés par Jésus-Christ, ils sont enfants de Dieu. Il n'est donc ni chrétien ni humain de discriminer une personne ou de la rabaisser. Leur égalité de dignité et de droits ne signifie cependant pas que l'homme et la femme soient identiques. Les considérer comme semblables en tout, sans reconnaître leur spécificité à chacun, ne correspond pas au plan de Dieu sur la Création. → 61, 260

402 *Qu'est-ce que l'amour ?*

C'est se donner librement et de tout son cœur à l'autre. [2346]

Être passionné ou amoureux, c'est éprouver tant de plaisir que l'on sort de soi pour se donner totalement. Un musicien peut se consacrer entièrement à une œuvre. Une jardinière d'enfants peut donner tout son cœur aux petits dont elle a la garde. Dans toute amitié, il y a l'amour. La plus belle forme de l'amour sur terre, c'est cependant l'amour entre mari et femme, par lequel ils se donnent l'un à l'autre pour toujours. Tout amour humain est à l'image de l'amour divin, plénitude de l'amour. L'amour est au cœur de la divine Trinité. L'amour de Dieu est échange et don en permanence. Dans ce débordement de tendresse divine, nous prenons part, nous les hommes, à l'amour éternel de Dieu. Plus l'homme aime, plus il devient semblable à Dieu. L'amour doit caractériser toute la vie humaine, mais il se réalise particulièrement et de manière la plus signifiante quand un homme et une femme s'aiment en couple et qu'ils deviennent « une seule chair » (Gn 2, 24). → 309

La « soumission » de la femme à l'homme dans le couple doit se comprendre au sens d'une « soumission réciproque » des deux dans le respect du Christ.

JEAN-PAUL II,
Lettre apostolique *Mulieris Dignitatem*, 1988

L'amour est de Dieu et quiconque aime est né de Dieu et connaît Dieu.

1re épître de Jean 4, 7

On ne peut pas vivre qu'à l'essai, on ne peut pas mourir qu'à l'essai. On ne peut pas aimer qu'à l'essai, ni prendre l'autre à l'essai et pour un temps seulement.

JEAN-PAUL II

403 *Quelle place a l'amour dans le comportement sexuel ?*

La sexualité et l'amour sont indissociables. L'union sexuelle a besoin du cadre d'un amour fidèle et solide. [2337]

Séparer amour et sexualité en ne recherchant que la satisfaction de son plaisir, c'est détruire le sens de l'union sexuelle entre un homme et une femme. Cette union charnelle est la plus belle expression d'un amour qui se donne. Ne rechercher que le plaisir sexuel, c'est mentir, car l'union des corps ne correspond pas à l'union des cœurs. En ne prenant pas au sérieux le langage de son corps, on finit par nuire à son corps et à son âme ; la sexualité perd sa dimension humaine, elle se dégrade en moyen de plaisir où l'autre n'est considéré que comme un objet. Ce n'est que dans l'engagement d'un amour pour la vie que la sexualité se vit dans un bonheur qui dure.

La sexualité par laquelle l'homme et la femme se donnent l'un à l'autre par les actes propres et exclusifs des époux n'est pas quelque chose de purement biologique, mais concerne la personne humaine →

→ dans ce qu'elle a de plus intime. Elle ne se réalise de façon véritablement humaine que si elle fait partie intégrante de l'amour dans lequel l'homme et la femme s'engagent entièrement l'un vis-à-vis de l'autre jusqu'à la mort. La donation physique totale serait un mensonge si elle n'était pas le signe et le fruit d'une donation personnelle totale.

JEAN-PAUL II, *Familiaris Consortio*

Toute relation légère est vouée à la futilité.

PAUL RICŒUR (1913-2005, philosophe français)

CHASTETÉ
Vertu par laquelle une personne qui aime réserve son désir érotique consciemment et résolument pour l'amour et refuse la pornographie médiatique et l'usage de moyens dont la fin n'est que la satisfaction égoïste.

404 *Qu'est-ce qu'un amour chaste ? Pourquoi un chrétien doit-il vivre la chasteté ?*

Un amour chaste est un amour qui se défend contre toutes les tentations intérieures et extérieures qui pourraient le détruire. La → CHASTETÉ est l'intégration réussie de la sexualité dans la personne. La chasteté et la continence ne sont pas la même chose. Même celui qui a une vie sexuelle active dans le mariage doit être chaste. Une personne est chaste quand, par la maîtrise de son corps, elle exprime un amour durable et solide. [2238]

La → CHASTETÉ n'a rien à voir avec la pruderie. Une personne qui vit la chasteté n'est pas soumise à ses instincts, au contraire, elle vit sa sexualité de manière responsable en l'ordonnant à l'amour et comme expression de cet amour. La luxure (qui est le contraire de la chasteté) est un désordre de l'amour, dont le sens est dévié. La position de l'Église catholique sur la sexualité prend en compte l'intégralité de la personne dans toute sa dimension d'être vivant, avec ces trois aspects : premièrement le plaisir sexuel, qui est bon et beau ; deuxièmement l'amour entre les deux personnes et troisièmement la transmission de la vie, c'est-à-dire l'ouverture aux enfants. De même que pour faire de la bière il faut du houblon, du malt et de l'eau, de même l'Église considère que ces trois aspects forment un tout. Si un homme avait une femme pour le plaisir, une autre pour la poésie de l'amour, une troisième pour avoir des enfants, il les instrumentaliserait toutes les trois, sans en aimer vraiment aucune !

405 *Comment peut-on vivre un amour chaste ?*

La chasteté permet de vivre l'amour en être libre et non esclave de ses instincts et de ses passions. Tout ce qui contribue à devenir plus relationnel, plus mûr, plus libre, plus affectueux, tout cela aide aussi à vivre un amour chaste. [2338–2345]

La → CHASTETÉ, qui consiste à faire des choix libres en ce qui concerne l'amour, suppose un apprentissage de la maîtrise de soi que l'on doit s'efforcer d'acquérir à tout âge. Il suffit d'en prendre les moyens : rester fidèle en toutes circonstances aux commandements de Dieu, rejeter toutes les tentations qui écarteraient du chemin, toute forme de double vie ou de → DOUBLE MORALE et demander à Dieu de nous préserver des tentations et de nous rendre fort dans l'amour. C'est finalement une grâce et un merveilleux don de Dieu que de pouvoir vivre un amour pur et unique.

406 *Est-ce que tous sont appelés à la chasteté, même les mariés ?*

Oui, tout chrétien est appelé à vivre l'amour dans la chasteté, qu'il soit jeune ou vieux, qu'il soit célibataire ou marié. [2348–2349, 2394]

Toutes les personnes ne sont pas appelées à se marier, mais chacune est appelée à aimer. Nous sommes destinés à nous donner nous-mêmes, quel que soit notre état de vie : certains dans l'état du mariage, d'autres dans celui du célibat choisi volontairement « pour le Royaume de Dieu », d'autres dans l'état d'une vie de célibataire vivant seul, mais cependant tourné vers les autres. Toute forme de vie trouve son sens dans l'amour pour l'autre. Être chaste, c'est *aimer d'un amour sans partage.* Celui qui n'est pas chaste est tiraillé et esclave de ses passions. Celui qui aime vraiment est libre, fort et bon, il peut se donner dans l'amour. Ainsi Jésus, qui s'est donné totalement pour nous et en même temps totalement au Père du Ciel, est le modèle de la → CHASTETÉ, parce qu'il est l'image originelle de la force de l'amour.

407 *Pourquoi l'Église est-elle contre les relations sexuelles avant le mariage ?*

Parce qu'elle voudrait protéger l'amour. Une personne ne peut pas faire de plus grand cadeau à l'autre qu'en lui faisant le don d'elle-même. « Je t'aime », cela signifie pour l'un et l'autre : « Je ne veux que toi, je te veux totalement, et je te veux pour toujours. » Comme il en est ainsi, on ne peut donc pas dire « je t'aime » pour un temps, ou à l'essai, ni simplement par son corps. [2350, 2391]

Je ne sais pas qui j'épouserai un jour. Mais je ne veux pas dès aujourd'hui tromper celle qui sera ma femme.

Un étudiant expliquant pourquoi il n'a jamais eu de rapport avec une jeune fille.

L'amour naissant capte tous les instincts et les sublime en amour.

SAINT BERNARD DE CLAIRVAUX

La maîtrise de l'instant est la maîtrise de la vie.

MARIE VON EBNER-ESCHENBACH

Et voici quelle est la volonté de Dieu : c'est votre sanctification ; c'est que vous vous absteniez d'impudicité, que chacun de vous sache user du corps qui lui appartient avec sainteté et respect, sans se laisser emporter par la passion, comme font les païens qui ne connaissent pas Dieu.

1re épître aux Thessaloniciens 4, 3-5

Certes, beaucoup prennent au sérieux leurs relations avant le mariage. Et pourtant celles-ci comportent deux réserves qui font qu'elles ne sont pas conciliables avec l'amour : « l'option exit », et la peur d'attendre un enfant. Parce que l'amour est si grand, si sacré, si unique, l'Église prie instamment les jeunes d'attendre jusqu'à leur mariage pour se donner totalement l'un à l'autre. → 425

408 *Que faire pour vivre en chrétien si l'on vit ou si l'on a vécu en cohabitation ?*

Dieu nous aime à chaque instant, à chaque moment trouble de notre vie, même si nous sommes en état de péché. Dieu nous aide à chercher toute la vérité de l'amour et à trouver des voies pour le vivre de plus en plus résolument et sans équivoque.

En dialoguant avec un → PRÊTRE, ou avec un chrétien digne de confiance, des jeunes gens peuvent chercher une voie pour vivre plus clairement leur amour. Ils apprendront que toute vie se construit par étapes : quel que soit leur passé, il est toujours possible, avec l'aide de Dieu, de prendre un nouveau départ.

409 *Est-ce que la masturbation est une faute contre l'amour ?*

La masturbation est une faute contre l'amour parce que l'excitation du plaisir se fait dans une finalité égoïste, qui n'a rien à voir avec l'épanouissement de l'amour dans les rapports normaux entre un homme et une femme. C'est pourquoi le plaisir sexuel recherché pour lui-même est un désordre. [2352]

L'Église ne diabolise pas la masturbation, mais elle met en garde pour qu'on ne la minimise pas. Effectivement, beaucoup de jeunes et d'adultes sont menacés de devenir des consommateurs solitaires d'images pornographiques au cinéma ou sur Internet, au lieu de trouver l'amour dans une relation personnelle. La solitude peut amener à une impasse où la masturbation devient comme une addiction. Contrairement au slogan qui dit : « Pour le sexe, je n'ai besoin de personne, je me le fais moi-même quand je veux », personne n'est heureux ainsi.

> Donner son corps à une personne symbolise que l'on se donne totalement soi-même à cette personne.
>
> JEAN-PAUL II, aux jeunes de Kampala, Ouganda, 6 février 1993

> L'expérience montre que les relations sexuelles avant le mariage compliquent plutôt que facilitent le choix du bon conjoint. Pour vous préparer à un bon couple, il vous faut éduquer et affermir votre caractère. Vous devez vous témoigner des gestes d'amour et d'affection qui soient appropriés au temps d'apprentissage de votre relation amicale. Si vous savez attendre et renoncer, il vous sera plus facile à l'avenir d'être plein d'égards et de tendresse envers votre conjoint.
>
> JEAN-PAUL II, à des jeunes de Vaduz, Liechtenstein, 8 septembre 1985

> La jeunesse veut du grand... Le Christ ne nous a pas promis une vie facile : si on cherche la facilité, on se trompe d'adresse. Mais il nous montre le chemin de ce qui est grand, de ce qui bon, de ce qui est juste pour une vie humaine.
>
> BENOÎT XVI, 25 avril 2005

410 *Qu'entend-on par « fornication » ?*

À l'origine, la « fornication » (en grec *porneia*) fait allusion à des pratiques sexuelles païennes, comme la prostitution au temple. Plus tard, le sens s'est étendu à toutes les formes d'union charnelle en dehors du mariage entre personnes libres. Aujourd'hui, ce terme est souvent employé dans un sens criminel (corruption de jeunes, abus de mineurs, etc.). [2353]

Souvent la fornication implique la séduction, le mensonge, la violence, la subordination et l'abus. La fornication est donc une faute grave contre l'amour. Elle blesse la dignité humaine et dévie le sens de la sexualité humaine. Les États ont le devoir de protéger spécialement les mineurs contre toutes ces pratiques.

411 *Pourquoi la prostitution est-elle une forme de fornication ?*

La prostitution est dégradante, car la personne y devient objet d'un profit ou de plaisir. C'est pourquoi elle est une atteinte grave à la dignité humaine et un péché grave contre l'amour. [2355]

Tous ceux qui profitent de la prostitution, qui en font un commerce, les trafiquants d'êtres humains, les souteneurs, tous ceux qui s'y livrent, portent une très lourde faute sur leurs épaules, car ils assujettissent et forcent des femmes, des enfants, des adolescents à vendre leur corps.

412 *Pourquoi la production et la distribution de matériaux pornographiques sont-elles des fautes graves contre l'amour ?*

Tous les abus qui vont à l'encontre de l'amour, qui dissocient la sexualité humaine de l'amour intime vécu entre deux conjoints, qui font de l'amour un objet de commerce, sont des péchés très graves. Celui qui pro-

MASTURBATION (probablement du latin *mas*, « viril », et *turbare*, « exciter fortement ») : par masturbation, on entend l'excitation volontaire des organes génitaux dans le but d'en retirer un plaisir sexuel.

Pour former un jugement équitable sur la responsabilité morale des sujets (il s'agit ici de la masturbation) et pour orienter l'action pastorale, on tiendra compte de l'immaturité affective, de la force des habitudes contractées, de l'état d'angoisse ou des autres facteurs psychiques ou sociaux qui amoindrissent voire atténuent la culpabilité morale.

CEC, 2352

duit, qui consomme, qui vend et achète des matériaux pornographiques offense la dignité humaine et incite autrui au mal. [2523]

La pornographie est une forme de prostitution, car elle plonge dans l'illusion que « l'amour » s'obtient avec de l'argent. Les producteurs, les acteurs, et les commerçants participent tous également à cette atteinte grave à l'amour et à la dignité humaine. Celui qui est consommateur de la pornographie véhiculée dans les médias, qui navigue dans les mondes pornographiques virtuels, qui prend part à des rencontres pornographiques, rentre dans la mouvance de la prostitution et soutient la sale entreprise milliardaire du commerce du sexe.

413 *Pourquoi le viol est-il un péché grave ?*

Violer une personne, c'est l'avilir de la manière la plus humiliante qui soit. C'est entrer par effraction avec violence dans ce qu'elle a de plus intime, et la blesser au cœur de sa faculté d'aimer. [2356]

Un violeur commet un sacrilège contre *la nature de l'amour.* La nature de l'union sexuelle veut qu'elle se fasse exclusivement dans le cadre d'un amour qui se donne librement. C'est ainsi qu'il peut y avoir des viols, même à l'intérieur d'un couple. Le viol répréhensible à l'extrême est celui qui est commis dans le cadre d'un assujettissement hiérarchique ou professionnel, ou par un

Comme l'amour ne s'achète pas, il est immanquablement tué par l'argent.

JEAN-JACQUES ROUSSEAU

Il se trompe, celui qui croit que la luxure est le plus grand des péchés pour les chrétiens. Les péchés de la chair sont graves, mais ils ne sont pas les plus graves... Car deux puissances en l'homme tentent de le détourner de sa vocation effective : la bestialité et le diabolisme. Le diabolisme est le plus grave des deux. C'est pourquoi un froid hypocrite plein de suffisance et qui va régulièrement à la messe peut être plus proche de l'enfer qu'une prostituée. Le mieux est bien sûr de n'être ni l'un ni l'autre.

C. S. LEWIS

La responsabilité incombe à ceux qui se taisent.

SAINTE EDITH STEIN

Heureux les doux [qui ne recourent pas à la violence].

Matthieu 5, 5

membre de la parenté, voire même de la part de parents sur leurs enfants, ou encore de la part de professeurs, d'éducateurs, de pasteurs envers des enfants qui leur sont confiés. → 386

414 *Quelle est la position de l'Église quant à l'usage des préservatifs pour lutter contre le sida ?*

Indépendamment du fait que les préservatifs n'offrent pas une protection absolue contre une contamination, l'Église refuse qu'on les utilise comme unique moyen mécanique de prévention contre les épidémies dues au VIH. Elle prône surtout une nouvelle culture des relations humaines et un changement de la prise de conscience collective.

Seule la fidélité et le renoncement aux relations sexuelles désordonnées mettent à l'abri du sida et enseignent un comportement ordonné en amour. Cela implique le respect de l'égale dignité des hommes et des femmes, le souci de la santé de la famille, la maîtrise responsable de ses pulsions instinctives et le renoncement, à certains moments, à une union sexuelle. Dans certains pays d'Afrique où l'on a organisé de vastes campagnes sociales en faveur de ces comportements, on a observé une large diminution de la contamination. Au-delà de tout cela, l'Église catholique met tout en œuvre pour venir en aide aux malades du sida.

415 *Comment l'Église juge-t-elle l'homosexualité ?*

Dieu a créé l'être humain homme et femme, et il les a créés, dans leur corps même, l'un pour l'autre. L'Église accueille sans réserve ceux qui présentent des tendances homosexuelles. Ils ne doivent pas subir de discrimination à cause de cela. Mais en même temps l'Église affirme qu'aucune rencontre sexuelle entre personnes d'un même sexe ne correspond à l'ordre de la Création. [2358-2359] → 65

> Il peut y avoir des cas particuliers, par exemple lorsqu'un prostitué utilise un préservatif, dans la mesure où cela peut être un premier pas vers une moralisation, un premier élément de responsabilité permettant de développer à nouveau une conscience du fait que tout n'est pas permis et que l'on ne peut pas faire tout ce que l'on veut. Mais ce n'est pas la véritable manière de répondre au mal que constitue l'infection par le virus du VIH. La bonne réponse réside forcément dans l'humanisation de la sexualité.
>
> BENOÎT XVI, *Lumière du monde*

> La fidélité conjugale et l'abstinence de relations hors mariage sont les meilleures voies pour éviter la contamination et pour stopper la propagation du virus. Les véritables valeurs qui découlent de la vraie compréhension du mariage et de la vie familiale constituent le seul fondement fiable d'une société stable.
>
> BENOÎT XVI, 14 décembre 2006

Mets-moi comme un sceau sur ton cœur, comme un sceau sur ton bras. Car l'amour est fort comme la Mort, la jalousie inflexible comme le Shéol. Ses traits sont des traits de feu, une flamme du Seigneur. Les grandes eaux ne pourront éteindre l'amour, ni les fleuves le submerger. Qui offrirait toutes les richesses de sa maison pour acheter l'amour, ne recueillerait que mépris.

Cantique des cantiques 8, 6-7

416 *Quelles sont les valeurs essentielles du mariage chrétien ?*

1. L'*unité* : le mariage est une alliance qui réalise, selon sa nature même, l'unité corporelle, intellectuelle et spirituelle entre un homme et une femme.

2. L'*indissolubilité* : les liens du mariage tiennent « jusqu'à ce que la mort vous sépare ».

3. L'*accueil d'une descendance* : tout couple doit être prêt à accueillir des enfants et à les éduquer dans la foi chrétienne.

4. La *recherche du bien du conjoint* qui doit toujours être visé.
[2360–2361, 2397–2398]

Si l'un des futurs époux refuse un de ces quatre points au moment de la conclusion du mariage, le → SACREMENT du mariage n'existe pas. → 64, 400

417 *Quel est le sens de l'union sexuelle dans le mariage ?*

Il est dans la volonté de Dieu que l'homme et la femme s'unissent dans le plaisir érotique et sexuel pour se lier l'un à l'autre de plus en plus intimement dans l'amour et pour permettre à des enfants de naître de leur amour. [2362–2367]

Le christianisme attache une grande valeur au corps, au désir et au plaisir érotique : « Le christianisme croit que la matière est bonne, que Dieu lui-même a pris chair, qu'au Ciel nous aurons même une forme de corps, et qu'elle sera une part importante de notre béatitude, de notre beauté et de notre force. Le christianisme a glorifié le mariage, plus que toute autre religion. Presque tous les grands poèmes d'amour de la littérature mondiale ont été composés par des chrétiens, et le christianisme contredit quiconque prétend que la sexualité est mauvaise en elle-même » (C. S. Lewis, *Pardon, je suis chrétien*). À vrai dire, le plaisir ne doit pas être une fin en soi. Quand le plaisir du couple se referme sur lui-même sans s'ouvrir à la vie nouvelle qui devrait en résulter, il n'est pas conforme à la nature de l'amour.

Il est particulièrement urgent de nos jours d'éviter de confondre le mariage avec toutes les autres liaisons qui reposent sur un amour fragile. Seul le roc d'un amour total et irrévocable entre un homme et une femme est en mesure d'être à la base de la construction d'une société où chacun se sente bien.

BENOÎT XVI, 11 mai 2006

Dieu ne veut pas nous ravir le plaisir, il veut nous donner du plaisir à l'infini.

HENRI SUSO (1295–1366, mystique et théologien allemand)

Car tout ce que Dieu a créé est bon, et aucun aliment n'est à proscrire, si on le prend avec action de grâces.

1re épître à Timothée 4, 4

❝ L'enfant a le droit d'être respecté comme personne dès le moment de sa conception.

Instruction de Jean-Paul II, *Donum vitae*, 2, 8

❝ Les enfants sont une bénédiction divine.

WILLIAM SHAKESPEARE (1564–1616, dramaturge anglais)

❝ Chaque enfant est précieux. Chaque enfant est une création de Dieu.

MÈRE TERESA

LA PATERNITÉ ET LA MATERNITÉ RESPONSABLES
L'Église affirme et défend le droit pour un couple de pouvoir décider lui-même du nombre de ses enfants et de l'espacement des naissances, dans le cadre de la régulation naturelle des naissances.

❝ Le planning familial naturel, ce n'est rien d'autre qu'une simple maîtrise de soi fondée sur l'amour mutuel.

MÈRE TERESA, discours du prix Nobel, 1979

418 *Quelle importance revient à l'enfant dans le mariage ?*

L'enfant est une créature de Dieu et un cadeau de Dieu. Il vient au monde par l'intermédiaire de l'amour de ses parents. [2378, 2398]

Le vrai amour n'est pas dans le repli du couple sur lui-même. L'enfant qui est en gestation dans le sein de sa mère, et mis au monde, n'est pas « fabriqué », et il n'est pas non plus la somme des gènes de son père et de sa mère. Il est une toute nouvelle créature de Dieu, unique, avec une âme personnelle. L'enfant n'appartient donc pas à ses parents et il n'est pas leur propriété.
→ 368, 372

419 *Combien d'enfants doit avoir un couple chrétien ?*

Un couple chrétien accueille les enfants que Dieu lui donne et dont il est en mesure d'assumer la responsabilité. [2373]

Tous les enfants que Dieu nous donne sont une grâce et une grande → BÉNÉDICTION. Mais cela ne veut pas dire qu'un couple chrétien ne doit pas prendre en considération sa santé, sa situation économique et sociale pour décider du nombre d'enfants dont il peut assumer la responsabilité. Quand « malgré tout » un enfant s'annonce, il doit être attendu avec joie et accueilli avec grand amour. Dans la confiance en Dieu, beaucoup de couples chrétiens ont le courage d'avoir une famille plus nombreuse que la moyenne.

420 *Est-ce qu'un couple chrétien a le droit de pratiquer la régulation des naissances ?*

Oui, un couple chrétien a le droit et le devoir d'être responsable en ce qui concerne son don de transmission de la vie. [2368–2369, 2399]

Il y a parfois des circonstances sociales ou des raisons psychiques ou de santé qui feraient d'un enfant en plus une charge trop lourde, voire surhumaine pour le couple. Il existe alors des critères très clairs à considérer. Réguler les naissances, ce n'est pas :

1. Exclure par principe toute conception d'un enfant.
2. Refuser les enfants par égoïsme.
3. Subir une contrainte extérieure, venant par exemple de l'État qui déciderait d'un nombre d'enfants permis par couple.
4. Considérer que tous les moyens peuvent être utilisés.

421 *Pourquoi certains moyens d'empêcher la conception d'un enfant ne sont-ils pas bons ?*

Comme moyens de → RÉGULATION DES NAISSANCES, l'Église propose les méthodes précises fondées sur l'auto-observation et la planification naturelle de la famille. Elles sont conformes à la dignité de l'homme et de la femme ; elles respectent les lois physiologiques du cycle féminin. Elles favorisent la tendresse et les égards entre les époux, et sont par conséquent une école d'apprentissage de l'amour. [2370-2372, 2399]

L'Église respecte attentivement l'ordre de la nature, et voit en lui un sens profond. Pour l'Église, ce n'est pas la même chose qu'un couple intervienne artificiellement sur la fécondité de la femme ou qu'il utilise naturellement les périodes fécondes et inféconde du cycle féminin. La « planification naturelle de la famille » respecte l'intégralité de la personne, favorise l'affection entre les conjoints et n'entame pas la santé. En outre, lorsqu'elle est bien conduite, elle passe pour avoir un taux d'échecs moindre que la contraception orale (« la pilule », Pearl-Index). En revanche, l'Église refuse tous les moyens artificiels de contraception, entendus ici les moyens chimiques (« la pilule »), les moyens mécaniques (par exemple, le préservatif, le stérilet, etc.) et les moyens chirurgicaux (la stérilisation), car ils interviennent, par manipulation, sur le lien indissoluble entre les aspects d'union et de procréation de l'acte conjugal. Ces moyens de contraception peuvent même nuire à la santé de la femme, provoquer des avortements précoces et, à la longue, détériorer la vie amoureuse du couple.

RÉGULATION DES NAISSANCES
La planification naturelle de la famille est une des méthodes de régulation des naissances utilisant l'auto-observation des signes des périodes de fécondité de la femme en vue d'envisager ou d'éviter une grossesse (méthode Billings, par exemple).

À propos de la contraception, qu'il oppose à la régulation des naissances, Jean-Paul II dit ceci : « Au langage qui exprime naturellement la donation réciproque et totale des époux, la contraception oppose un langage objectivement contradictoire selon lequel il ne s'agit plus de se donner totalement l'un à l'autre. Il en découle non seulement le refus positif de l'ouverture à la vie, mais aussi une falsification de la vérité interne de l'amour conjugal, appelé à être un don de la personne tout entière. »

JEAN-PAUL II, *Familiaris Consortio*, 32

99 N'oubliez pas qu'il y a en ce monde beaucoup d'enfants, beaucoup de femmes, beaucoup d'hommes, qui n'ont pas ce que vous avez, et pensez aussi à les aimer eux aussi, jusqu'à en souffrir.

MÈRE TERESA

99 Le pire dans toute la tragédie n'est pas la brutalité des hommes mauvais, mais le silence des bons.

MARTIN LUTHER KING (1929–1968, Pasteur américain noir, dans un discours invitant ses compatriotes de couleur au courage civique)

422 *Que peut faire un couple qui n'arrive pas à avoir d'enfants ?*

Les couples qui souffrent d'infertilité peuvent avoir recours à toute aide de la médecine, pourvu qu'elle n'aille pas à l'encontre de la dignité humaine, des droits de l'enfant à venir et de la →SAINTETÉ du →SACREMENT du mariage. [2375, 2379]

Il n'y a pas de droit absolu à l'enfant. Tout enfant est don de Dieu. Les époux à qui ce don n'a pas été fait, alors qu'ils ont épuisé tous les recours légitimes à la médecine, peuvent adopter des enfants, ou s'engager d'une autre manière au service d'autrui, en s'occupant par exemple d'enfants abandonnés.

423 *Que dit l'Église à propos des « mères porteuses » et de la fécondation artificielle ?*

Le recours à la recherche médicale pour attendre un enfant est légitime, mais cette démarche doit être arrêtée si elle implique finalement des moyens moralement irrecevables : quand l'intervention d'une tierce personne provoque une dissociation des parentés, ou quand la procréation se fait artificiellement en dehors de l'union sexuelle entre les époux. [2374-2377]

Par respect de la dignité humaine, l'Église refuse la procréation d'un enfant par insémination hétérologue ou homologue. Tout enfant a le droit d'avoir un père et une mère, de connaître ce père et cette mère, et de grandir entouré de leur amour. L'insémination artificielle au moyen du sperme d'un donneur étranger détruit l'esprit du mariage par lequel les époux ont le droit exclusif à ne devenir père et mère que l'un par l'autre. Mais l'insémination homologue (avec le sperme du mari) fait de l'enfant le produit d'une technique et non le fruit de l'union d'amour des époux dans l'acte conjugal. Le risque, si l'on fait de l'enfant à naître un produit, est que l'on finira par se poser cyniquement la question de la qualité et de la fiabilité de ce produit. L'Église refuse aussi le diagnostic prénatal lorsqu'il n'est pratiqué que dans le but de tuer un embryon imparfait. Le recours à la pratique de la « mère porteuse » qui porte par insémination artificielle l'embryon d'une autre femme est contraire à la dignité de la femme. → 280

424 *Qu'est-ce que l'adultère ? Est-ce que le divorce est moral ?*

Il y a adultère lorsque deux partenaires, dont l'un au moins est marié, ont ensemble une relation sexuelle. L'adultère est la trahison fondamentale de l'amour, la rupture de l'alliance conclue devant Dieu et une injustice envers son prochain. Jésus a insisté expressément sur l'indissolubilité du mariage : *Ce que Dieu a uni, l'homme ne doit point le séparer* (Mc 10, 9). En se fondant sur la volonté originelle du Créateur, Jésus abroge la tolérance du divorce qui s'était glissée dans la Loi de l'Ancien Testament.
[2353, 2364–2365, 2382–2384]

La promesse de ce message de Jésus : « En enfants de votre Père du Ciel, vous avez reçu la faculté d'aimer pour la vie ! » donne du courage. Malgré cela, il n'est pas facile de demeurer fidèle à son conjoint pendant toute sa vie. Il ne faut donc pas condamner ceux dont le mariage est un échec. Cependant les chrétiens, dont le comportement volage entraîne un divorce, encourent une lourde faute. Ils pèchent contre l'amour de Dieu, qui s'exprime dans le mariage. Ils pèchent contre leur conjoint qu'ils abandonnent, et contre les enfants qu'ils délaissent. Le conjoint fidèle d'un mariage devenu insupportable peut toutefois quitter l'habitation commune. Pour éviter la misère, un divorce civil peut alors devenir nécessaire. Il est des cas précis et fondés où, après examen de la validité du mariage, l'Église peut déclarer la nullité de celui-ci. → 269

425 *Qu'est-ce que l'Église a contre « l'union libre » ?*

Pour les catholiques, il n'y a pas de mariage sans « mariage religieux ». Dans ce mariage, le Christ participe au lien entre l'époux et l'épouse, et comble généreusement le couple de grâces et de dons. [2390–2391]

Des personnes âgées se croient parfois obligées de conseiller à des jeunes d'abandonner l'idée d'un mariage « pour toujours et en robe blanche ». Pour elles, le

Ou bien la fidélité est absolue, ou bien elle n'est rien.

KARL JASPERS (1883–1969, philosophe allemand)

Une fausse conception de la liberté est à la racine de la crise du mariage et de la famille.

JEAN-PAUL II

Le mariage conclu et consommé entre catholiques baptisés ne peut être dissous par aucune puissance humaine ni pour aucune cause, sauf par la mort.

CIC, canon 1141

Que votre langage soit : « Oui ? Oui », « Non ? Non » : ce qu'on dit de plus vient du Mauvais.

Matthieu 5, 37

mariage ne consiste qu'à réunir publiquement, par promesse impossible à tenir des biens, des projets, de bonnes intentions. Mais non ! Le mariage chrétien n'est pas une imposture, c'est le plus beau cadeau que Dieu ait imaginé pour deux amoureux ! Dieu vient nouer entre eux un lien très fort, comme personne ne pourrait le faire. Jésus-Christ qui a dit : *Hors de moi, vous ne pouvez rien faire* (Jn 15, 5) est présent en permanence dans le → SACREMENT du mariage. Il est l'amour dans l'amour des jeunes mariés. C'est sa force d'amour qui est toujours là, même quand, en apparence, la force des amoureux se tarit. C'est pourquoi le sacrement du mariage est bien autre chose qu'un simple parchemin. C'est comme si un véhicule de Dieu était toujours là, dans lequel les amoureux peuvent toujours monter – un véhicule qui a assez de carburant pour faire parvenir l'époux et l'épouse, avec l'aide de Dieu, jusqu'au but de tout ce à quoi ils aspirent. Par conséquent, l'Église invite les jeunes, en particulier, à résister sans équivoque et avec force à la pression sociale de tous ceux qui, aujourd'hui, considèrent comme sans importance d'avoir des relations sexuelles sans se lier par des engagements, avant ou en dehors du mariage.

Je te reçois comme époux/épouse, et je me donne à toi pour t'aimer fidèlement tout au long de notre vie.

Rituel du mariage de l'Église catholique

Vous connaissez, en effet, la libéralité de notre Seigneur Jésus-Christ, qui pour vous s'est fait pauvre, de riche qu'il était, afin de vous enrichir par sa pauvreté.

2e épître aux Corinthiens 8, 9

LE SEPTIÈME COMMANDEMENT
Tu ne commettras pas de vol.

426 *Que vise le septième commandement ?*

Le septième commandement interdit non seulement de dérober quelque chose à autrui, mais il exige aussi une juste administration et un juste partage des richesses de la terre, il règle la question de la propriété privée et le partage des fruits du travail des hommes. Le septième commandement dénonce aussi le partage injuste des matières premières. [2401]

En fait, le septième commandement interdit simplement de retenir injustement le bien du prochain. Il incite en même temps tous les hommes à s'efforcer de rendre le monde plus juste et plus social et à veiller à son bon développement. Le septième commandement déclare, qu'en vertu de notre foi, nous avons le devoir de nous engager

S'il n'y a pas la propriété, il n'y a pas non plus la joie de donner. Personne ne peut alors avoir le plaisir de subvenir à l'indigence de ses amis, du passant, du souffrant.

ARISTOTE

dans la protection de la Création, et dans la conservation de ses ressources naturelles.

427 *Pourquoi n'y a-t-il pas de droit absolu à la propriété privée ?*

Il n'y a pas de droit absolu à la propriété privée, il n'est que relatif parce que Dieu a créé la terre et ses richesses pour tous les hommes. [2402-2406, 2452]

Toute personne qui « possède » des parts de la création, parce qu'elle les a légalement acquises par son travail, reçues en héritage ou par don, doit savoir que la propriété individuelle d'un bien oblige son détenteur à en faire profiter la société. En même temps, l'Église contredit ceux qui déduisent de ce devoir social des « possédants » que la propriété privée ne devrait pas exister, et que tout devrait donc appartenir soit à tous, soit à l'État. Tout propriétaire qui administre un bien selon le sens voulu par le Créateur, qui en prend soin, qui répartit les profits de manière à ce que chacun ait son dû, agit tout à fait selon l'ordre de la création divine.

428 *Qu'est-ce que le vol, et que proscrit le septième commandement ?*

Le vol, c'est l'usurpation illégale du bien d'autrui. [2408-2410]

Quiconque s'approprie injustement le bien d'autrui transgresse le septième commandement, même si cette action n'est pas condamnée par la loi civile. L'injustice, c'est ce qui est injustice devant Dieu. Non seulement voler est contraire au septième commandement, mais aussi refuser injustement de payer un juste salaire, retenir des objets trouvés ou prêtés que l'on peut rendre et frauder en général. Le septième commandement dénonce aussi les pratiques suivantes : employer une main-d'œuvre dans des conditions indignes, ne pas observer des contrats dont l'engagement a été pris, gaspiller des revenus gagnés au mépris de l'obligation du partage, hausser ou faire baisser artificiellement les prix, nuire à l'emploi de collègues de travail, accepter la corruption et la subornation, entraîner des collaborateurs dans des actes

> La propriété privée ne constitue pour personne un droit inconditionnel et absolu.
>
> PAUL VI, *Populorum Progressio*

> Posséder sans partager est dans bien des cas plus grave que voler.
>
> MARIE VON EBNER-ESCHENBACH

> Dans son encyclique sociale *Populorum Progressio,* le pape Paul VI rappelle solennellement que « l'économie est au service de l'homme », et il récuse tous les systèmes considérant « le profit comme motif essentiel du progrès économique, la concurrence comme loi suprême du progrès économique, la propriété privée des biens de production comme un droit absolu, sans limites ni obligations sociales correspondantes » (*PP* 3, 26).

illégaux, mal exécuter des travaux, ou exiger des honoraires disproportionnés, gaspiller les biens publics ou mal les administrer, contrefaire des chèques ou falsifier des factures, commettre des fraudes fiscales ou commerciales.

429 *Quelles sont les règles concernant la propriété de documents immatériels ?*

L'usurpation de documents produits par l'esprit humain est aussi un vol. [2408–2409]

Il n'y a pas que le → PLAGIAT qui est du vol. Le vol du bien produit par l'esprit humain commence déjà à l'école quand on copie sur son voisin, il continue avec le téléchargement illégal sur Internet, l'appropriation de copies non autorisées, le piratage de données informatiques ou fournies par les médias, etc., et va jusqu'au commerce réalisé à partir d'idées et de concepts volés. Toute appropriation de documents immatériels appartenant à autrui exige l'accord et le dédommagement appropriés, éventuellement la participation de l'auteur à la réalisation de la nouvelle création.

430 *Qu'entend-on par justice commutative ?*

La *justice commutative* régule les échanges entre les personnes dans l'exact respect de leurs droits. Elle contrôle la sauvegarde des droits de propriété, le paiement des dettes et la prestation des obligations librement contractées, veille à la réparation de l'injustice commise et à la restitution du bien dérobé. [2411–2412]

431 *Peut-on frauder le fisc ?*

La créativité face à des systèmes fiscaux compliqués n'est pas critiquable moralement. Ce qui est immoral, c'est de rechercher des combines pour ne pas payer ses impôts, frauder le fisc, falsifier ou dissimuler des biens détenus. [2409]

En payant leurs impôts en fonction de leurs revenus, les contribuables subviennent aux charges publiques de

LE PLAGIAT (en latin *plagiarius,* « celui qui vole des esclaves »), c'est s'attribuer indûment l'œuvre d'un autre, en le copiant, ou l'imitant sans lui en demander l'autorisation.

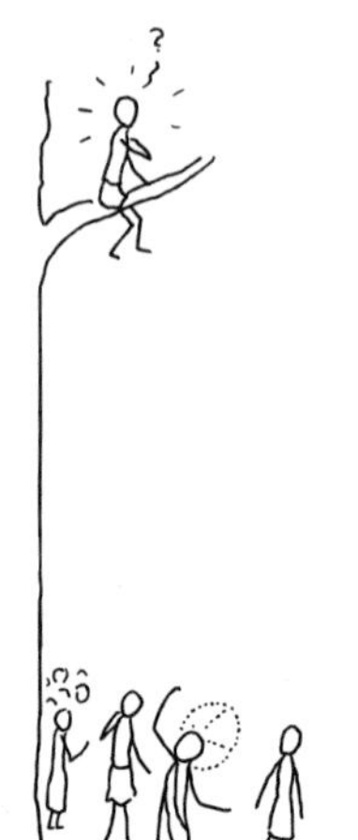

Jésus félicite Zachée, le contrôleur d'impôts, qui promet :
Si j'ai extorqué quelque chose à quelqu'un, je lui rends le quadruple.
Luc 19, 8

J'aime l'argent ; il me donne la possibilité d'aider les autres.

BLAISE PASCAL

Un homme riche n'est souvent qu'un pauvre homme avec beaucoup d'argent.

ARISTOTE

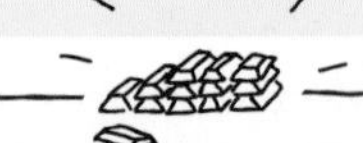

l'État. C'est pourquoi la fraude fiscale n'est pas une peccadille. Les impôts doivent être justes et proportionnels, et ils doivent être prélevés de manière légale.

432 *Est-ce qu'un chrétien peut spéculer en bourse ou sur Internet ?*

Un chrétien a le droit de faire des affaires en bourse ou sur Internet, tant que les opérations sur des valeurs personnelles ou confiées s'effectuent dans le cadre de transactions normales du commerce prudent et moral.

La spéculation boursière devient immorale quand elle recourt à des pratiques malhonnêtes (par exemple : le délit d'initié) ; quand elle risque de faire perdre à la personne ses propres ressources financières ou celles d'autrui, au lieu de les assurer ; quand elle revêt un caractère d'addiction comme la passion du jeu.

433 *Comment faut-il considérer la propriété de la communauté ?*

Le vandalisme ou les dégâts volontaires perpétrés sur des installations ou des biens publics sont des formes de vol, et exigent réparation. [2409]

434 *Est-ce qu'un chrétien peut s'adonner à des jeux de hasard ou à des paris ?*

Les paris ou les jeux de hasard deviennent immoraux et dangereux quand le joueur risque d'y perdre ses moyens de subsistance matérielle. C'est encore plus grave lorsque ce sont ceux que d'autres lui ont confiés. [2413]

Il est moralement extrêmement contestable d'engager de grosses sommes dans des jeux de hasard alors que certains manquent du strict nécessaire pour survivre. En outre, les paris et les jeux de hasard risquent de devenir une addiction ou un asservissement grave.

Qui aime l'argent ne se rassasie pas d'argent.

Qohélet 5, 9

Son argent le possède davantage que lui-même ne le possède.

SAINT CYPRIEN DE CARTHAGE (200-258, père de l'Église)

Quand tu te procures ou que tu utilises un objet, pense qu'il est le produit d'un travail des hommes, et que, si tu en fais un usage abusif, que tu l'abîmes ou le détruis, c'est le travail que tu détruis, et la vie humaine que tu utilises donc abusivement.

LÉON TOLSTOÏ (1818–1910, écrivain russe)

Face aux actes de cruauté d'un capitalisme qui ravale les hommes au rang de marchandise, nos yeux se sont ouverts sur les dangers que recèle la richesse, et nous comprenons de manière renouvelée ce que Jésus voulait dire quand il mettait en garde contre la richesse, contre le dieu Mammon qui détruit l'homme et qui étrangle dans ses horribles serres de rapace une grande partie du monde.

BENOÎT XVI,
Jésus de Nazareth

Environ 12,3 millions de personnes subissent l'esclavage de travaux forcés.
Environ 2,4 millions sont victimes de trafic d'êtres humains.
Somme des profits : environ 10 milliards de dollars.

Statistiques de l'Organisation internationale du travail pour l'année 2005

L'expérience montre que tout manque de respect de l'environnement entraîne chez les hommes une détérioration du vivre-ensemble et inversement. Il apparaît de plus en plus clairement qu'il existe un rapport indissociable entre la paix avec la nature et la paix entre les hommes.

BENOÎT XVI, 1er janvier 2007

435 *Peut-on « acheter » et « vendre » des êtres humains ?*

Aucun être humain, ni aucun organe humain, ne peut être traité comme une marchandise, et personne ne peut non plus faire de lui-même une marchandise. La personne humaine appartient à Dieu, qui lui a donné liberté et dignité. Acheter et vendre des êtres humains, comme cela ne se pratique aujourd'hui pas seulement dans la prostitution, est un acte extrêmement répréhensible. [2414]

Le trafic des organes ou celui des embryons pour l'industrie biotechnique, le trafic des enfants à des fins d'adoption, le recrutement d'enfants soldats, la prostitution, tout cela relève du trafic, vieux comme le monde, des êtres humains et de l'esclavage qui réapparaissent sous des formes nouvelles aujourd'hui. Ces trafics ravissent à des personnes leur liberté, leur dignité, leur libre-arbitre, leur vie en quelque sorte. C'est les réduire à l'état d'objets, source de profits pour ceux qui en font un commerce. Il faudrait parler ici de l'« achat » ou de la « vente » de footballeurs ou autres sportifs, même si, c'est vrai, ces transferts s'effectuent avec le plein accord des intéressés. → 280

436 *Quel comportement devons-nous avoir vis-à-vis de la Création ?*

Nous remplissons le mandat inscrit dans la Création divine si nous respectons et conservons durablement la terre comme espace vital, avec ses lois qui y régissent la vie, la diversité de ses espèces, sa beauté naturelle, les richesses qu'elle produit, de manière à ce que les générations futures puissent, elles aussi, bien vivre sur notre planète. [2415]

Le livre de la Genèse dit ceci : *Soyez féconds, multipliez, emplissez la terre et soumettez-la ; dominez sur les poissons de la mer, les oiseaux du ciel et tous les animaux qui rampent sur la terre* (Gn 1, 28). Le « dominez la terre » ne sous-entend pas que l'homme ait le droit absolu de disposer arbitrairement du monde vivant et inanimé, des animaux et des végétaux. Quant à la dimension de « créé à l'image de Dieu », elle implique pour l'homme le mandat de veiller au respect de la Création de Dieu, en tant que pasteur et gérant de celle-ci. Car il est dit aussi : *Dieu prit l'homme et l'établit dans le jardin d'Éden pour le cultiver et le garder* (Gn 2, 15). → 42–50, 57

437 *Quel doit être notre comportement envers les animaux ?*

Comme nous, les animaux sont des créatures que nous devons aimer et nous devons nous réjouir de leur existence, comme Dieu s'en réjouit. [2416–2418, 2456–2457]

Les animaux aussi sont des créatures qui ont une sensibilité. C'est un péché de les torturer, de les faire souffrir, de les tuer sans raison. Cependant personne ne doit faire passer l'amour des animaux avant l'amour du prochain.

438 *Pourquoi l'Église a-t-elle une doctrine sociale catholique qui lui est propre ?*

Parce que *tous* les hommes, en tant qu'enfants de Dieu, possèdent une égale dignité, l'Église s'engage à travers sa doctrine sociale, pour *tous* les hommes, afin que leur dignité soit réellement respectée dans le domaine social. L'Église ne nie pas l'autonomie de la politique et de l'économie. Cependant, il est dans son rôle de se prononcer quand la politique ou l'économie offensent la dignité des personnes.[2419–2420, 2422–2423]

« Les joies et les espoirs, les tristesses et les angoisses des hommes de ce temps, des pauvres surtout, sont aussi les joies et les espoirs, les tristesses et les angoisses des disciples de Jésus » (concile Vatican II, *Gaudium et Spes,* Avant-propos). La doctrine sociale de l'Église met cette phrase en application concrète. Et elle pose cette question : comment pouvons-nous engager notre responsabilité en vue du bien-être, et du juste traitement de tous les hommes, y compris des non-chrétiens ? En quoi doit consister une juste conception de la vie communautaire entre les hommes, des institutions politiques,

> Vous vous engagez à juste titre en faveur du respect de la santé de l'environnement, des plantes et des animaux ! Dites un oui encore plus franc à la vie humaine, qui, dans l'ordre de la Création, surpasse de loin toutes les réalités créées du monde visible.
>
> JEAN-PAUL II, 8 septembre 1985

> La charité est la voie maîtresse de la doctrine sociale de l'Église.
>
> BENOÎT XVI, *Caritas in Veritate (CIV)*

> L'Église partage avec les hommes de notre temps cet ardent désir d'une vie juste à tous points de vue, et elle ne manque pas de réfléchir aux différents aspects de la justice telle que l'exige la vie des personnes et des groupes sociaux.
>
> JEAN-PAUL II, *Dives in Misericordia*

Tu visites la terre et la fais regorger, tu la combles de richesses. Le ruisseau de Dieu est rempli d'eau, tu prépares les épis… Ils ruissellent les pacages du désert, les collines sont bordées d'allégresse, les prairies se revêtent de troupeaux, les vallées se drapent de froment, on clame, on chante des hymnes.

Psaume 65, 10.13-14

> Le capital est fait pour le travail, et non le travail pour le capital.
>
> LÉON XIII, *Rerum Novarum*, 1891

> Il convient de souligner le rôle prépondérant qui incombe aux laïcs, hommes et femmes... Il leur revient d'animer les réalités temporelles avec un zèle chrétien et de s'y conduire en témoins et en artisans de paix et de justice.
>
> JEAN-PAUL II, *Sollicitudo Rei Socialis*

> De même que c'est un bien extrême quand une autorité fait un bon usage de son pouvoir sur les autres, de même est-ce extrêmement condamnable quand elle en fait un usage abusif.
>
> SAINT THOMAS D'AQUIN

économiques et sociales ? La ligne de conduite de l'Église dans son engagement en faveur de la justice est l'amour du prochain, qui se fonde sur l'amour du Christ pour l'humanité.

439 *Quelle est l'origine de l'élaboration de la doctrine sociale de l'Église ?*

La → DOCTRINE SOCIALE DE L'ÉGLISE CATHOLIQUE fut une réponse à la question ouvrière du XIXe siècle. Certes l'industrialisation avait contribué à une amélioration du bien-être, mais ce sont surtout les dirigeants d'entreprises qui en profitèrent, alors que bien des personnes, en particulier les ouvriers privés de tous droits, plongèrent dans la misère. De cette situation, le communisme conclut qu'il existait un conflit irréductible entre *travail* et *capital,* ne devant se régler que par la lutte des classes. L'Église, au contraire, s'efforça de donner des orientations pour un juste équilibre social entre les ouvriers et les dirigeants d'entreprises. [2421]

L'Église est intervenue pour que tous les ouvriers, et pas seulement quelques patrons, puissent profiter de la nouvelle forme de bien-être favorisée par l'industrialisation et la concurrence économique. Elle a approuvé la création des syndicats et a réclamé que les États protègent les ouvriers de l'exploitation par des lois et un système de sécurité sociale, qui les assure, eux et leurs familles, en cas de maladie et de misère.

440 *Les chrétiens sont-ils tenus à un engagement politique et social ?*

Aux → LAÏCS chrétiens revient la mission spécifique de s'engager, conformément à l'esprit de l'Évangile, en faveur de la charité, de la vérité et de la justice dans les structures politiques, économiques et sociales. La → DOCTRINE SOCIALE DE L'ÉGLISE CATHOLIQUE leur propose à ce sujet une orientation très claire. [2442]

L'engagement dans un parti politique n'est pas conciliable avec le ministère des → ÉVÊQUES, des → PRÊTRES et des religieux. Ils doivent être au service de toute la communauté.

441 *Que dit l'Église de la démocratie ?*

L'Église préconise le système démocratique, parce que, de tous les systèmes politiques, il est celui qui offre aux citoyens les meilleures conditions d'égalité devant la loi et de respect des droits de l'homme. Mais toute démocratie authentique ne doit pas consister simplement en la souveraineté de la majorité ; dans un État de droit, la démocratie n'est possible que si elle reconnaît à *tous* leurs droits fondamentaux, et que, au besoin, elle les défend contre une décision de la majorité. [1922]

L'histoire enseigne que même la démocratie n'offre pas une protection absolue contre des offenses aux droits de l'homme et à la dignité humaine. Elle court toujours le risque de se changer en une tyrannie de la majorité sur une minorité. La démocratie ne peut garantir par elle-même les principes qui conditionnent son existence. C'est pourquoi les chrétiens doivent veiller particulièrement à ce qu'on ne sape pas les valeurs, sans lesquelles une démocratie ne peut persister.

442 *Quelle est la position de l'Église sur le capitalisme, et sur l'économie de marché ?*

Un capitalisme qui ne s'enracine pas dans une juste hiérarchie des valeurs risque de ne plus viser le → BIEN COMMUN, et de devenir un simple moyen de profit réservé à quelques-uns. L'Église refuse catégoriquement cela. Au contraire, elle soutient une économie de marché, ordonnée au service de l'homme, qui régule l'exercice des monopoles et garantit à tous un travail et les biens de première nécessité. [2426]

La → DOCTRINE SOCIALE DE L'ÉGLISE CATHOLIQUE valorise toutes les entreprises humaines qui servent le → BIEN COMMUN, c'est-à-dire : « Tout ce qui permet aux individus, aux familles, à tous les groupes sociaux d'atteindre la plénitude de leur perfectionnement » (concile Vatican II, *GS*). Ceci vaut aussi pour l'économie, qui doit se développer en tout premier lieu au service de l'homme.

» Une démocratie sans valeurs se transforme facilement en un totalitarisme déclaré ou sournois, comme le montre l'histoire.

JEAN-PAUL II, *Centesimus Annus*

» Un capitalisme sans humanité, sans solidarité, ni justice n'a pas de morale, ni aucun avenir.

CARDINAL REINHARD MARX (1953– , archevêque de Munich et Freising)

» La découverte des ressources, les financements, la production, la consommation et toutes les autres phases du cycle économique ont inéluctablement des implications morales. Ainsi toute décision économique a-t-elle une conséquence de caractère moral.

BENOÎT XVI, *CIV* 37

99 Le travail est un bien de l'homme – il est un bien de son humanité – car, par le travail, non seulement l'homme transforme la nature, en l'adaptant à ses propres besoins, mais encore il se réalise lui-même comme homme et même, en un certain sens, « il devient plus homme ».

JEAN-PAUL II,
Laborem Exercens

99 Jamais un homme ne se déclarera prêt à agir comme un Sysiphe.

PIERRE TEILHARD DE CHARDIN
(1881-1955, jésuite et chercheur en sciences de la nature)

443 *Quel est le devoir des managers et des dirigeants d'entreprise ?*

Les dirigeants d'entreprise ont le souci de la rentabilité économique de leur entreprise. Outre l'intérêt légitime qu'ils portent à l'augmentation de leurs profits, ils ont une véritable responsabilité sociale : prendre en considération les revendications justifiées des salariés, des sous-traitants, des clients, sans perdre de vue les exigences de l'ensemble de la société, et celles de l'environnement. [2432]

444 *Que dit la doctrine sociale de l'Église à propos du travail et du chômage ?*

Le travail est un devoir que Dieu a confié aux hommes. En unissant leurs efforts, ils ont à gérer la Création et à poursuivre son œuvre : *Dieu prit l'homme et l'établit dans le jardin d'Éden pour le cultiver et le garder* (Gn 2, 15). Pour la plupart des hommes, le travail est le moyen de subvenir à leurs besoins. Le chômage est un mal grave qu'il faut résolument combattre.

Alors qu'actuellement beaucoup voudraient travailler mais ne trouvent pas d'emploi, d'autres travaillent tellement qu'ils n'ont plus de temps à consacrer ni à Dieu ni à leurs proches. Alors que beaucoup ont un salaire qui leur

permet à peine de nourrir leur famille, d'autres gagnent tant d'argent qu'ils vivent dans un luxe inimaginable. Le travail n'est pas une fin en soi, il doit contribuer à la réalisation d'une société digne de l'homme. La → DOCTRINE SOCIALE DE L'ÉGLISE CATHOLIQUE prône donc un ordre économique, auquel toutes les personnes puissent participer activement, et avoir leur part de l'aisance obtenue. L'Église revendique pour tous un juste salaire qui permette à chacun une existence digne, et elle incite les riches à pratiquer les vertus de tempérance et du partage solidaire. → 47, 332

445 *Qu'est-ce que le « principe de la priorité du travail par rapport au capital » ? (Jean-Paul II, Laborem Exercens, 12.)*

C'est un principe que l'Église a toujours enseigné. L'homme possède l'argent ou le capital qui sont des choses. Le travail, quant à lui, ne peut pas être séparé de l'homme, qui l'exécute. C'est pourquoi les besoins élémentaires des ouvriers ont la priorité sur les intérêts du capital (c'est-à-dire de l'ensemble des moyens de production, *Laborem Exercens,* 12).

Les détenteurs du capital et les investisseurs ont des intérêts légitimes qui doivent être protégés. Mais, s'ils visent à augmenter leurs propres profits au mépris des droits élémentaires de leurs ouvriers et employés, ils commettent une injustice grave.

446 *Que dit l'Église de la mondialisation ?*

« La mondialisation à priori n'est ni bonne ni mauvaise, elle sera ce que les personnes en feront. Né au sein des pays économiquement développés, ce processus par sa nature a produit une intrication de toutes les économies. Celui-ci a été le principal moteur de la sortie du sous-développement de régions entières et représente en soi une grande opportunité. Toutefois, sans l'orientation de l'amour dans la vérité, cet élan planétaire risque de provoquer des dommages inconnus jusqu'alors, ainsi que de nouvelles fractures au sein de la famille humaine » (Benoît XVI, *CIV*).

» Tout ce qui est contenu dans le concept de « capital », au sens restreint du terme, est seulement un ensemble de choses. Comme sujet du travail, et quel que soit le travail qu'il accomplit, l'homme, et lui seul, est une personne.

JEAN-PAUL II, *Laborem Exercens,* 12

» Il est bouleversant d'être face à une mondialisation qui rend les conditions de vie des pauvres de plus en plus difficiles, qui ne fait rien pour réduire la faim, la pauvreté, et l'inégalité sociale, et qui piétine l'écologie. Ces aspects de la mondialisation peuvent susciter des réactions extrémistes, générer le nationalisme, le fanatisme religieux, et même le terrorisme.

JEAN-PAUL II, 2003

> La société toujours plus mondialisée nous rapproche, mais elle ne nous rend pas frères. La raison, à elle seule, est capable de comprendre l'égalité entre les hommes, et d'établir une communauté de vie civique, mais elle ne parvient pas à créer la fraternité.
>
> BENOÎT XVI, *CIV*, 19

> L'économie mondialisée semble privilégier la première logique, celle de l'échange contractuel, mais, directement ou indirectement, elle montre qu'elle a besoin aussi des deux autres, de la logique politique et de la logique du don sans contrepartie.
>
> BENOÎT XVI, *CIV*, 37

> Le projet « L'économie en communauté » est né pour qu'un jour nous puissions donner cet exemple : un peuple où plus personne ne souffre de la misère, où il n'y ait plus de pauvres.
>
> CHIARA LUBICH
> (1920–2008, fondatrice du mouvement des Focolari)

Quand nous achetons un « jean » bon marché, il ne doit pas nous être égal de savoir dans quelles conditions il a été fabriqué, de savoir si les ouvriers ont reçu un salaire juste ou pas. Le sort de tous a son importance. Aucune misère ne doit nous laisser indifférents. Le monde a besoin d'une « véritable gouvernance politique mondiale » (Benoît XVI, *CIV*) qui garantisse un juste équilibre entre les hommes des pays riches et ceux des pays en voie de développement. Ces derniers ne sont que trop souvent exclus des avantages de la mondialisation économique, dont ils ne supportent que le fardeau.

447 *La mondialisation ne concerne-t-elle que la politique et l'économie ?*

Il existait jadis comme un partage des fonctions : à l'économie revenait l'accroissement de la production et de la richesse, et la politique avait pour rôle de veiller à leur juste répartition. À l'ère de la mondialisation, les profits se font à l'échelle planétaire, alors que la politique reste cantonnée dans les frontières des États. D'où la nécessité aujourd'hui de renforcer non seulement le pouvoir d'instances politiques internationales, mais aussi d'encourager, dans les plus pauvres régions du monde, les initiatives économiques d'individus ou de groupes sociaux, qui ne soient pas animés d'abord par la recherche du profit, mais par un esprit de solidarité et de charité.

Sur le marché, on échange des biens de valeur équivalente, et des biens sans contrepartie. Dans de nombreuses régions du monde, les hommes sont si pauvres qu'ils n'ont rien à offrir pour l'échange, et ils sont de plus en plus dépendants. Il faut donc promouvoir des initiatives économiques qui ne privilégient pas la « logique de l'échange », mais la « logique du don sans contrepartie » (Benoît XVI, CIV, 37). Il ne s'agit pas de faire une simple aumône aux pauvres, mais de leur ouvrir les voies de la liberté économique en les aidant à s'en sortir par eux-mêmes. Beaucoup de projets chrétiens vont dans ce sens. Il existe aussi des « entrepreneurs sociaux » non chrétiens

orientés vers le profit, mais qui travaillent dans l'esprit d'une « culture du don » dans le but de faire reculer la pauvreté et l'exclusion.

448 *Est-ce que pauvreté et sous-développement sont voués à un destin incontournable ?*

Dieu nous a confié une terre dont la richesse pourrait offrir à tous les hommes suffisamment de nourriture et d'espace vital. Il y a cependant des régions entières, des pays et des continents où beaucoup de personnes ont à peine le nécessaire pour survivre. Cette fracture du monde a des raisons historiques complexes, mais elle n'est pas irrémédiable. Les pays riches ont le devoir moral d'aider les pays les moins avancés à sortir de leur pauvreté, par des aides au développement et par un juste fonctionnement des relations économiques et commerciales.

1,4 milliard d'êtres humains vivent sur notre planète avec moins de 1 euro par jour. Ils souffrent d'un manque de

Les peuples de la faim interpellent aujourd'hui de façon dramatique les peuples de l'opulence. L'Église tressaille devant ce cri d'angoisse et appelle chacun à répondre avec amour à l'appel de son frère.

PAUL VI, *Populorum Progressio*, 3

> Ne pas partager nos biens avec les pauvres revient à les spolier et à leur enlever la vie. Les biens que nous possédons ne sont pas les nôtres, mais les leurs.
>
> SAINT JEAN CHRYSOSTOME

nourriture et souvent d'eau potable salubre. Ils n'ont, la plupart du temps, ni accès à la culture ni protection médicale. On estime que plus de 25 000 personnes meurent de malnutrition. Beaucoup d'entre elles sont des enfants.

449 *Comment un chrétien doit-il manifester son amour pour les pauvres ?*

L'amour des pauvres doit être une caractéristique des chrétiens, valable pour tous les temps. Cela ne consiste pas à leur faire une aumône quelconque qui leur

> Car celui qui donne, reçoit, celui qui s'oublie soi-même, se trouve, celui qui pardonne, est pardonné, et celui qui meurt, naît à la vie éternelle.
>
> Prière du mouvement franciscain de France, 1913

revient, ils ont droit à la justice. Les chrétiens ont le devoir spécifique de partager leurs biens. Le Christ est le modèle par excellence de l'amour pour les pauvres. [2443–2446]

Heureux les pauvres en esprit, car le Royaume des Cieux est à eux (Mt 5, 3) – c'est la première béatitude. Il existe une pauvreté matérielle, morale, spirituelle. Il incombe aux chrétiens d'avoir le souci des nécessiteux de la terre, d'être attentifs à eux, de les aimer et de les aider. C'est sur leur amour des pauvres que tous seront jugés par le

Christ, plus précisément que sur tout autre point : *Dans la mesure où vous l'avez fait à l'un de ces petits qui sont mes frères, c'est à moi que vous l'avez fait* (Mt 25, 40). → 427

450 *Quelles sont « les œuvres de miséricorde corporelles » ?*

Elles consistent à nourrir les affamés, à donner à boire aux assoiffés, à vêtir les déguenillés, à loger les sans-logis, à visiter les malades et les prisonniers, à ensevelir les morts. [2447]

451 *Quelles sont « les œuvres de miséricorde spirituelle » ?*

Les œuvres de miséricorde spirituelle sont : instruire les ignorants, conseiller ceux qui doutent, consoler les affligés, corriger le pécheur, pardonner à celui qui nous a offensés, supporter l'injustice avec patience et prier pour les vivants et les morts.

LE HUITIÈME COMMANDEMENT
Tu ne témoigneras pas faussement contre ton prochain.

452 *Que nous demande le huitième commandement ?*

Le huitième commandement enseigne de ne pas mentir. Mentir signifie parler ou agir consciemment et délibérément contre la vérité. Celui qui ment s'abuse lui-même et trompe ceux qui ont le droit de connaître toute la vérité. [2464, 2467-2468, 2483, 2485-2486]

Tout mensonge offense la justice et la charité. Le mensonge est une sorte de violence ; il met le germe de la division dans une communauté et bafoue la confiance, sur laquelle repose toute communauté humaine.

453 *Qu'est-ce que Dieu vient faire dans notre rapport à la vérité ?*

Vivre dans le respect de la vérité n'implique pas seulement d'être fidèle à soi-même. Plus exactement, cela signifie être véridique, fidèle envers Dieu, car il

> Donne aux pauvres. Et tu deviens riche.
>
> Proverbe arabe

> Mère Teresa prenait souvent en aparté les postulantes de sa congrégation, elle leur faisait ouvrir leur main droite, puis refermait chaque doigt l'un après l'autre en prononçant sur chacun des cinq un des mots suivants : « C'est/à moi/que/tu/l'as fait ! », c'est-à-dire les paroles de Jésus en Matthieu 25, 40. Ces paroles et ce petit exercice étaient, et le sont toujours, pour les sœurs le grand remède dans leur combat intérieur contre le dégoût et la répulsion dans leur service des malades et des mourants.

> La vérité est si souvent étouffée, en notre temps, et le mensonge si fréquent, qu'on ne peut pas connaître la vérité, si on ne l'aime pas.
>
> BLAISE PASCAL

Si nous disons que nous sommes en communion avec Lui, alors que nous marchons dans les ténèbres, nous mentons, et nous ne faisons pas la vérité.

1re épître de Jean 1, 6

Vis de telle sorte que tu puisses mourir demain en martyr.

CHARLES DE FOUCAULD qui lui-même subit le martyre en 1916.

MARTYR (du grec *martyria,* « témoignage ») : un martyr chrétien est une personne, qui, pour le Christ, qui est la vérité, ou à la suite d'une décision de conscience que sa foi lui dicte, est prête à subir la violence, voire la mort. C'est le contraire de ceux qui, au nom de convictions religieuses mal interprétées, se font violence à eux-mêmes ou à d'autres.

est la source de toute vérité. Et nous trouvons alors immédiatement la vérité sur Dieu et toute sa réalité en Jésus, qui est *le chemin, la vérité, la vie* (Jn 14, 6). [2465–2470, 2505]

Celui qui marche vraiment à la suite de Jésus met toujours plus de véracité dans sa vie. Il chasse tout mensonge, toute fausseté, toute simulation et toute hypocrisie de ses actes et de ses paroles, et devient transparent à la vérité. Croire, c'est devenir témoin de la vérité.

454 *Jusqu'où peut aller notre devoir d'être témoin de la vérité de la foi ?*

Tout chrétien doit rendre témoignage à la vérité, et ainsi suivre le Christ, lui qui a dit devant Pilate : *Je ne suis né, et je ne suis venu dans le monde que pour rendre témoignage à la vérité* (Jn 18, 37). [2472–2474]

Pour un chrétien, cela peut même aller jusqu'à donner sa vie par fidélité à la vérité et par amour pour Dieu et les hommes. Cette forme extrême de témoignage rendu à la vérité de la foi s'appelle le martyre.

455 *Que signifie être vrai ?*

La vérité est la vertu qui consiste à se montrer vrai en ses actes et honnête en ses paroles, en se gardant de la duplicité, de la simulation, de la fourberie et de l'hypocrisie. La forme la plus grave du refus de la vérité est le → PARJURE. [2468, 2476]

Un grand mal qui affecte toutes les communautés est la calomnie et les rumeurs : A dit à B « en toute confiance » ce que C a dit de mal au sujet de B.

456 *Que doit-on faire quand on a menti, trompé, triché ?*

Toute faute contre la vérité et la justice exige réparation, même si elle a été pardonnée. [2487]

Lorsqu'il est impossible de réparer publiquement un mensonge ou un faux témoignage, il faut le faire au moins en secret. Si on ne peut pas dédommager directement celui à qui on a fait du tort, on est obligé en conscience de lui

donner satisfaction moralement, c'est-à-dire de faire son possible pour trouver au moins une compensation symbolique.

457 *Pourquoi la vérité exige-t-elle la discrétion ?*

La communication de la vérité doit se faire avec prudence, et conformément au précepte de l'amour fraternel. On brandit souvent la vérité comme une arme, ce qui a souvent des effets destructifs plutôt que constructifs. [2488–2489, 2491]

Lors de la communication d'informations, il faut penser aux « trois questions » de Socrate : Est-ce vrai ? Est-ce bien ? Est-ce utile ? La → DISCRÉTION est aussi la règle en ce qui concerne les secrets professionnels. Ils doivent toujours être sauvegardés, sauf cas exceptionnels à préciser strictement. Celui qui divulgue publiquement des confidences privées confiées sous le sceau du secret commet aussi une faute. Tout ce qu'on dit doit être vrai, mais tout ce qui est vrai ne doit pas forcément être dit.

458 *Qu'est-ce qui caractérise le secret de la confession ?*

Le secret de la confession est sacré, il ne peut être trahi sous aucun prétexte. [2490]

Un → PRÊTRE n'a pas le droit de dénoncer même le pire des crimes. Il n'a qu'une possibilité : refuser l'absolution, si le pénitent ne se présente pas à la police. Même les détails

PARJURE
Commettre un parjure, c'est émettre un faux témoignage, et prendre Dieu à témoin d'un mensonge. C'est un péché grave.

Ne colporte jamais de rumeur avant de l'avoir vérifiée. Et si elle est vraie, commence par bien retenir ta langue.

SELMA LAGERLÖF (1858–1940, écrivaine suédoise)

DISCRÉTION
(du latin *discernere,* « discerner ») : capacité de discerner à quel moment on peut dire quelque chose à quelqu'un.

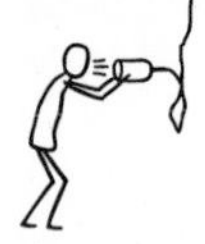

de la confession d'un enfant ne peuvent être divulgués, rien, pas même sous la torture. → 238

MOYENS DE COMMUNICATION SOCIALE
Ce sont les médias qui ne s'adressent pas seulement à des individus, mais aussi à l'ensemble de la société humaine, et qui exercent sur elle une influence : la presse, la radio, les films, la télévision, Internet, etc.

459 *Quelle responsabilité éthique a-t-on dans l'usage des moyens de communication ?*

Les professionnels des médias ont une responsabilité vis-à-vis des usagers. Avant tout, ils doivent fournir des informations fondées sur la vérité. Ils doivent respecter les droits et la dignité des personnes dans leur recherche de faits véridiques et leur diffusion. [2493–2499]

Les → MOYENS DE COMMUNICATION SOCIALE doivent contribuer à la construction d'un monde juste, libre et solidaire. En effet, il n'est pas rare que les médias soient utilisés comme des armes dans des querelles idéologiques ; ou bien qu'en fonction des taux d'audience (l'audimat) on renonce à toute dimension éthique de leurs contenus pour n'en faire que des moyens destinés à séduire les usagers et à les rendre dépendants.

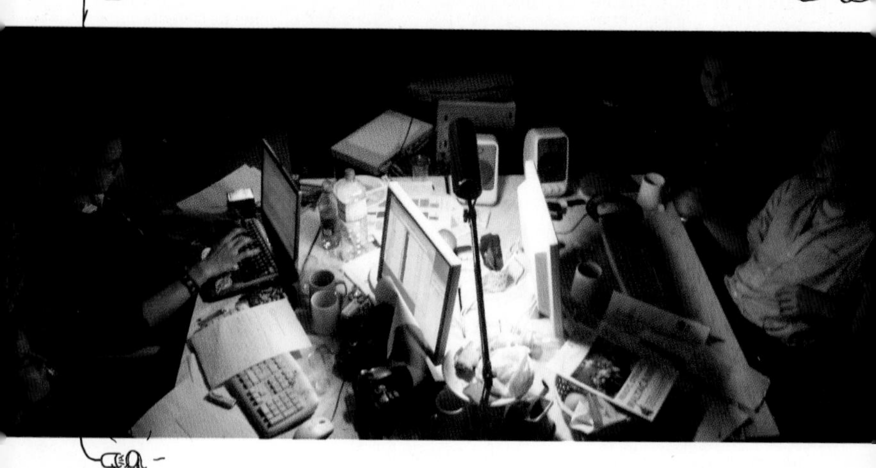

Là où est ton trésor, là aussi sera ton cœur.

Matthieu 6, 21

460 *En quoi les médias peuvent-ils être dangereux ?*

Beaucoup de personnes, les enfants en particulier, pensent que ce qu'ils voient dans les médias est vrai. Quand les responsables des médias tolèrent que, sous

une apparence anodine, on fasse l'apologie de la violence, que l'on approuve des comportements antisociaux, que l'on banalise la sexualité humaine, ils sont dans le péché, eux et les instances qui devraient exercer un contrôle. [2496, 2512]

Les professionnels des médias doivent toujours avoir à l'esprit que leurs produits ont un effet sur les mœurs. Quant aux jeunes, ils doivent constamment se demander s'ils utilisent les médias en sachant rester libres et en gardant une distance critique, ou bien s'ils deviennent accros de certains médias. Toute personne est responsable de son âme. Ceux qui sont consommateurs de violence, de haine, de pornographie sur les médias, s'abrutissent spirituellement, et se font du tort.

461 *Comment l'art est-il véhicule de beauté et de vérité ?*

Le vrai et le beau vont ensemble, car Dieu est la source de la beauté comme de la vérité. L'art qui se consacre à la beauté est donc un chemin vers la plénitude et vers Dieu. [2500–2503, 2513]

Ce qui ne se dit pas avec des mots, ce qui ne s'exprime pas avec l'intelligence, l'art peut l'évoquer. Il est « une surabondance gratuite de la richesse intérieure de l'être humain » (*CEC*, 2501). Comportant une certaine similitude avec l'activité créatrice divine, l'art unit inspiration et savoir-faire humain, pour donner forme à quelque chose de nouveau, à une réalité jusqu'alors inaccessible à la vue. L'art n'a pas en lui-même sa fin absolue. Sa finalité est d'élever l'homme, de l'émouvoir, de l'ennoblir, et, en fin de compte, de le porter à l'adoration de Dieu et à l'action de grâces.

LE NEUVIÈME COMMANDEMENT
Tu ne convoiteras pas la femme de ton prochain.

462 *Pourquoi le neuvième commandement s'élève-t-il contre la concupiscence charnelle ?*

Le neuvième commandement ne s'élève pas contre le désir en soi, mais contre les désirs déréglés. L'Écriture

C'est la source même de la beauté qui les a créés.

Sagesse 13, 3

La grandeur et la beauté des créatures font contempler leur auteur.

Sagesse 13, 5

Pour moi la perfection dans l'art et dans la vie jaillit de la source biblique.

MARC CHAGALL
(1887–1985, peintre russe)

La beauté est le reflet de la vérité.

SAINT THOMAS D'AQUIN

Mortifiez donc vos membres terrestres : fornication, impureté, passion coupable, mauvais désirs, et la cupidité, qui est une idôlatrie.

Épître aux Colossiens 3, 5

met en garde contre une certaine forme de convoitise, qui incline l'homme à commettre des péchés : quand la domination de ses instincts sur sa raison tourne à l'obsession sexuelle. [2514, 2515, 2528, 2529]

L'attirance érotique entre l'homme et la femme a été créée par Dieu, par conséquent, elle est bonne. Elle est inhérente à la nature sexuée de l'être humain, et à sa constitution biologique. Sa fonction est l'union entre l'homme et la femme, et la procréation qui en résulte. Cette union doit être protégée par le neuvième commandement. Il faut préserver sa vie conjugale et celle de sa famille en ne jouant pas avec le feu, et en se gardant de toute frivolité qui allume les désirs d'un autre homme ou d'une autre femme. C'est pourquoi il convient de rappeler, aux chrétiens en particulier : ne touchez pas aux hommes ni aux femmes mariés ! → 400–425

463 *Comment parvient-on à la pureté du cœur ?*

On acquiert la pureté du cœur nécessaire à l'amour, en étant d'abord en lien avec Dieu dans la prière. Quand nous sommes animés par la grâce de Dieu, nous trouvons le chemin d'un amour humain pur et sans partage. La chasteté permet d'aimer d'un amour sincère et sans partage. [2520, 2532]

Si nous nous tournons vers Dieu, avec une intention pure, il transforme notre cœur. Il nous donne la force de nous conformer à sa volonté, et de repousser les pensées mauvaises, les fantasmes et les désirs impurs. → 404–405

464 *Pourquoi la pudeur est-elle bonne ?*

La pudeur préserve l'intimité de la personne : le mystère de la personne, qui lui est propre et caché au plus profond d'elle-même, sa dignité, et avant tout sa capacité d'aimer et de se donner. Elle concerne aussi tout ce que seul l'amour a le droit de voir. [2521–2525, 2533]

Beaucoup de jeunes vivent dans un monde où il est comme évident de tout exposer à la vue de tous, en faisant fi de toute pudeur. Pourtant la pudeur est une qualité humaine, les animaux n'en ont pas le sens, c'est

Heureux les cœurs purs, car ils verront Dieu.

Matthieu 5, 8

On sait bien tout ce que produit la chair : fornication, impureté, débauche, idolâtrie, magie... Je vous préviens, comme je l'ai déjà fait, que ceux qui commettent ces fautes-là n'hériteront pas du royaume de Dieu.

Épître aux Galates 5, 19-21

Dieu, crée pour moi un cœur pur, restaure en ma poitrine un esprit ferme ; ne me repousse pas loin de ta face, ne m'enlève pas ton esprit de sainteté. Rends-moi la joie de ton salut, assure en moi un esprit magnanime.

Psaume 51, 12-14

Agissez aujourd'hui de telle sorte que vous n'ayez pas à en rougir demain.

SAINT JEAN BOSCO (1815–1888, saint de la jeunesse)

La pudeur existe partout où il y a un mystère.

FRIEDRICH NIETZSCHE (1844–1900, philosophe allemand)

Tu ne convoiteras pas la maison de ton prochain. Tu ne convoiteras pas la femme de ton prochain, ni son serviteur, ni sa servante, ni son bœuf, ni son âne, rien de ce qui est à ton prochain.

Exode 20, 17

Gardez-vous de toute cupidité, car, au sein même de l'abondance, la vie d'un homme n'est pas assurée par ses biens.

Luc 12, 15

Comme la rouille avec le fer, la jalousie ronge l'âme qui est sous sa coupe.

SAINT BASILE LE GRAND, Règle

une caractéristique propre à l'être humain. Elle cache et préserve ce qu'il a de précieux, c'est-à-dire la dignité de la personne dans sa capacité à aimer. Le sens de la pudeur se retrouve dans toutes les cultures, plus ou moins marqué. Il n'a rien à voir avec la pruderie ou une éducation coincée. L'être humain éprouve aussi une certaine pudeur quant à une divulgation de ses fautes ou autres choses qui l'aviliraient. C'est dépouiller autrui de sa dignité que de porter atteinte à sa pudeur naturelle par des paroles, des regards, des gestes, ou des actes. → 412-413

LE DIXIÈME COMMANDEMENT
Tu ne convoiteras rien de ce qui est à ton prochain.

465 *Comment un chrétien doit-il considérer le bien d'autrui ?*

Un chrétien doit savoir faire la différence entre ses désirs raisonnables et ceux qui sont immodérés, et avoir une attitude intérieure de respect envers la propriété d'autrui. [2534–2537, 2552]

L'avidité engendre la cupidité, le vol et le vol à main armée, l'escroquerie, la violence et l'injustice, l'envie, et le désir démesuré de s'approprier le bien d'autrui.

466 *Qu'est-ce que l'envie, et comment peut-on la combattre ?*

L'envie est une jalousie et un désagrément que l'on éprouve en voyant le bien-être des autres, et un désir de s'approprier indûment ce que d'autres possèdent. Souhaiter du mal à son prochain est un péché grave. On peut combattre son penchant à l'envie en essayant de se réjouir des réussites et des talents des autres, en croyant en la bienveillance de la Providence divine pour soi-même, et en tournant son cœur vers la véritable richesse, notre participation actuelle à la vie divine grâce à l'Esprit-Saint. [2538–2540, 2553–2554]

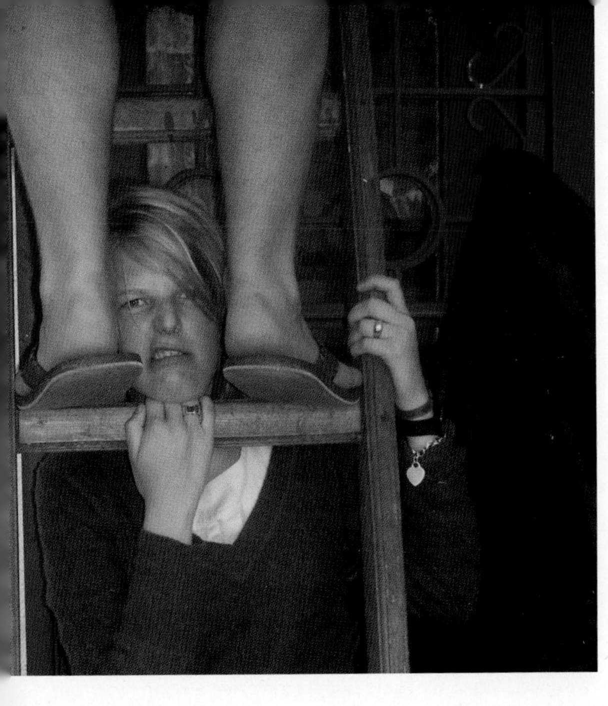

Ne haïr personne. Ne pas être jaloux. Ne pas agir par envie. Ne pas aimer la querelle. Fuir l'arrogance.

SAINT BENOÎT DE NURSIE
Règle

Même Dieu ne pourrait rien faire pour celui qui ne lui a pas laissé de place. Il faut faire complètement le vide en soi, pour le laisser entrer, afin qu'il fasse ce qu'il veut.

MÈRE TERESA

Le gouffre infini en l'homme ne peut être comblé que par l'infini et l'immuable, c'est-à-dire Dieu lui-même.

BLAISE PASCAL

467 *Pourquoi Jésus nous demande-t-il « la pauvreté de cœur » ?*

***Notre Seigneur Jésus-Christ, qui pour vous s'est fait pauvre, de riche qu'il était, afin de vous enrichir par sa pauvreté* (2 Co 8, 9). [2544-2547, 2555-2557]**

Les jeunes aussi font l'expérience du vide intérieur. Mais ce n'est pas mal alors de se sentir pauvre. Il me suffit alors de rechercher de tout mon cœur ce qui peut combler mon vide, et qui, de ma pauvreté, peut faire une richesse. C'est pourquoi Jésus dit : *Heureux les pauvres de cœur, car le Royaume des Cieux est à eux* (Mt 5, 3). → 283-284

468 *Quelle devrait être la plus grande aspiration de l'homme ?*

Le plus grand de tous les désirs de l'homme ne peut être que Dieu. Le voir lui, notre Créateur, notre Seigneur, notre Sauveur, voilà la béatitude sans fin. [2548-2550, 2557] → 285

QUATRIÈME PARTIE

4 La prière chrétienne

QUESTIONS 469 – 527

PREMIÈRE SECTION
La prière dans la vie chrétienne

469 *Qu'est-ce que la prière ?*

Prier, c'est tourner son cœur vers Dieu. Quand quelqu'un prie, il entre dans une relation vivante avec Dieu. [2558–2565]

Prier, c'est entrer dans la foi par la grande porte. Celui qui prie ne vit plus par lui-même, pour lui-même, et en ne comptant que sur lui-même. Il sait que Dieu existe, qu'il est là, et que l'on peut lui parler. Celui qui prie met de plus en plus sa confiance en Dieu. Il cherche déjà maintenant à avoir avec lui la relation qu'il aura un jour dans le face-à-face. C'est pourquoi la vie chrétienne implique que l'on s'efforce de prier chaque jour. À vrai dire, prier ne s'apprend pas comme on apprend une technique. Prier, si étonnant que cela puisse paraître, est un don que l'on reçoit en priant.

CHAPITRE PREMIER
Comment Dieu se fait proche de nous

470 *Comment l'homme est-il amené à prier ?*

Nous prions parce que nous avons en nous un infini désir de Dieu, et parce que Dieu nous a créés pour nous appeler à lui : « Notre cœur est sans repos, tant qu'il n'a pas trouvé le repos en toi » (saint Augustin). Nous prions aussi parce que c'est pour nous une nécessité ; c'est ce que dit Mère Teresa : « Comme je ne peux pas compter sur moi-même, je m'en remets à lui, vingt-quatre heures sur vingt-quatre. » [2566–2567, 2591]

Souvent nous oublions Dieu, nous lui échappons, et nous nous cachons. Que nous évitions de penser à lui ou que nous le rejetions, lui est toujours là pour nous. Il nous cherche avant que nous ne le cherchions, il nous désire, il nous appelle. On parle avec sa conscience, et soudain on remarque que l'on parle avec Dieu. On se sent seul, on n'a personne à qui parler et on sent que l'on peut toujours parler à Dieu. On est en danger, et l'on remarque que Dieu

> Pour moi, la prière c'est un élan du cœur, c'est un simple regard jeté vers le ciel, c'est un cri de reconnaissance et d'amour dans l'épreuve comme dans la joie.
>
> SAINTE THÉRÈSE DE LISIEUX

> Déjà le désir de prier est une prière.
>
> GEORGES BERNANOS

> Fais ce que tu peux, et demande dans ta prière ce que tu ne peux pas faire, ainsi Dieu t'accordera de pouvoir le faire.
>
> SAINT AUGUSTIN

> C'était afin qu'ils cherchent la divinité pour l'atteindre, si possible, comme à tâtons et la trouver ; aussi bien n'est-elle pas loin de chacun de nous.
>
> Actes des apôtres 17, 27

> Probablement prions-nous le plus quand nous disons le moins de mots, et le moins quand nous disons le plus de mots.
>
> SAINT AUGUSTIN

> Prier, ce n'est pas s'écouter parler, prier, c'est se taire et être dans le silence et attendre jusqu'à ce qu'on entende Dieu.
>
> SØREN KIERKEGAARD

> Soudain je ressentis le silence comme une présence. Au cœur de ce silence Il était là, lui qui est silence, paix et sérénité.
>
> GEORGES BERNANOS

> Prier c'est se soustraire à la peur du monde et aller vers le Père.
>
> FRIEDRICH VON BODELSCHWINGH

> À mon avis la prière n'est pas autre chose qu'un dialogue avec un ami, que l'on aime retrouver souvent seul à seul, pour parler avec lui, parce qu'il nous aime.
>
> SAINTE THÉRÈSE D'AVILA

a répondu à notre appel au secours. Prier est aussi humain que respirer, manger, aimer. Prier nous purifie et nous permet de résister à des tentations. Prier rend fort dans la faiblesse. Prier ôte toute peur, multiplie les forces, donne plus de souffle. Prier rend heureux.

471 *Pourquoi Abraham est-il un modèle de prière ?*

Abraham écoutait Dieu. Il était prêt à partir là où Dieu voulait qu'il aille et à faire ce que Dieu lui demandait. Son obéissance et sa promptitude à partir font de lui un modèle de notre prière.

Nous n'avons pas beaucoup conservé de prières d'Abraham. Mais nous savons que, partout où il allait, il construisait un autel au Seigneur, un lieu de prière. Tout

CONTEMPLATION (du latin *contemplare,* « contempler ») : c'est se mettre en présence de Dieu dans la prière. La contemplation (la vie intérieure, spirituelle) et l'action (la vie active) sont deux volets du don à Dieu. Dans le christianisme, les deux sont inséparables.

Contemplari et contemplata aliis tradere.

La devise des Dominicains inspirée de saint Thomas d'Aquin (« Contempler et transmettre ce qui a été contemplé. »)

Les hommes partirent de là et allèrent à Sodome. Abraham se tenait encore devant le Seigneur. Abraham s'approcha et dit : "Vas-tu vraiment supprimer le juste avec le pécheur ? Peut-être y a-t-il cinquante justes dans la ville. Vas-tu vraiment les supprimer et ne pardonneras-tu pas à la cité pour les cinquante justes qui sont dans son sein ?... Loin de toi ! Est-ce que le juge de toute la terre ne rendra pas justice ?

Genèse 18, 22-25

au long de sa vie itinérante il a vécu des expériences de Dieu différentes, il a même connu des moments d'épreuves et de doutes. Quand il voit que Dieu veut détruire la ville impie de Sodome, il plaide en faveur de celle-ci. Il tient tête obstinément à Dieu. Sa supplique pour défendre Sodome est la première grande prière d'intercession de l'histoire du peuple de Dieu.

472 *Comment Moïse a-t-il prié ?*

De Moïse, nous apprenons que « prier » signifie « parler avec Dieu ». Au Buisson ardent Dieu entra en véritable dialogue avec Moïse et il lui donna une mission. Moïse émit des objections et posa des questions. Finalement, Dieu lui révéla son saint Nom. De même que Moïse eut alors confiance en Dieu et accepta de se mettre entièrement à son service, de même, nous aussi,

nous devons prier et nous mettre à l'école de Dieu. [2574–2577]

La → BIBLE cite 767 fois le nom de Moïse, tellement son rôle est central pour le peuple d'Israël qu'il a libéré, et à qui il a remis les Tables de la Loi. En même temps, Moïse fut aussi un grand intercesseur pour son peuple. Dans la prière, il reçut sa mission, et il y puisa sa force. Moïse avait une relation intime et personnelle avec Dieu : *le Seigneur parlait à Moïse face à face, comme des hommes parlent ensemble* (Ex 33, 11). Avant d'agir ou d'enseigner au peuple, Moïse se retirait sur la montagne pour prier. Il est le premier exemple du priant contemplatif.

473 *Quelle est l'importance des psaumes dans la prière ?*

Avec le *Notre-Père*, les psaumes font partie du grand trésor des prières de l'Église. Ils chantent la louange de Dieu d'une manière toujours actuelle.

L'→ ANCIEN TESTAMENT contient 150 psaumes. Ils forment un recueil de chants et de prières rassemblés pour la plupart il y a plusieurs milliers d'années, et, aujourd'hui encore, ils nourrissent la prière de l'assemblée ecclésiale, lors de ce qu'on appelle la prière des heures. Les psaumes comptent parmi les plus beaux textes de la littérature mondiale, et ils nous touchent directement, nous les hommes des temps modernes, par leur puissance spirituelle. → 188

474 *Comment Jésus apprit-il à prier ?*

Jésus a appris à prier dans sa famille et à la synagogue. Mais Jésus a fait éclater le cadre de la prière traditionnelle. Sa prière témoigne d'une familiarité avec le Père du ciel, que seul peut avoir celui qui est le « Fils de Dieu ». [2598–2599]

Jésus, qui était à la fois Dieu et homme, grandit, comme tous les enfants juifs de son temps, dans les rites et les formes de prières de son peuple d'Israël. Comme cela s'est cependant manifesté à travers l'épisode du Temple quand il avait douze ans (Lc 2, 41-50), il y avait en Jésus quelque chose qui ne pouvait pas être de l'ordre de

Un psaume de David : le Seigneur est mon berger, rien ne me manque. Sur des prés d'herbe fraîche il me fait reposer. Vers les eaux du repos il me mène, il y refait mon âme ; il me guide aux sentiers de justice à cause de son nom. Passerais-je un ravin de ténèbre, je ne crains aucun mal car tu es près de moi ; ton bâton, ta houlette sont là qui me consolent.

Psaume 23, 1-4

Ne saviez-vous pas que je dois être dans la maison de mon Père ?

Luc 2, 49

Prier signifie penser à Jésus en l'aimant. La prière, c'est l'attention de l'âme qui se concentre sur Jésus. Plus on aime Jésus, mieux on prie.

CHARLES DE FOUCAULD

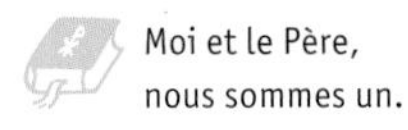
Moi et le Père, nous sommes un.

Jean 10, 30

Jésus prie le psaume 22, qui commence par ces mots : Mon Dieu, mon Dieu, pourquoi m'as-tu abandonné ? Il prend sur lui tout le peuple d'Israël souffrant, toute l'humanité souffrante, la misère de son mystère divin, et il fait ainsi paraître Dieu, au moment où il semble définitivement vaincu et absent.

JOSEPH RATZINGER (futur BENOÎT XVI), Vendredi saint 2005

C'est pourquoi, je vous dis : tout ce que vous demandez en priant, croyez que vous l'avez déjà reçu, et cela vous sera accordé.

Marc 11, 24

L'espérance est la confiance totale en l'amour infini de Dieu.

CHARLES DE FOUCAULD

« l'appris » : une relation originelle, profonde et unique en son genre de familiarité avec Dieu, son Père du ciel. Jésus espérait comme tous les hommes en l'autre monde et il priait Dieu. Mais en même temps il participait de cet autre monde. Déjà il était manifeste qu'un jour on prierait Jésus, qu'on le confesserait en tant que Dieu et que l'on implorerait sa grâce.

475 *Comment priait Jésus ?*

Toute la vie de Jésus fut une prière. À des moments décisifs (les tentations au désert, l'appel des disciples, la Passion), sa prière fut particulièrement fervente. Souvent il se retirait dans la solitude pour prier, surtout la nuit. Faire un avec le Père dans l'Esprit-Saint était le fil rouge de sa vie terrestre. [2600-2605]

476 *Comment Jésus a-t-il prié face à la mort ?*

Face à la mort, Jésus a éprouvé toute la profondeur de l'angoisse humaine. Pourtant, même à cette heure, il trouva la force de mettre sa confiance en son Père céleste : *Abba, Père ! tout t'est possible ; éloigne de moi cette coupe ; pourtant pas ce que je veux, mais ce que tu veux !* (Mc 14, 36). [2605-2606, 2620]

« On apprend à prier dans le malheur » : presque tout le monde fait cette expérience dans sa vie. Comment Jésus a-t-il prié face à l'imminence de sa mort ? Ce qui l'a guidé à ce moment-là est sa volonté absolue de croire en l'amour et en la sollicitude de Dieu. Pourtant, il y prononça la plus insondable de toutes les prières (c'est une reprise d'une prière juive des mourants) : *Mon Dieu, mon Dieu, pourquoi m'as-tu abandonné ?* (Mc 15, 34 ; d'après Ps 22, 1). Tout le désespoir, tous les gémissements, tous les cris de douleur poussés par les hommes de tous les temps, tout le désir de trouver la main secourable de Dieu, tout cela est comme résumé dans cette parole du Crucifié. Après avoir dit : *Père, entre tes mains je remets mon esprit* (Lc 23, 46), Jésus expira. Là s'exprime sa confiance infinie dans le Père dont la puissance ouvre le chemin de la victoire sur la mort. Ainsi, la prière de Jésus au moment de sa mort anticipe déjà la victoire pascale de sa résurrection. → 100

477 *Qu'est-ce que nous mettre à l'école de la prière de Jésus ?*

C'est entrer dans sa confiance infinie, nous associer à sa prière, et nous laisser conduire par lui, pas à pas, jusqu'au Père. [2607-2614, 2621]

Les disciples qui partageaient la vie de Jésus apprenaient à prier en l'écoutant et en l'imitant, lui dont la vie entière était prière. Comme Jésus, ils devaient être vigilants, lutter pour avoir un cœur pur, tout donner pour l'avènement du Royaume de Dieu, pardonner à leurs ennemis, avoir une confiance audacieuse en Dieu, et faire passer l'amour de Dieu avant toutes choses. Jésus, qui donna cet exemple du don total à Dieu, invita ses disciples à dire à Dieu, le Tout-Puissant : « Abba, Père. » Quand nous prions dans l'esprit de Jésus, en particulier quand nous prions le *Notre-Père,* nous marchons dans les pas de Jésus, et nous pouvons être sûrs que nous arriverons immanquablement dans le cœur du Père. → 495-496, 512

478 *Pourquoi pouvons-nous croire avec confiance que Dieu entend notre prière ?*

Beaucoup de personnes qui, durant sa vie sur terre, ont imploré Jésus pour une guérison, furent exaucées. Jésus qui est ressuscité de la mort est vivant, il entend nos prières et il les porte au Père. [2615-2616, 2621]

Aujourd'hui encore nous connaissons le nom du chef de la synagogue, Jaïre, qui supplia Jésus de l'aider, et qui fut exaucé. Sa petite fille était sur le point de mourir. Personne ne pouvait plus rien faire. Jésus ne fit pas que guérir la petite fille, il la réanima d'entre les morts (Mc 5, 21-43). Jésus fit une quantité de guérisons avérées. Il fit des prodiges et des miracles. Des paralytiques, des lépreux et des aveugles ne l'implorèrent pas en vain. On atteste aussi que des prières adressées à des saints de l'Église ont été exaucées. Beaucoup de chrétiens peuvent rapporter qu'ils ont appelé Dieu à leur secours et qu'ils ont été exaucés. Dieu n'est cependant pas un distributeur automatique : nous devons lui faire confiance quant à la manière dont il exauce nos prières. → 40, 51

Pour toi, quand tu pries, retire-toi dans ta chambre, ferme sur toi la porte, et prie ton Père qui est là dans le secret ; et ton Père, qui voit dans le secret, te le rendra.

Matthieu 6, 6

Ce n'est pas en me disant « Seigneur, Seigneur ! » qu'on entrera dans le Royaume des Cieux, mais c'est en faisant la volonté de mon Père qui est dans les cieux.

Matthieu 7, 21

La prière de demande implique deux choses : avoir la certitude d'être exaucé et renoncer sans équivoque à être exaucé en fonction de son propre plan.

KARL RAHNER

Si tu lui demandais vraiment ta conversion, elle te serait accordée.

SAINT CURÉ D'ARS

Fais appel à la Sainte Vierge dans le recueillement, elle entendra ta détresse, car elle est compatissante, elle, la Mère de la miséricorde.

BERNARD DE CLAIRVAUX

Elle s'adresse à nous en nous disant : « N'aie pas peur de Lui, aie le courage de risquer l'aventure de la foi ! Aie le courage de t'abandonner à Sa bonté ! Laisse-toi envahir par Dieu, et alors tu verras que ta vie s'illumine, que loin d'être ennuyeuse, elle est au contraire pleine de surprises à l'infini, car la bonté infinie de Dieu ne s'épuise jamais.

BENOÎT XVI,
8 décembre 2006

AVE MARIA (du latin « Je vous salue Marie ») : la première partie de cette prière (la prière la plus importante et la plus aimée après le *Notre-Père*) est empruntée au récit de l'Annonciation dans la Bible (Lc 1, 28–42). La deuxième partie, « maintenant et à l'heure de notre mort » est un ajout du XVIe siècle.

479 *Quelle leçon pouvons-nous tirer de la manière dont la Vierge Marie priait ?*

Apprendre à prier comme Marie, c'est faire nôtres ses paroles : *Que tout se passe pour moi selon ta parole* (Lc 1, 38). Prier, c'est en fin de compte se donner soi-même, en réponse à l'amour de Dieu. Si nous disons « oui » comme Marie, Dieu a la possibilité de mener sa vie dans notre vie. [2617–2618, 2622, 2674]

→ 84–85, 117

480 *Le « Je vous salue Marie ».*

Je vous salue Marie, pleine de grâce,
Le Seigneur est avec vous,
Vous êtes bénie entre toutes les femmes,
Et Jésus, le fruit de vos entrailles, est béni.
Sainte Marie, Mère de Dieu,
Priez pour nous, pauvres pécheurs,
Maintenant et à l'heure de notre mort. Amen.

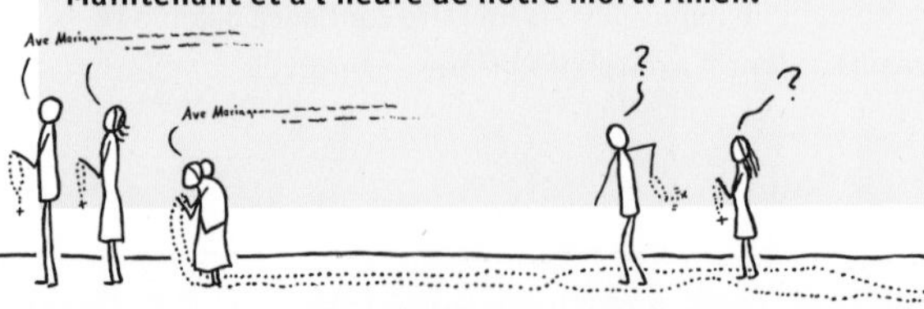

En latin :
Ave Maria, gratia plena. Dominus tecum.
Benedicta tu in mulieribus,
Et benedictus fructus ventris tui, Jesus.
Sancta Maria, Mater Dei,
Ora pro nobis peccatoribus,
Nunc et in hora mortis nostrae. Amen.

481 *Comment prie-t-on le chapelet ou le rosaire ?*

1. **Au nom du Père...**

2. ***Credo* (Je crois en Dieu, voir 28)**

3. ***Notre-Père***

4. **Trois *Je vous salue Marie***

5. ***Gloire au Père*, au Fils et au Saint-Esprit, comme il était au commencement, maintenant et toujours pour les siècles des siècles. Amen.**

6. **Cinq groupes de dix (dizaine) comprenant chacun : un *Notre-Père*, dix *Je vous salue Marie* et un *Gloire au Père*...**

Un rosaire complet comporte une méditation des *Mystères joyeux*, des *Mystères lumineux*, des *Mystères douloureux* et des *Mystères glorieux* du Rosaire.

Les Mystères joyeux (lundi, samedi).
L'Annonciation de l'ange Gabriel à la Vierge Marie.
La Visite de la Vierge Marie à sa cousine Élisabeth.
La naissance de Jésus dans la grotte de Bethléem.
Jésus est présenté au Temple par Marie et Joseph.
Jésus est retrouvé dans le Temple.

Les Mystères lumineux (jeudi).
Le baptême de Jésus dans le Jourdain.
Les noces de Cana.
L'annonce du Royaume de Dieu et l'invitation à la conversion.
La Transfiguration de Jésus.
L'institution de l'eucharistie par Jésus.

Les Mystères douloureux (mardi, vendredi).
L'agonie de Jésus à Gethsémani.
La flagellation de Jésus.

Le chapelet est ma prière préférée. C'est une prière magnifique, magnifique par sa simplicité et sa profondeur... Effectivement, avec en arrière-plan les paroles de l'*Ave Maria*, ce sont tous les événements essentiels de la vie de Jésus qui passent devant les yeux de notre âme... En même temps, tout au long des Mystères du Rosaire, notre cœur peut inclure tous les événements de la vie d'une personne, de la famille, de la nation, de l'Église et de l'humanité ; des intentions personnelles, et celles de notre prochain, en particulier tout ce qui concerne nos plus proches et que nous portons dans notre cœur. Ainsi la modeste prière du Rosaire épouse-t-elle le rythme de la vie humaine.

JEAN-PAUL II,
29 octobre 1978

CHAPELET

Nom d'un objet (formé de grains enfilés) servant à la prière et nom de cette prière qui apparut au XIIe siècle surtout chez les Cisterciens et les Chartreux. Les frères convers ne participaient pas à la prière des Heures (en latin) et avaient ainsi, avec la prière du chapelet, une forme de prière qui leur était propre (« psautier marial »). Plus tard, cette prière fut préconisée surtout par les Dominicains, mais aussi par d'autres ordres. Les papes ont toujours recommandé cette prière que beaucoup aiment tellement réciter.

Que le Seigneur te bénisse et te garde ! Que le Seigneur fasse pour toi rayonner son visage et te fasse grâce ! Que Yahvé te découvre sa face et t'apporte la paix !

Nombres 6, 24-26

Le couronnement d'épines.
Le portement de la croix.
Jésus est crucifié et meurt sur la croix.

Les Mystères glorieux (mercredi, dimanche).
La Résurrection de Jésus.
L'Ascension du Seigneur au ciel.
La descente du Saint-Esprit au Cénacle.
L'Assomption de Marie au ciel.
Marie est couronnée Reine du ciel et de la terre.

482 *Quel était le rôle de la prière chez les premiers chrétiens ?*

Les premiers chrétiens étaient de grands priants. L'Église primitive était animée par l'Esprit-Saint, qui était descendu sur les apôtres, et à qui ils devaient tout leur enthousiasme : *Ils se montraient assidus à l'enseignement des apôtres, fidèles à la communion fraternelle, à la fraction du pain et aux prières* (Ac 2, 42).

483 *Quel est le nom des cinq formes de prière ?*

Les cinq principales formes de prière sont : la → BÉNÉDICTION, l'adoration, la prière de demande et d'intercession, la prière d'action de grâces et la prière de louange. [2626-2643]

484 *Qu'est-ce que la prière de bénédiction ?*

C'est une prière qui implore la → BÉNÉDICTION de Dieu sur nous. C'est de Dieu seul que toute bénédiction descend sur nous. Sa bonté, sa proximité, sa miséricorde, c'est cela sa bénédiction. « Que le Seigneur te bénisse » est la plus courte formule de bénédiction. [2626-2627]

Tout chrétien doit demander la → BÉNÉDICTION de Dieu, pour lui et pour les autres. Les parents peuvent marquer leur enfant du signe de la croix sur le front. Des personnes qui s'aiment peuvent se bénir. Le → PRÊTRE surtout, en vertu de son ministère, bénit expressément au nom de Jésus, et sur mandat de l'Église. Sa prière de bénédiction a une efficacité spéciale en raison de son sacerdoce et parce qu'elle est portée par toute l'Église.

485 *Pourquoi devons-nous adorer Dieu ?*

Toute personne qui réalise qu'elle est une créature de Dieu reconnaît humblement qu'il est le Tout-Puissant et l'adore. Mais adorer Dieu, pour un chrétien, ce n'est pas seulement voir la grandeur, la Toute-Puissance et la →SAINTETÉ de Dieu, c'est aussi reconnaître, le cœur plein de gratitude, Jésus, en qui Dieu nous a aimés en premier, et qui est notre Sauveur.

> Si tu veux vraiment grandir en amour, reviens à l'eucharistie, reviens à l'adoration.
>
> MÈRE TERESA

Celui qui adore vraiment Dieu se met à genoux devant lui ou se prosterne sur le sol. C'est une manière d'exprimer la vraie nature du rapport entre l'homme et Dieu : il est grand et nous sommes petits. En même temps, l'homme n'est jamais aussi grand que lorsqu'il s'agenouille devant Dieu en s'abandonnant librement à lui. Le non-croyant qui cherche Dieu et qui commence à prier peut être ainsi sur la voie qui le mène à Dieu. → 353

> La prière n'est que l'attention dans sa forme la plus pure.
>
> SIMONE WEIL

486 *Pourquoi faut-il que nous adressions nos demandes à Dieu ?*

Dieu qui nous connaît parfaitement sait de quoi nous avons besoin. Pourtant Dieu veut que nous le lui « de-

Le Bon Dieu aime qu'on l'importune.

SAINT CURÉ D'ARS

Homme, tu es un pauvre qui doit tout mendier à Dieu.

SAINT CURÉ D'ARS

Qui donc condamnera ? Le Christ Jésus, celui qui est mort, que dis-je ? ressuscité, qui est à la droite de Dieu, qui intercède pour nous ? Qui nous séparera de l'amour du Christ ? la tribulation, l'angoisse, la persécution, la faim, la nudité, les périls, le glaive ?

Épître aux Romains 8, 34-35

Il dit : « Lâche-moi, car l'aurore est levée », mais Jacob répondit : « Je ne te lâcherai pas, que tu ne m'aies béni. »

Genèse 32, 27

Tous les Pères de l'Église qui ont attaché tant d'importance à la prière sont d'avis qu'une attitude de piété fait beaucoup, comme par exemple s'agenouiller, joindre les mains, →

mandions » : que, dans la détresse de notre existence, nous nous adressions à lui, que nous fassions monter notre cri vers lui, que nous le suppliions, que nous nous plaignions, que nous l'appelions et même, dans notre prière, que nous lui disions notre révolte. [2629-2633]

Il est sûr que Dieu a besoin de nos demandes pour nous aider. C'est notre intérêt d'être des « quémandeurs ». Celui qui ne demande rien, et qui ne veut pas demander, se replie sur lui-même. Il faut que l'homme demande, pour s'ouvrir et se tourner vers l'auteur de tout bien. Celui qui demande revient vers Dieu. Ainsi la prière de demande place l'homme dans son juste rapport à Dieu qui respecte notre liberté.

Qu'est-ce que les chrétiens expriment par leurs attitudes quand ils prient ?

Par le langage de leur corps, les chrétiens mettent leur vie devant Dieu : ils se prosternent devant Dieu. Ils joignent les mains en priant ou ils les tendent (attitude orante). Ils font une génuflexion, ou ils s'agenouillent devant le Saint Sacrement. Ils écoutent debout la lecture de l'Évangile. Ils méditent en étant assis.

Debout devant Dieu, c'est exprimer son respect (on se lève devant quelqu'un d'important), c'est aussi signifier que l'on est vigilant ou prêt à se mettre aussitôt en marche. Tendre les deux mains en signe de louange (attitude orante), c'est reprendre le geste primitif par lequel on louait Dieu.

Assis devant Dieu, le chrétien se recueille, il garde la Parole dans son cœur (Lc 2, 51), et la contemple.

À genoux, l'homme se fait petit devant la grandeur de Dieu. Il reconnaît qu'il est entièrement dépendant de la grâce divine.

En se prosternant, l'homme adore Dieu.

En joignant les mains, il s'arrache à la distraction et se met en présence de Dieu. Les mains jointes sont le geste ancestral de la prière de demande.

→ croiser les bras sur la poitrine. Cette attitude nous aide, plus qu'on ne pense, à nous recueillir en présence de Dieu, à rester concentré sur lui.

SAINT FRANÇOIS DE SALES

487 *Pourquoi devons-nous demander en faveur des autres ?*

Comme Abraham qui a intercédé en faveur des habitants de Sodome, comme Jésus qui priait pour ses disciples, comme Paul qui disait à la communauté de Philippes : *Ne recherchez pas chacun vos propres intérêts, mais plutôt que chacun songe à ceux des autres* (Ph 2, 4), ainsi les chrétiens prient toujours pour tous – pour tous ceux qu'ils portent dans leur cœur, pour ceux qui sont loin d'eux et même pour leurs ennemis. [2634-2636, 2647]

Plus on apprend à prier, plus on sent au fond de soi-même que l'on fait partie d'une grande famille spirituelle, qui rend efficace la force des prières. Avec tout le souci que je porte à ceux que j'aime, je suis au cœur de la famille humaine, je peux recevoir des forces grâce à la prière des autres et implorer le secours de Dieu en faveur des autres.

488 *Pourquoi devons-nous remercier Dieu ?*

Tout ce que nous sommes et tout ce que nous avons nous vient de Dieu. Paul dit : *Qu'as-tu que tu n'aies reçu ?* (1 Co 4, 7). Remercier Dieu, le dispensateur de tout bien, nous rend heureux. [2637-2638, 2648]

La plus grande prière d'action de grâces est « l'→ EUCHARISTIE » (en grec « action de grâces ») de Jésus, au cours de laquelle il prit du pain et du vin, pour, à travers ces offrandes changées en son corps et son sang, offrir à Dieu la Création tout entière en action de grâces. Chaque fois que les chrétiens remercient, ils se joignent à la grande prière d'action de grâces de Jésus. Et comme nous serons transformés par Jésus et sauvés, nous pouvons déjà, du fond de notre cœur, être pleins de reconnaissance et l'exprimer à Dieu de diverses manières.

Il doit bien y avoir des gens qui prient pour ceux qui ne prient jamais.

VICTOR HUGO (1802–1885, écrivain français)

Intercéder, c'est envoyer un ange à quelqu'un.

MARTIN LUTHER

En toute condition soyez dans l'action de grâces, c'est la volonté de Dieu sur vous dans le Christ Jésus.

1re épître aux Thessaloniciens 5, 18

Nos chants n'ajoutent rien à ce que tu es, mais ils nous rapprochent de toi.

Quatrième préface des jours de semaine

489 *Que veut dire louer Dieu ?*

Dieu n'a pas besoin d'applaudissements. Mais nous, nous avons besoin d'exprimer spontanément notre joie à Dieu et l'allégresse de notre cœur. Nous louons Dieu parce qu'il existe et qu'il est bon. Ainsi nous nous joignons dès à présent à la louange éternelle des anges et des saints du ciel. [2639-2642] → 48

CHAPITRE II
Les sources de la prière

490 *Est-ce suffisant de ne prier que lorsqu'on en a envie ?*

Non. Celui qui ne prie que lorsqu'il en a envie ne prend pas Dieu au sérieux, et il perd vite l'habitude de prier. La prière vit de la fidélité. [2650-2651]

491 *Peut-on prier à partir de la Bible ?*

La → BIBLE est comme un puits de prière. Prier à partir de la Parole de Dieu, c'est utiliser les mots et les événements de la Bible pour sa prière personnelle. « Ne pas connaître l'Écriture, c'est ne pas connaître le Christ » (saint Jérôme). [2652-2653]

L'Écriture sainte, en particulier les psaumes et le → NOUVEAU TESTAMENT, sont un trésor précieux ; on y trouve les prières les plus belles et les plus profondes de l'univers judéo-chrétien. En méditant ces textes, nous nous unissons à la prière de millions de chrétiens de tous les temps et de toutes les cultures, mais surtout nous sommes en union avec le Christ présent dans ces textes de prière.

492 *Est-ce que ma prière personnelle a quelque chose à voir avec la prière de l'Église ?*

Dans la liturgie de l'→ ÉGLISE, dans la prière des heures, dans la célébration de la messe, on récite ensemble des prières tirées de l'Écriture ou puisées dans la Tradition de l'Église. Elles relient chacun à la prière commune de l'assemblée chrétienne. [2655-2658, 2662]

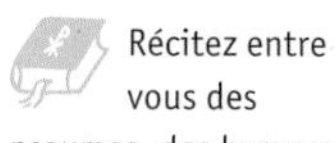

Récitez entre vous des psaumes, des hymnes et des cantiques inspirés ; chantez et célébrez le Seigneur de tout votre cœur.

Épître aux Éphésiens 5, 19

Soyez assidus à la prière ; qu'elle vous tienne vigilants, dans l'action de grâces !

Épître aux Colossiens 4, 2

C'est surtout l'Évangile qui me parle dans ma prière personnelle. En lui je trouve tout ce qui fait défaut à ma pauvre âme. J'y trouve toujours de nouvelles inspirations, des sujets de méditation secrète, mystérieuse.

SAINTE THÉRÈSE DE LISIEUX

Sept fois le jour, je te loue.

Psaume 119, 164

Nous satisferons à ce nombre sacré de 7, si à laudes, primes, tierce, sexte, none, vêpres et complies, nous accomplissons les obligations de notre service.

SAINT BENOÎT DE NURSIE, Règle

La prière chrétienne n'est pas une affaire privée, mais elle est très personnelle. La prière personnelle se purifie, elle s'élargit et se renforce quand elle se coule régulièrement dans la prière de toute l'Église. C'est un signe grand et fort que partout dans le monde des croyants se réunissent au même moment, autour des mêmes prières, et qu'ainsi ils chantent d'une seule voix la louange de Dieu. → 188

J'espérais le Seigneur d'un grand espoir, il s'est penché vers moi, il écouta mon cri.

Psaume 40, 2

493 *Quelles sont les caractéristiques d'une prière chrétienne ?*

La prière chrétienne se fait dans une disposition de foi, d'espérance et de charité. Elle est persévérante et se remet à la volonté de Dieu. [2656-2658, 2662]

Au moment précis où il se met à prier, le chrétien sort de lui-même et se tourne vers son Dieu et unique Seigneur, le cœur rempli d'une confiance enracinée dans la foi ; en même temps, il met toute son espérance en Dieu, il espère qu'il l'entende, le comprenne, l'accueille et le mène à son but. Saint Jean Bosco a dit un jour : « Pour connaître la volonté de Dieu, il nous faut faire trois choses : prier, attendre, et se faire conseiller. » Finalement, la prière chrétienne est toujours l'expression de l'amour, de l'amour qui vient de l'amour du Christ, et qui cherche l'amour de Dieu.

Garde ton âme en paix. Laisse Dieu agir en toi. Accueille les pensées qui élèvent ton âme vers Dieu. Ouvre grande la fenêtre de ton âme.

SAINT IGNACE DE LOYOLA

Mon secret est tout simple : je prie. Et par ma prière je deviens unie à l'amour du Christ et je vois que prier signifie l'aimer, que prier signifie vivre avec lui, c'est-à-dire rendre vraies ses paroles... Pour moi prier, c'est être en unité avec la volonté de Jésus vingt-quatre heures durant, vivre pour lui, par lui et avec lui.

MÈRE TERESA

494 *Comment mon quotidien peut-il être une école de prière ?*

Chaque événement, chaque rencontre peuvent nous inciter à prier. Plus nous vivons en union profonde avec le Christ, mieux nous comprenons ce qui se passe autour de nous. [2659-2660]

Si dès le matin je cherche à être en union avec Jésus, je peux bénir ceux que je rencontre, même ceux qui s'opposent à moi et mes ennemis. Je remets au Seigneur tous mes soucis de la journée. J'ai plus de paix en moi et je la fais rayonner. Je prends toutes mes décisions en me demandant comment Jésus agirait à ma place. En étant ainsi près de Dieu, je surmonte toute angoisse, et je ne faiblis pas dans les situations désespérées. Je porte en moi la paix du ciel et je la porte au monde. Je remercie le Seigneur et me réjouis pour tout ce qui m'arrive de beau,

mais je supporte aussi les difficultés. Cette écoute attentive de Dieu est possible, même en travaillant.

495 *Sommes-nous sûrs que nos prières parviennent jusqu'à lui ?*

Les prières que nous formons au nom de Jésus vont là où vont aussi les prières de Jésus, c'est-à-dire dans le cœur du Père céleste. [2664–2669, 2680–2681]

Nous pouvons en être sûrs, dans la mesure où nous mettons notre confiance en Jésus. Car Jésus nous a ouvert à nouveau le chemin du ciel, qui nous était fermé en raison de notre péché. Comme Jésus est le chemin qui nous mène à Dieu, les chrétiens terminent leurs prières par cette phrase : « C'est pourquoi nous te supplions par Jésus-Christ, notre Seigneur. » → 477

496 *Pourquoi avons-nous besoin du secours de l'Esprit-Saint quand nous prions ?*

La → Bible dit : ***Nous ne savons que demander pour prier comme il faut ; mais l'Esprit lui-même intercède pour nous en des gémissements ineffables*** **(Rm 8, 26).**

Adresser une prière *à* Dieu – cela ne peut se faire qu'*avec* Dieu. Ce n'est pas en premier lieu, grâce à nos facultés personnelles, que notre prière atteint vraiment Dieu. Nous, les chrétiens, nous avons reçu l'Esprit de Jésus, qui désire être un en tout avec le Père : tout amour, toute écoute réciproque, toute compréhension réciproque, vouloir tout ce que veut l'autre. Le Saint-Esprit de Jésus est en nous, et c'est lui qui nous souffle nos mots quand nous prions. Au fond la prière, c'est ceci : c'est Dieu qui parle à Dieu du fond de mon cœur. L'Esprit-Saint aide notre esprit à prier. C'est pourquoi, nous devons toujours dire : « Viens Esprit-Saint, viens en mon cœur et aide-moi à prier. » → 120

497 *En quoi les saints sont-ils des guides pour notre prière ?*

Les saints sont enflammés par l'Esprit-Saint ; ils continuent de faire brûler le feu de Dieu au sein de l'Église. Durant leur vie terrestre, les saints étaient déjà

> L'Esprit-Saint, c'est l'Esprit de Jésus, l'Esprit qui réunit le Père et le Fils dans l'amour.
>
> BENOÎT XVI, vigile de Pentecôte, 2006

> Viens, Esprit-Saint, en nos cœurs et envoie du haut du ciel un rayon de ta lumière.
>
> Séquence de Pentecôte

> Pareillement l'Esprit vient au secours de notre faiblesse.
>
> Épître aux Romains 8, 26

> Si tu cherches Dieu, et que tu ne sais pas par quel bout commencer, apprends à prier et fais l'effort de prier chaque jour.
>
> MÈRE TERESA

> Plus tu seras généreux envers Dieu, plus tu le sentiras généreux envers toi.
>
> SAINT IGNACE DE LOYOLA

> Tous les saints n'ont pas la même sorte de sainteté. Il y en a qui n'auraient jamais pu vivre avec d'autres saints. Tous n'empruntent pas le même chemin, mais tous arrivent à Dieu.
>
> SAINT CURÉ D'ARS

d'ardents priants, qui donnaient envie de prier. À leur contact la prière est facile. Bien sûr, nous n'adorons pas les saints ; mais nous pouvons les invoquer, afin qu'ils intercèdent pour nous devant le trône de Dieu. [2683-2684]

Autour de certains grands saints se sont développées des écoles de piété (de → SPIRITUALITÉ), qui, dans l'éventail des couleurs du spectre, indiquent toutes la lumière divine. Toutes insistent sur un élément fondamental de la foi, pour conduire, chacune par une porte différente, au cœur de la foi et du don à Dieu. Ainsi la spiritualité franciscaine insiste sur la pauvreté d'esprit, la bénédictine sur la louange, l'ignacienne sur le discernement et l'appel. Une spiritualité, vers laquelle on se sent attiré en fonction de son caractère personnel, est toujours une école de prière.

SPIRITUALITÉ (du latin *spiritus*, « esprit ») : des courants de piété dans l'Église qui se sont développés de diverses manières à partir de pratiques de vie de saints inspirées par l'Esprit-Saint. Ainsi parle-t-on aujourd'hui de spiritualité bénédictine, franciscaine ou dominicaine.

498 *Peut-on prier partout ?*

Oui, on peut prier partout. Cependant un catholique choisira de préférence des lieux où le Seigneur « habite » de manière plus spéciale. Ce sont surtout les

églises catholiques, où notre Seigneur est présent dans le →TABERNACLE sous l'espèce du pain consacré. [2691, 2696]

Il est très important de prier partout : à l'école, dans le métro, lors d'une soirée, entre amis. Le monde entier doit recevoir des → BÉNÉDICTIONS. Mais il est tout aussi important que nous fréquentions les lieux saints, où Dieu nous attend plus spécialement pour trouver le repos à côté de lui, pour être fortifiés, régénérés et envoyés en mission. Un vrai chrétien ne se contente jamais de jeter un petit coup d'œil, quand il entre dans une église. Il reste un moment dans le silence, il prie Dieu et lui renouvelle son amitié et son amour envers lui. → 218

CHAPITRE III
Le chemin de la prière

499 *Quand faut-il prier ?*

Depuis le tout début de l'Église, les chrétiens prient au moins le matin, aux repas, et le soir. Celui qui ne prie pas régulièrement arrête vite de prier. [2697–2698, 2720]

Si j'aime quelqu'un, et que, durant toute la journée, je ne lui donne jamais un signe de mon amour, c'est que je ne l'aime pas vraiment. C'est la même chose avec Dieu. Si on l'aime vraiment, on lui envoie des signes d'amitié, témoignant de notre désir d'être près de lui. Le matin au lever, j'offre ma journée à Dieu pour recevoir sa → BÉNÉDICTION et lui demander d'être à mes côtés en toutes circonstances ! Pour le remercier, en particulier aux repas ! Pour tout remettre dans ses mains à la fin de la journée, lui demander son pardon et sa paix pour moi, et pour les autres ! Voilà une super journée – pleine de signes de ma vie qui arrivent à Dieu ! → 188

500 *Y a-t-il diverses manières de prier ?*

Oui, il y a la prière vocale, la prière méditative et la prière contemplative. Ces trois expressions de la prière supposent le recueillement de l'esprit et du cœur. [2699, 2721]

> Spirituellement nous atteignons (par nos prières) toute la Création divine, depuis les planètes les plus lointaines, jusqu'aux fonds marins, une chapelle de couvent isolée, comme une église abandonnée, une clinique d'avortements dans une ville et une cellule de prison dans une autre... oui, le ciel et les portes de l'enfer. Nous sommes reliés à chaque parcelle de la Création. Nous prions avec chaque créature et pour chaque créature, afin que tous ceux pour qui le sang du Fils de Dieu fut versé soient sauvés et sanctifiés.
>
> MÈRE TERESA

> Il faut se souvenir de Dieu, plus souvent qu'on ne respire.
>
> SAINT GRÉGOIRE DE NAZIANZE

> C'est pourquoi je vous invite à chercher le Seigneur tous les jours, Lui qui ne veut que vous voir vraiment heureux. Maintenez avec lui une relation forte et durable et organisez si possible, au cours de votre journée, des moments où vous ne cherchez que sa compagnie. →

501 *Qu'est-ce que la prière vocale ?*

En premier lieu, la prière est une élévation du cœur vers Dieu. Et pourtant Jésus nous a enseigné de prier avec des mots. Avec le *Notre-Père,* il nous a laissé la prière vocale parfaite, comme un testament, pour indiquer la façon dont nous devons prier. [2700–2704, 2722]

En priant, nous ne devons pas être pieux qu'en pensée, nous devons aussi exprimer tout ce qui nous tient à cœur, soit nos plaintes et nos demandes, notre louange et notre reconnaissance, et tout porter devant notre Dieu. Ce sont souvent les grandes prières vocales comme les psaumes, et les hymnes de l'Écriture sainte, le *Notre-Père,* le *Je vous salue Marie,* qui nous indiquent le vrai contenu de la prière, et qui nous amènent à une prière intérieure libre.

→ 511–527

→ Si vous ne savez pas comment prier, demandez-lui de vous l'apprendre, et demandez à Sa Mère céleste de prier avec vous et pour vous.

BENOÎT XVI
à des jeunes Néerlandais, 21 novembre 2005

Il existe de nombreux chemins de la prière. Certains n'en pratiquent qu'un, d'autres les pratiquent tous. Il y a des instants de certitude d'une présence vivante : le Christ est là, il nous parle au fond de notre cœur. En d'autres moments, il est le silencieux, un lointain inconnu... Pour tous, la prière est, sous ses multiples facettes, un passage vers une vie qui ne vient pas de nous, mais qui vient d'ailleurs.

FRÈRE ROGER SCHUTZ

Le fait que notre prière soit exaucée ne dépend pas de la quantité de mots que nous disons, mais de la ferveur de notre cœur.

SAINT JEAN CHRYSOSTOME

502 *Quelle est la nature de la prière méditative ?*

La prière méditative est une réflexion priante à partir de la Parole de Dieu, ou d'une image sacrée, et qui recherche en elles la volonté, les signes et la présence de Dieu. [2705–2708]

On ne peut pas lire l'Écriture sainte comme on lit des informations dans le journal qui ne nous concernent pas directement. La Parole de Dieu se médite, c'est-à-dire

qu'elle permet d'élever son cœur vers Dieu et d'écouter ce qu'il veut nous dire personnellement. En dehors de l'Écriture, il existe beaucoup de textes qui sont appropriés à la méditation et qui conduisent à Dieu. → 16

503 *Qu'est-ce que la prière contemplative ?*

La prière contemplative est amour, silence, écoute et présence devant Dieu. [2709–2719, 2724]

Pour la prière → CONTEMPLATIVE, il faut du temps, une volonté déterminée et surtout un cœur pur. C'est l'abandon humble et pauvre d'une créature qui, faisant tomber tous les masques, croit en l'amour et cherche son Dieu de tout son cœur. Cette forme de prière est souvent appelée prière du cœur ou oraison. → 463

504 *Qu'est-ce qu'un chrétien peut trouver dans la méditation ?*

Dans la → MÉDITATION, un chrétien cherche le silence pour expérimenter la proximité de Dieu et pour trouver la paix en sa présence. Il espère sentir sensiblement cette présence ; mais, pour lui, celle-ci ne peut pas résulter d'une certaine technique de méditation, mais du don gratuit de la grâce.

La → MÉDITATION peut être une aide importante pour croire, fortifier et faire mûrir la personne humaine. Cependant les techniques de méditation qui promettent une expérience divine ou même une union spirituelle avec Dieu sont mensongères. Beaucoup de personnes s'imaginent, à cause de telles fausses promesses, que Dieu les a abandonnées, parce qu'elles ne le sentent pas. Mais Dieu ne vient pas à nous sous la contrainte de certaines méthodes. Il se communique à nous quand il veut et comme il veut.

505 *Pourquoi la prière est-elle parfois un combat ?*

Les grands maîtres de la spiritualité ont de tout temps présenté le progrès dans la foi et dans l'amour de Dieu comme un combat où la vie et la mort sont en jeu. Le

» Ce n'est pas notre grand savoir qui rassasie notre âme et la satisfait, mais la méditation intérieure qui fait déguster les choses.

SAINT IGNACE DE LOYOLA

» Je l'avise et il m'avise.

Un paysan au curé d'Ars, qui l'interrogeait sur la prière

MÉDITATION (du latin *meditatio,* « trouver le centre, réfléchir ») : la méditation est un exercice spirituel ou mental pratiqué dans diverses religions et cultures, par lequel l'homme doit se concentrer sur lui-même ou sur Dieu. Le christianisme connaît et valorise divers exercices de méditation ou d'oraison, mais il rejette les pratiques qui promettent, par certaines techniques, d'entrer en communication avec Dieu ou le divin.

lieu du combat est le cœur de l'homme. L'arme du chrétien est la prière. Nous pouvons nous laisser vaincre par notre égocentrisme, nous perdre dans des choses insignifiantes, ou bien gagner Dieu. [2725-2752]

Celui qui veut prier doit vaincre ses démons intérieurs. Nous sommes aujourd'hui dans un monde du « bof », cette forme de paresse spirituelle que les Pères du désert qualifiaient déjà d'acédie. L'indifférence à Dieu est le grand problème de la vie spirituelle. La mentalité actuelle n'accorde pas de sens à la prière, et les agendas trop remplis ne lui laissent pas de place. Il importe aussi de lutter contre le Tentateur, qui fait tout pour empêcher l'homme de se donner à Dieu. Si Dieu ne voulait pas que nous parvenions à lui dans la prière, nous ne gagnerions pas le combat.

506 *Est-ce que la prière n'est pas une sorte de dialogue avec soi-même ?*

Ce qui caractérise la prière, c'est justement que l'on passe du « je » au « tu », de l'égocentrisme à l'ouverture radicale. Celui qui prie vraiment expérimente que Dieu parle – et qu'il parle souvent autrement que ce que nous souhaitons ou attendons.

Ceux qui sont fidèles à la prière disent que l'on sort souvent d'une prière différent de ce qu'on était quand on l'a commencée. Parfois, les attentes sont satisfaites : on est triste et on est consolé ; on est découragé et on retrouve des forces neuves. Mais il se peut aussi que l'on veuille oublier des soucis, et qu'ils n'en soient qu'amplifiés ; que l'on veuille la paix, et que l'on reçoive une mission. Une véritable rencontre avec Dieu, telle qu'elle se fait toujours dans la prière, peut changer complètement notre conception de Dieu, comme celle de la prière.

507 *Que faire quand nous avons le sentiment que prier ne sert à rien ?*

Prier n'est pas en premier lieu chercher un rendement, c'est chercher la volonté et la proximité de Dieu. C'est justement dans son silence apparent que Dieu nous invite à faire encore un pas de plus – dans un abandon total, dans une foi sans réserve, dans une attente sans

> Tant que nous vivons nous luttons, et tant que nous luttons, c'est signe que nous ne sommes pas en infériorité et que le bon esprit vit en nous. Si la mort ne te trouve pas en état de vainqueur, elle doit te trouver en état de lutteur.
>
> SAINT AUGUSTIN

> Prier, c'est plus écouter que parler. Contempler, c'est plus être regardé que regarder.
>
> CARLO CARRETTO (1910-1988,écrivain italien, mystique et « petit frère de Jésus »)

> Nous devons faire preuve de sainte audace, car Dieu aide les courageux.
>
> SAINTE THÉRÈSE D'AVILA

> Vous ne possédez pas parce que vous ne demandez pas. Vous demandez et ne recevez pas parce que vous demandez mal, afin de dépenser pour vos passions.
>
> Épître de Jacques 4, 2-3

❞ Tout homme a une prière qui lui est propre, comme il a une âme qui lui est propre. Donc, comme tout homme a du mal à trouver son âme, il a aussi du mal à trouver sa prière.

ÉLIE WIESEL
(1928– , écrivain roumain-américain, d'expression française, survivant de l'Holocauste)

fin. Celui qui prie doit laisser à Dieu l'entière liberté de parler quand il veut, d'exaucer quand il veut et de se donner quand il veut. [2735–2737]

Il nous arrive souvent de dire : « J'ai prié et ça n'a servi à rien. » Peut-être n'avons-nous pas prié avec assez de ferveur. À un fidèle qui un jour se plaignait de ne pas être exaucé, le saint curé d'Ars a demandé : « Tu as prié, tu as soupiré... mais as-tu jeûné aussi, as-tu veillé ? » Il se peut aussi que nous ne demandions pas à Dieu les bonnes choses. Ainsi sainte Thérèse d'Avila a dit un jour : « Ne prie pas pour avoir un fardeau plus léger, mais prie pour avoir un dos plus robuste ! » → 40, 49

❞ Le meilleur remède contre la sécheresse spirituelle est de nous mettre comme un mendiant en présence de Dieu et des saints. Et d'aller comme un mendiant d'un saint à l'autre, pour leur demander une aumône spirituelle, avec la même insistance qu'un pauvre qui →

508 *Que faire si nous ne ressentons rien quand nous prions ou même si nous n'avons plus du tout envie de prier ?*

Tous ceux qui prient font l'expérience de la distraction pendant la prière, du sentiment d'un vide intérieur, d'une sécheresse, et même d'une absence de goût pour la prière. Persévérer dans la fidélité est alors déjà une prière en soi. [2729–2733]

Même sainte Thérèse de Lisieux n'a rien senti pendant longtemps de l'amour de Dieu. Peu avant sa mort, sa sœur Céline lui rendit visite pendant la nuit. Elle vit que

Thérèse avait les mains jointes. « Que fais-tu ? Tu devrais essayer de dormir », lui dit Céline. « Je ne peux pas, je souffre tellement. Mais je prie », répondit Thérèse. « Et que dis-tu à Jésus ? » « Je ne lui dis rien. Je l'aime. »

→ demanderait l'aumône dans la rue.

SAINT PHILIPPE NERI (1515-1595, patron de la ville de Rome et fondateur de l'Oratoire)

509 *Est-ce que la prière est fuite du réel ?*

Celui qui prie ne fuit pas le réel, il ouvre au contraire les yeux sur la réalité entière. Il reçoit de Dieu Tout-Puissant la force de tenir bon face au monde réel.

La prière est comme une station-service, où l'on pompe de l'énergie gratuitement pour de très longs parcours

Restez toujours joyeux, priez sans cesse. En toute condition soyez dans l'action de grâces.

1re épître aux Thessaloniciens 5, 16-19

et pour des défis immenses. La prière ne nous évade pas de la réalité, elle nous fait pénétrer profondément au cœur de celle-ci. La prière ne prend pas du temps, elle double le temps que l'on passe, elle le remplit de sens, par l'intérieur.

La spiritualité des chrétiens ne peut être ni fuite du monde ni activisme qui court après toutes les modes. Pénétrée de l'Esprit-Saint, elle a pour dessein de changer le monde.

JEAN-PAUL II, 2 décembre 1998

510 *Est-il possible de prier à tous moments ?*

Prier est toujours possible, c'est une nécessité vitale. La prière et la vie chrétiennes sont inséparables. [2742–2745, 2757]

> Pense que Dieu est là au milieu de tes poêles et de tes casseroles, et qu'Il est à tes côtés dans toutes les tâches que tu accomplis.
>
> SAINTE THÉRÈSE D'AVILA

On ne peut pas satisfaire Dieu avec quelques mots le matin ou le soir. Notre vie doit se changer en prière et nos prières doivent devenir vie. Toute histoire de vie chrétienne est aussi une histoire de prière, une unique et longue tentative de nous unir plus intimement à Dieu. Beaucoup de chrétiens désirant profondément être toujours auprès de Dieu prient la « prière de Jésus » ; celui-ci, à l'heure de sa mort, s'offre totalement à son Père. Pour s'unir à lui, une pratique est courante dans les Églises orientales : le chrétien essaie d'intégrer une formule simple, dont la plus connue est : « Jésus-Christ, Fils de Dieu, notre Seigneur, prends pitié de nous pécheurs », qu'il répète tout au long de sa journée, de manière à ce que celle-ci devienne une prière constante.

DEUXIÈME SECTION
La prière du Seigneur : le *Notre-Père*

511 *Le « Notre-Père » :*

Notre Père, qui es aux cieux,
que ton Nom soit sanctifié,
que ton Règne vienne,
que ta volonté soit faite,
sur la terre comme au ciel.
Donne-nous aujourd'hui notre pain de ce jour,
pardonne-nous nos offenses,
comme nous pardonnons aussi à ceux qui nous ont offensés,
et ne nous soumets pas à la tentation,
mais délivre-nous du mal. Amen.

En latin :
Pater noster qui es in caelis :
sanctificetur nomen tuum; adveniat regnum tuum ;
fiat voluntas tua, sicut in caelo, et in terra.
Panem nostrum quotidianum da nobis hodie ;
et dimitte nobis debita nostra,
sicut et nos dimittimus debitoribus nostris ;
et ne nos inducas in tentationem ;
sed libera nos a malo.
Quia tuum est regnum, et potestas, et gloria
in saecula. Amen.

Le *Notre-Père* est l'unique prière que Jésus ait enseignée lui-même à ses disciples (Mt 6, 9-13 ; Lc 11, 2-4). C'est pourquoi le *Notre-Père* s'appelle aussi « prière du Seigneur ». Les chrétiens de toutes les confessions chrétiennes le prient quotidiennement, aux offices comme en privé. La conclusion « car c'est à toi qu'appartiennent le Règne, la Puissance et la Gloire, pour les siècles des siècles » est déjà mentionnée dans la Didaché (« Enseignement des douze apôtres », vers 150 apr. J.-C.) et peut être ajoutée à la fin du *Notre-Père*.

512 *Quelle est l'origine du « Notre-Père » ?*

Jésus a enseigné le *Notre-Père* sur la demande d'un disciple qui, en voyant prier son Maître, voulut apprendre de lui comment on prie vraiment. → 477

513 *Quelle est la structure du « Notre-Père » ?*

Le *Notre-Père* se compose de sept demandes à Dieu, le Père miséricordieux. Les trois premières se réfèrent à Dieu et à la manière dont nous pouvons bien le servir. Les quatre dernières demandes présentent à notre Père du ciel nos besoins humains essentiels. [2803–2806, 2857]

514 *Quelle place détient le « Notre-Père » parmi toutes les prières ?*

Le *Notre-Père* est « la plus parfaite des prières » (saint Thomas d'Aquin) et « le résumé de tout l'Évangile » (Tertullien). [2761–2772, 2774, 2776]

Le *Notre-Père* est plus qu'une prière, c'est un chemin qui mène directement au cœur de notre Père. Les premiers chrétiens récitaient trois fois par jour cette prière, remise à chaque chrétien lors de son baptême. Nous aussi, nous ne devrions jamais passer une journée sans essayer de dire la prière du Seigneur avec notre bouche, de l'intérioriser dans notre cœur et de la rendre vraie dans notre vie.

Et il advint, comme il était quelque part à prier, quand il eut cessé, qu'un de ses disciples lui dit : « Seigneur, apprends-nous à prier, comme Jean l'a appris à ses disciples. »

Luc 11, 1

Prions, très chers frères, comme Dieu, notre Maître, nous l'a enseigné ! Notre prière est familière et profonde quand nous prions Dieu avec les mots qui sont les siens, que nous faisons monter à ses oreilles la prière de Jésus. Puisse le Père du ciel reconnaître les paroles de son Fils, quand nous prions... Souvenons-nous que nous sommes sous le regard de Dieu.

SAINT CYPRIEN DE CARTHAGE (vers 200-258)

Aussi bien n'avez-vous pas reçu un esprit d'esclaves pour retomber dans la crainte ; vous avez reçu un esprit de fils adoptifs qui nous fait nous écrier Abba ! Père !

Épître aux Romains 8, 15

Dieu ne cesse jamais d'être le Père de ses enfants.

SAINT ANTOINE DE PADOUE (1195-1231, franciscain)

Toutes les créatures sont enfants d'un même Père et par conséquent des frères.

SAINT FRANÇOIS D'ASSISE

Le chrétien ne dit pas « mon » Père, mais « notre » Père, et même seul dans une chambre fermée, car il sait qu'il est membre d'un seul et même corps, en quelque lieu et en quelque situation qu'il soit.

BENOÎT XVI, 6 juin 2007

515 *Où puisons-nous en toute confiance le droit de dire Père à Dieu ?*

Cette audace de nommer Dieu « Père », nous pouvons l'avoir, parce que Jésus nous a appelé à vivre en relation étroite avec lui et qu'il a fait de nous des enfants de Dieu. En union avec lui, *qui est dans le sein du Père* (Jn 1, 18), nous pouvons dire « Abba, Père » ! [2777-2778, 2797-2800] → 37

516 *Comment des enfants martyrisés ou abandonnés par leur père ou leurs parents biologiques peuvent-ils arriver à dire « Père » à Dieu ?*

Des pères ou des mères sur terre altèrent souvent l'image d'un Dieu paternel et bon. Mais notre Père du ciel n'est pas comparable avec nos expériences humaines de la parenté. Nous devons purifier notre image de Dieu de toutes nos idées personnelles pour pouvoir le rencontrer avec une confiance sans réserve. [2779]

Même des personnes violées par leur propre père peuvent apprendre à prier le *Notre-Père*. C'est souvent la tâche de toute leur vie de se laisser plonger dans un amour, qui leur a été odieusement refusé par les hommes, et qui pourtant est là, de manière merveilleuse, transcendant tout entendement humain.

517 *Qu'est-ce que le fait de dire « notre » Père change pour les chrétiens ?*

Le *Notre-Père* fait découvrir la joie d'être enfants d'un même Père, d'avoir ensemble la vocation de louer ce Père et de vivre en frères qui n'*ont qu'un cœur et qu'une âme* (Ac 4, 32). [2787-2791, 2801]

Puisque Dieu, le Père, aime chacun de ses enfants d'un même amour pour chacun en particulier, comme si chacun était l'unique objet de sa sollicitude, nous devons, nous aussi, nous comporter entre nous d'une manière tout à fait nouvelle : tout remplis de paix, d'attention et d'amour – de telle sorte que chacun puisse être la merveille qu'il est effectivement aux yeux de Dieu.

→ 61, 280

518 *Si le Père est « au ciel » – où est ce ciel ?*

Le ciel est là où est Dieu. Le mot ciel ne désigne pas un lieu, mais la manière d'être de Dieu, qui n'est liée ni au temps ni à l'espace. [2794–2796, 2802]

Nous ne devons pas chercher le ciel par-delà les nuages. Chaque fois que nous nous tournons vers Dieu dans sa gloire et vers notre prochain dans sa misère, chaque fois que nous expérimentons les joies de l'amour, chaque fois que nous nous convertissons et que nous nous laissons réconcilier avec Dieu – chaque fois alors le *ciel s'entrouvre.* « Dieu n'est pas là où est le ciel, c'est le ciel qui est là où est Dieu » (Gerhard Ebeling). → 52

519 *Que signifie : « Que ton nom soit sanctifié » ?*

Sanctifier le nom de Dieu, c'est l'adorer par-dessus tout. [2807–2815, 2858]

Le « nom » dans l'Écriture sainte désigne l'être véritable d'une personne. Sanctifier le nom de Dieu, c'est se conformer à sa réalité, le reconnaître, le louer, le traiter avec estime et respect, vivre selon ses commandements.
→ 31

520 *Que signifie : « Que ton Règne vienne » ?*

Quand nous disons « que ton Règne vienne », nous prions pour que le Christ revienne comme il l'a promis,

> Tous ensemble dans la prière du Seigneur, nous disons « Notre Père ». Ainsi dit l'empereur, ainsi le mendiant, ainsi le domestique, ainsi le maître. Ils sont tous frères, parce qu'ils ont un seul Père.
>
> SAINT AUGUSTIN

> Le ciel est sur terre partout où des hommes sont remplis d'amour pour Dieu, pour les autres et pour eux-mêmes.
>
> SAINTE HILDEGARDE DE BINGEN

Le Règne de Dieu… est justice, paix, joie dans l'Esprit-Saint.

Épître aux Romains 14, 17

Le centre de sa Révélation (de Jésus) est le Règne de Dieu, c'est-à-dire Dieu comme source et centre de notre vie, et il nous dit : Dieu seul est le salut de l'homme. Et nous voyons à travers l'histoire du siècle dernier que, dans les États où l'on a chassé Dieu, non seulement l'économie, mais aussi et surtout les âmes sont allées à leur perte.

BENOÎT XVI, 5 février 2006

S'abandonner totalement, c'est accepter avec un sourire ce qu'Il donne, et ce qu'Il prend… Donner ce qui est toujours réclamé – et même si c'est ta réputation ou ta santé – c'est cela l'abandon, et alors, tu es libre.

MÈRE TERESA

et pour que le Règne de Dieu, qui a déjà commencé ici-bas, s'impose définitivement. [2816–2821, 2859]

François Fénelon a écrit : « Vouloir tout ce que Dieu veut, le vouloir toujours et en toutes circonstances, c'est le Règne de Dieu tout au fond de nous. » → 89, 91

521 *Que signifie : « Que ta volonté soit faite sur la terre comme au ciel » ?*

Quand nous prions pour que la volonté de Dieu s'impose universellement, nous demandons que le dessein de Dieu se réalise sur terre et dans notre propre cœur, comme il est déjà réalisé au ciel. [2822–2827, 2860]

Tant que nous mettons tout dans nos propres projets, nos souhaits et nos idées, la terre ne peut pas devenir le ciel. L'un veut ceci, l'autre cela. Nous ne trouvons notre bonheur que si ensemble nous voulons ce que Dieu veut. Prier, cela revient à ménager peu à peu de la place à la volonté de Dieu sur cette terre. → 49–50, 52

522 *Que signifie : « Donne-nous aujourd'hui notre pain de ce jour » ?*

La demande du pain quotidien fait de nous des hommes qui attendent *tout* de la bonté de leur Père céleste, même les biens matériels et spirituels qui nous sont nécessaires à la vie. Aucun chrétien ne peut prononcer cette demande sans réfléchir à sa responsabilité effective envers ceux qui manquent de tous les biens de première nécessité pour survivre. [2828–2834, 2861]

523 *Pourquoi l'homme ne vit-il pas seulement de pain ?*

***Ce n'est pas de pain seul que vivra l'homme, mais de toute parole qui sort de la bouche de Dieu* (Mt 4, 4 d'après Dt 8, 3). [2835]**

Ce verset de l'Écriture nous rappelle que les hommes ont une faim de spiritualité que l'on ne peut apaiser avec des moyens matériels. On peut mourir par manque de pain, mais on peut aussi mourir parce que l'on n'a rien d'autre que du pain. Au fond, seul peut nous rassasier Celui qui

Il y a la faim du pain matériel, mais il y a aussi la faim d'amour, de bonté, d'attention mutuelle – et c'est la grande pauvreté dont souffrent les gens aujourd'hui.

MÈRE TERESA

a les *paroles de la vie* (Jn 6, 68), cette nourriture qui demeure en vie éternelle (Jn 6, 27) : l'→ EUCHARISTIE.

524 *Que signifie : « Pardonne-nous nos offenses comme nous pardonnons aussi à ceux qui nous ont offensés » ?*

Le pardon miséricordieux – celui que nous devons accorder aux autres et celui que nous demandons pour nous-mêmes – est indivisible. Si nous ne sommes pas nous-mêmes miséricordieux envers les autres, et que nous ne pardonnons pas, la miséricorde de Dieu ne peut pas pénétrer dans notre cœur. [2838–2845, 2862]

Beaucoup doivent durant toute leur vie lutter contre le fait de ne pas savoir pardonner. Ceux qui sont victimes de ce blocage ne peuvent, en fin de compte, résoudre leur problème qu'en regardant Dieu, lui qui nous a aimés *alors que nous étions encore pécheurs* (Rm 5, 8). Puisque nous avons un Père plein de bonté, le pardon et la vie de réconciliés sont possibles. → 227, 314

525 *Que signifie : « Ne nous soumets pas à la tentation » ?*

Comme, à chaque heure de la journée, nous risquons de tomber dans le péché et de dire non à Dieu, nous supplions Dieu de ne pas nous laisser sans défense face à la puissance de la tentation. [2846–2849]

Jésus, qui lui-même a été tenté, sait que nous sommes des êtres faibles, qui n'ont pas vraiment la force de résister au mal par eux-mêmes. Il nous donne cette demande du *Notre-Père* pour nous apprendre, à l'heure de l'épreuve, à avoir confiance dans le secours de Dieu.

526 *À qui fait-on allusion dans « mais délivre-nous du mal » ?*

Ce n'est pas une force abstraite ou une énergie négative que le *Notre-Père* désigne comme étant « le mal ». Il s'agit ici du Malin en personne, que la Sainte Écriture connaît sous le nom de Tentateur, de Père du mensonge, de Satan ou de Diable. [2850–2854, 2864]

Père du ciel, je ne vous demande ni santé, ni maladie, ni vie, ni mort ; mais que vous disposiez de ma santé et de ma maladie, de ma vie et de ma mort, pour votre gloire, pour mon salut et pour l'utilité de l'Église et de vos saints, dont j'espère par votre grâce faire une portion. Vous seul savez ce qui m'est expédient : vous êtes le souverain Maître. Amen.

BLAISE PASCAL

Si quelqu'un dit : « J'aime Dieu ! » et qu'il déteste son frère, c'est un menteur : celui qui n'aime pas son frère qu'il voit, ne saurait aimer le Dieu qu'il ne voit pas.

1re épître de Jean 4, 20

Celui qui n'est pas tenté, n'est pas mis à l'épreuve ; celui qui n'est pas mis à l'épreuve, ne progresse pas.

SAINT AUGUSTIN

Nous savons que nous sommes de Dieu, et que le monde entier gît au pouvoir du Mauvais.

1re épître de Jean 5, 19

Personne ne niera que le mal dans le monde est d'une puissance dévastatrice, qu'autour de nous nous subissons des influences démoniaques, que l'histoire a été le théâtre de phénomènes diaboliques. Seule l'Écriture appelle les choses par leur nom : *Car ne n'est pas contre des adversaires de sang et de chair que nous avons à lutter, mais contre les Principautés, contre les Puissances, contre les Régisseurs de ce monde de ténèbres, contre les esprits du mal qui habitent les espaces célestes* (Ep 6, 12). La demande du *Notre-Père* d'être délivrés du mal porte devant Dieu toute la détresse du monde et implore Dieu, le Tout-Puissant, de nous libérer de tous les maux.

527 *Pourquoi disons-nous « Amen » à la fin du « Notre-Père » ?*

Depuis les temps les plus anciens, les chrétiens, comme les juifs, terminent toutes leurs prières par « Amen », ce qui veut dire : « Qu'il en soit ainsi ! » [2855-2856, 2865]

Là où quelqu'un dit « Amen » à ses paroles, « Amen » à sa vie et à son destin, « Amen » à la joie qui l'attend, là est la réunion du ciel et de la terre et notre arrivée au terme : dans l'amour qui nous a créés au commencement. → 165

EMBOLISME (du grec *emballein*, « insérer ») : invocation suivant le *Notre-Père* dans l'Ordinaire de la messe : *Délivre-nous de tout mal, Seigneur, et donne la paix à notre temps ; par ta miséricorde, libère-nous du péché, rassure-nous devant les épreuves en cette vie où nous espérons le bonheur que tu promets et l'avènement de Jésus-Christ, notre Sauveur.*

L'Amen de notre foi n'est pas la mort, mais la vie.

CARDINAL MICHAEL VON FAULHABER

Seigneur, fais de moi un instrument de ta paix,
là où est la haine, que je mette l'amour.
Là où est l'offense, que je mette le pardon.
Là où est la discorde, que je mette l'union.
Là où est l'erreur, que je mette la vérité.
Là où est le doute, que je mette la foi.
Là où est le désespoir, que je mette l'espérance.
Là où sont les ténèbres, que je mette la lumière.
Là où est la tristesse, que je mette la joie.

Ô Seigneur, que je ne cherche pas tant
à être consolé qu'à consoler,
à être compris qu'à comprendre,
à être aimé qu'à aimer.

Car c'est en donnant que l'on reçoit,
c'est en s'oubliant qu'on se retrouve soi-même,
c'est en pardonnant que l'on obtient le pardon,
c'est en mourant que l'on ressuscite à la vie éternelle.

La prière de saint François,
attribuée à SAINT FRANÇOIS D'ASSISE,
apparaît pour la première fois en 1912.

Les Écrits de saint François, Éditions franciscaines, 1982

Index des mots clés

Les numéros renvoient aux *questions* du Youcat : ceux **en gras** aux numéros traitant directement du sujet, ceux en maigre à certaines références ou notions subsidiaires.

Table des définitions

Les numéros indiqués renvoient aux *pages* du YOUCAT.

Abréviations des livres bibliques

Gn : Genèse
Ex : Exode
Lv : Lévitique
Nb : Nombres
Dt : Deutéronome

Jos : Josué
Jg : Juges
Rt : Ruth
1 S : 1er livre de Samuel
2 S : 2e livre de Samuel
1 R : 1er livre des Rois
2 R : 2e livre des Rois
1 Ch : 1er livre des Chroniques
2 Ch : 2e livre des Chroniques
Esd : Esdras
Ne : Néhémie
Tb : Tobie
Jdt : Judith
Est : Esther
1 M : 1er livre des Maccabées
2 M : 2e livre des Maccabées

Jb : Job
Ps : Psaumes
Pr : Proverbes
Qo : L'Ecclésiaste (ou : Qohélet)
Ct : Le Cantique des Cantiques
Sg : Sagesse de Salomon
Si : L'Ecclésiastique (ou : Siracide)

Is : Isaïe
Jr : Jérémie
Lm : Lamentations
Ba : Le livre de Baruch
Ez : Ézéchiel
Dn : Daniel
Os : Osée
Jl : Joël
Am : Amos
Ab : Abdias
Jon : Jonas
Mi : Michée
Na : Nahum
Ha : Habaquq
So : Sophonie
Ag : Aggée
Za : Zaccharie
Ml : Malachie

Mt : Évangile selon saint Matthieu
Mc : Évangile selon saint Marc
Lc : Évangile selon saint Luc
Jn : Évangile selon saint Jean

Ac : Actes des Apôtres

Rm : Épître aux Romains
1 Co : Première épître aux Corinthiens
2 Co : Deuxième épître aux Corinthiens
Ga : Épître aux Galates
Ep : Épître aux Éphésiens
Ph : Épître aux Philippiens
Col : Épître aux Colossiens
1 Th : Première épître aux Thessaloniciens
2 Th : Deuxième épître aux Thessaloniciens
1 Tm : Première épître à Timothée
2 Tm : Deuxième épître à Timothée
Tt : Épître à Tite
Phm : Épître à Philémon

He : Épître aux Hébreux

Jc : Épître de saint Jacques
1 P : Première épître de saint Pierre
2 P : Deuxième épître de saint Pierre

---

1 Jn : Première épître de saint Jean
2 Jn : Deuxième épître de saint Jean
3 Jn : Troisième épître de saint Jean
Jude : Épître de saint Jude

Ap : Apocalypse

Abréviations des documents conciliaires et autres cités

CEC *Catéchisme de l'Église catholique.*

CIC *Codex Iuris Canonici,* code du droit canon de l'Église catholique.

CIV *Caritas in Veritate* (2009), encyclique sociale de Benoît XVI.

DH Concile Vatican II, Déclaration sur la liberté religieuse, *Dignitatis Humanae.*

DV Concile Vatican II, Constitution dogmatique sur la révélation divine, *Dei Verbum.*

GS Concile Vatican II, Constitution pastorale sur l'Église dans le monde de ce temps, *Gaudium et Spes.*

LE *Laborem Exercens* (1981), encyclique sociale de Jean-Paul II.

LG Concile Vatican II, Constitution dogmatique sur l'Église, *Lumen Gentium.*

PP *Populorum Progressio* (1967), encyclique sociale de Paul VI

Remerciements

L'éditeur remercie ceux qui ont contribué à la réalisation de ce travail : Dr. Johannes zu Eltz, Michaela zu Heereman, Bernhard Meuser et Dr. Christian Schmitt (Munster).

L'éditeur remercie ceux qui l'ont aidé et conseillé : Dr. Arnd Küppers, Prof. Dr. Dr. Michael Langer, Dr. Manfred Lütz, Prof. Dr. Edgar Korherr, Otto Neubauer, Bernhard Rindt, Regens Martin Straub, Dr. Hubert-Philipp Weber, Monique et Jean-Claude Guisse, Père Joseph Stricher et Monseigneur Michel Dubost.

L'éditeur remercie également les jeunes qui ont participé : Agnes, Alexander, Amelie, Anne-Sophie, Angelika, Antonia, Assunta, Brit, Carl, Cécile, Claudius, Clemens, Coco, Constantin, Damian, Daniela, Dario, Dominik, Dominique, Donata, Esther, Felicitas, Felix, Felix, Flora, Gérard, Gina, Giuliano, Huberta, Ida, Isabel, Ivo, Johanna, Johannes, Josef-Erwein, Karl, Katharina, Katrin, Kristina, Laurence, Lioba, Lukas, Marie-Sophie, Marie, Marie, Marie-Thérèse, Mariella, Matern, Monika, Nico, Nicolo, Niki, Niko, Philippa, Pia, Rebekka, Regina, Robert, Rudolph, Sabine, Sophie, Stephanie, Tassilo, Theresa, Theresa, Theresa, Theresa, Teresa, Uta, Valerie, Victoria.

Crédits photographiques
Paul Badde 34, 65, 74, 264; Nikolaus Behr 160, 163, 275, 285; Anne-Sophie Boeselager 98; Damian Boeselager 110, 152, 170, 206, 246; Ilona Boeselager 138; Ciric/William Alix 288; Ciric/Corinne Simon 104; Ciric/CPP/Alessia Giuliani 130, 252; Ciric/CPP/Max Rossi 157; Ciric/Corinne Mercier 180; Ciric/Sanctuaire Lourdes/Vincent 198; Cittanuova, Rome 6; Godong/Michel Gounot 168; Godong/P. Deliss 125, 203; Godong/Philippe Lissac 205; Ada Ketteler 118; Ildiko Ketteler 44; Kloster Magdenau 91, 164; Josef Kressierer 144, 145; Leemage/Aïsa 114; Georg Lehmacher 150; Alexander Lengerke 19, 32, 52, 55, 57, 87, 88, 113, 175, 192, 196, 210, 250, 256; Marie-Sophie Lobkowicz 15, 28, 30; Philippa Loë 43, 184; Felix Löwenstein 12, 24, 68, 77, 78, 189, 238, 242, 278; Marie Löwenstein 245; Jerko Malinar (www.cross-press.net) 66, 249, 260; Nightfever (www.nightfever-online.de) 149, 267, 272, 273; Christiane Pottgießer 287; Bernhard Rindt 108; Luc Serafin 38, 40, 47, 84, 85, 100, 121, 151, 216, 219, 226, 230, 239, 259, 279, 280, 283; Wieslaw Smetek 62, 63; Roland Stieler 255

Les Éditions du Cerf
www.editionsducerf.fr
24, rue des Tanneries
75013 Paris
France

Bayard Éditions/Centurion
www.groupebayard.com
18, rue Barbès
92128 Montrouge Cedex
France

Fleurus-Mame
www.fleuruseditions.com
15-27, rue Moussorgski
75018 Paris
France

Novalis
www.novalis.ca
4475, rue Frontenac
Montréal (Québec) H2H 2S2
Canada

REMERCIEMENTS 302
303 CRÉDITS

Achevé d'imprimer
en mai 2016 par

Corlet, Imprimeur, S.A.
14110 Condé-sur-Noireau
France

N° d'éditeur : 15334
N° d'imprimeur : 180906
Dépôt légal : mai 2011